ullstein

Der Autor

Chris Carter wurde 1965 in Brasilien als Sohn italienischer Einwanderer geboren. Er studierte in Michigan forensische Psychologie und arbeitete sechs Jahre lang als Kriminalpsychologe für die Staatsanwaltschaft. Dann zog er nach Los Angeles, wo er als Musiker Karriere machte. Gegenwärtig lebt Chris Carter in London. Seine Thriller um Profiler Robert Hunter sind allesamt Bestseller.

Von Chris Carter sind in unserem Hause bereits erschienen:

One Dead (E-Book)
Der Kruzifix-Killer
Der Vollstrecker
Der Knochenbrecher
Totenkünstler
Der Totschläger
Die stille Bestie
I am Death – Der Totmacher
Death Call – Er bringt den Tod
Blutrausch – Er muss töten
Jagd auf die Bestie
Bluthölle

Chris Carter

BLUTHÖLLE

THRILLER

Aus dem Englischen
von Sybille Uplegger

Ullstein

Besuchen Sie uns im Internet:
www.ullstein.de

Deutsche Erstausgabe im Ullstein Taschenbuch
1. Auflage August 2020

Published in Arrangement with Luiz Montoro
Titel der englischen Originalausgabe:
Written in Blood (Simon & Schuster Inc.)
Umschlaggestaltung: zero-media.net, München
Titelabbildung: © FinePic®, München
Satz: LVD GmbH, Berlin
Gesetzt aus der Scala
Druck und Bindearbeiten: CPI books GmbH, Leck
ISBN 978-3-548-29192-5

Ursprünglich sollte dieses Buch dem liebenden Andenken an meine Lebensgefährtin Kara Louise Irvine gewidmet sein, die im September 2019 verstorben ist. Als sie ging, hat sie mein Herz mitgenommen und eine Leere in mir hinterlassen, die für immer bleiben wird.
Doch seitdem hat die Welt einen unsanften Weckruf erhalten.

Für die meisten von uns hat sich sehr viel verändert.

Deshalb möchte ich diesen Roman nicht nur meiner Kara widmen, sondern darüber hinaus auch all jenen, die den Kampf gegen Covid-19 verloren haben. Wir waren nicht vorbereitet.

Für uns andere geht der Kampf weiter, also bitte:
Bleibt sicher.

Der einsamste Moment im Leben eines Menschen ist der,
in dem er machtlos zusehen muss,
wie seine ganze Welt zusammenbricht.

1

Los Angeles, Kalifornien, Samstag, 5. Dezember

Es waren noch knapp drei Wochen bis Weihnachten. Für Angela Wood markierte dieser Samstag den Startschuss dessen, was sie gerne als »Hochsaison« bezeichnete. Shoppingmalls, Einkaufsstraßen, selbst die kleinen Eckläden waren mit Kunstschnee, Lichterketten und buntem Weihnachtsschmuck herausgeputzt, und überall wimmelte es von Leuten, denen das Geld lockerer saß als sonst, weil sie nach dem perfekten Geschenk suchten. Es war die Zeit im Jahr, in der die meisten Menschen nicht an ihren Kontostand dachten. Stattdessen lautete das Motto: »Ach, was soll's? Schließlich ist nur einmal im Jahr Weihnachten« – eine Haltung, die sie dazu veranlasste, tief in die Tasche zu greifen und mehr auszugeben, als vielleicht ratsam gewesen wäre. Mitunter sogar deutlich mehr, als der Dispo hergab.

Für Angela bedeutete die Vorweihnachtszeit gut gelaunte Menschen mit prall gefüllten Portemonnaies in Hosen-, Jacken- oder Handtaschen. Wenn das Fest der Liebe vor der Tür stand, feierte das Bargeld ein Comeback. Normalerweise trug der Großteil der Einwohner von Los Angeles kein Bares mehr mit sich herum, viele hatten nicht einmal Kleingeld dabei – alles lief bargeldlos ab, egal ob man im Kiosk an der Ecke ein Päckchen Kaugummi kaufen wollte oder auf dem Rodeo Drive ein Vermögen ausgab. Kein Cash, keine Umstände. Man war endgültig und unwiderruflich in der Ära des elektronischen Zahlungsverkehrs angekommen.

Für die meisten Verkäufer und Ladenbesitzer machte das natürlich keinen Unterschied. Aber Angela war keine Verkäuferin. Sie war auch keine Ladenbesitzerin. Sie war eine professionelle Taschendiebin, und als solche logischerweise nicht unbedingt ein Fan des bargeldlosen Zahlungsverkehrs. Klar, sie konnte auch geklaute Kreditkarten und Smartphones zu Geld machen, aber in ihrer Welt war nach wie vor nur Bares wirklich Wahres, und deshalb war auch sie in der Vorweihnachtszeit fröhlicher gestimmt als sonst.

In diesem Jahr hatte Angela beschlossen, die Hochsaison in einer lauschigen kleinen Einkaufsstraße in Tujunga Village einzuläuten.

Die Tujunga Avenue lag in der Nähe des Ventura Boulevards in Studio City, zwischen den Vierteln Colfax Meadows und Woodbridge Park. Die unter dem Namen Tujunga Village oder einfach nur »The Village« bekannte Gegend umfasste ein drei Blocks langes Straßenstück zwischen Moorpark und Woodbridge, und es gab hier eine Vielzahl hübscher Läden, Boutiquen, Restaurants, Bars und Cafés. Das Village zog ganzjährig viele Menschen an, vor allem an den Wochenenden. Während der Adventszeit jedoch stieg die Zahl der Besucher exponentiell an, und die Straßen waren überschwemmt von einem Meer glücklicher Menschen mit dicken Geldbörsen.

Nach Möglichkeit zog Angela es vor, abends zu arbeiten. Das war ein weiterer Grund, weshalb sie die Vorweihnachtszeit so mochte. Um der großen Zahl von Einkäufern gerecht zu werden, hatten viele Geschäfte länger geöffnet. Angela wusste dies natürlich und machte sich auf den Weg nach Tujunga Village, gerade als die Sonne im Begriff war, hinter dem Horizont zu verschwinden. Zufrieden stellte sie fest, dass die Anzahl der Menschen, die die Straßen bevölkerten, sich im Vergleich zum letzten Jahr beinahe verdoppelt zu haben schien.

»Ach, ich liebe die Adventszeit«, sagte sie zu sich selbst und ließ die Fingerknöchel knacken, ehe sie sich ein Paar dünne rote Lederhandschuhe überstreifte.

Da die Sonne schon fast untergegangen war, waren die

Temperaturen draußen auf den Straßen auf etwa acht Grad gesunken – nicht schlecht für einen Winterabend, aber in einer Stadt, in der Hitze und Sonne gewissermaßen als ständige Ehrenbürger betrachtet wurden, brachten solche Temperaturen jeden stolzen Angelino dazu, seinen Kleiderschrank nach der dicksten, wärmsten Jacke zu durchforsten, die er finden konnte. Für jemanden wie Angela waren dicke Winterjacken und Mäntel ein Segen. Die Leute trugen jede Menge Zeug in den Außentaschen mit sich herum, und dicke Jacken waren wie eine Schutzschicht zwischen dem Körper des Trägers und dem Inhalt der Tasche, sodass man nicht einmal besonders geschickt sein musste, um einem Opfer seine Habe abzunehmen. Im Gedränge, das auf den Straßen und in den Geschäften herrschte und in dem sich die Leute ständig gegenseitig anrempelten, war es sogar noch einfacher. Für einen routinierten Profi wie Angela war das Gewimmel in Tujunga Village, wo sich achtzig Prozent der Passanten dick eingemummelt hatten, der reinste Selbstbedienungsladen.

»Los geht's«, sagte sie, ehe sie sich ins Getümmel stürzte und mit scharfem Blick nach potenziellen Opfern Ausschau hielt.

Bevor sie auch nur die Hälfte des Blocks zurückgelegt hatte, waren bereits drei Geldbörsen in ihren Rucksack gewandert. Sie hätte mit Leichtigkeit noch mehr stehlen können, aber während der Hochsaison hatte Angela keinen Grund, wahllos zuzugreifen, ohne wenigstens eine grobe Vorstellung davon zu haben, ob es sich überhaupt lohnte.

Ihre Methode war ebenso unkompliziert wie effektiv: Sie beobachtete zunächst, wie jemand im Laden oder auf der Straße für etwas bezahlte. Dieser simple Ansatz war doppelt vorteilhaft: Erstens ließ sich auf diese Weise schnell ermitteln, wer Bargeld dabeihatte und wer nicht. Zweitens fand sie dabei heraus, wohin die Zielperson ihr Portemonnaie steckte. Danach musste sie der betreffenden Person nur noch folgen und den richtigen Moment zum Zuschlagen abpassen. Dabei ging sie nie übereilt vor. Trotzdem war es diesmal schon nach fünfzehn Minuten Zeit für eine erste Inventur.

Angela blieb stets bescheiden. Nur ein einziges Mal hatte sie sich von ihrer Gier leiten lassen, und das war ihr prompt zum Verhängnis geworden. Sie hatte eine kurze Zeit im Gefängnis verbracht – ein Ort, an den sie unter keinen Umständen zurückwollte. Seitdem stahl sie nie mehr als drei Börsen, ehe sie die nach Bargeld und Kreditkarten durchsuchte. Bei guter Ausbeute machte sie Feierabend. Wenn es noch nicht reichte, warf sie die ausgeräumten Geldbörsen weg und begab sich auf eine zweite Tour.

Nachdem sie die dritte Börse an sich gebracht hatte, suchte sie sich einen sicheren Ort, um ihr Diebesgut in Augenschein zu nehmen. In einer Seitenstraße hinter dem alteingesessenen und stets gut besuchten Restaurant Vitello's mitten im Herzen von Tujunga Village lag der Rendition Room – eine billige Cocktailbar im Stil der Dreißigerjahre. Die Toilette dort war der ideale Ort für das, was Angela vorhatte.

Sie war bereits häufiger im Rendition Room gewesen, aber sie hatte die Bar noch nie so voll erlebt wie an diesem Abend. Auf der Damentoilette musste sie über fünf Minuten anstehen.

Sobald eine Kabine frei wurde, holte sie die Börsen heraus und prüfte sie auf Bargeld. Sie hatte einen sehr guten Fang gemacht.

»Sechshundertsiebenundachtzig Dollar für nicht mal fünfzehn Minuten Arbeit«, murmelte sie, ehe sie den Großteil des Geldes in ihren BH stopfte. »Nicht schlecht für den ersten Tag.«

Einen Sekundenbruchteil lang spielte sie mit dem Gedanken, noch mal rauszugehen und weiterzumachen. *»Da draußen lauert fette Beute auf dich«*, raunte die leichtsinnige Angela ihr ins Ohr. »*Am Ende des Abends könntest du genug haben für den ganzen Monat.*«

Aber die vernünftige Angela war auch noch da, und sie schmetterte den Vorschlag sofort ab.

»*Nein, das reicht für heute. Statt leichtsinnig zu werden, geh lieber und feiere deinen Erfolg mit einem Drink. Schließlich bist du in einer Cocktailbar.*«

Angela war besonnener als früher. Seit sie im Knast gesessen hatte, siegte bei ihr immer die Vernunft.

Ehe sie die Kabine verließ, zog sie sich noch ihre schwarze Perücke vom Kopf, dann nahm sie die dunklen Kontaktlinsen heraus und verstaute sie sorgfältig.

Draußen in der belebten Bar dauerte es mehrere Minuten, bis die Bedienung auf sie aufmerksam wurde. Sie hatte die Cocktailkarte überflogen und sich für einen Klassiker entschieden – den Sidecar. Was einen freien Tisch anging, hatte sie mehr Glück. Gerade als sie der Theke den Rücken kehrte, wurde wenige Meter entfernt ein kleiner runder Stehtisch frei. Rasch nahm Angela ihn in Beschlag.

Während sie ihren Cocktail schlürfte, blickte sie sich aufmerksam um. Nicht, dass sie ihre Entscheidung, für heute Schluss zu machen, bereut hätte. Sie hatte einfach die Angewohnheit, die Menschen in ihrem Umfeld zu beobachten, ganz egal, wo sie war. Es war wie eine Art Reflex ... oder eine Berufskrankheit, wenn man so wollte. Oft merkte sie es nicht einmal.

Innerhalb von zwanzig Sekunden hatte sie drei Gäste identifiziert, die leichte Beute für sie gewesen wären.

Vier Tische rechts von ihr standen zwei Männer in den Vierzigern. Beide waren stark angetrunken. Einer der beiden, der mit der Brille, hatte sein Portemonnaie in der Sakkotasche stecken und das Sakko neben sich auf einen freien Barhocker gelegt, die Tasche mit dem Portemonnaie nach oben.

Drei Tische vor ihr saßen zwei Frauen Anfang zwanzig

und schlürften Margaritas. Eine von ihnen, die mit dem Rücken zu Angela saß, hatte ihre Handtasche über die Stuhllehne gehängt. Der Reißverschluss stand offen.

Am Tisch rechts neben ihr stand ein großer Mann, der ganz in sein Handy vertieft zu sein schien. Er hatte eine sehr elegante Ledertasche bei sich, die er zu seinen Füßen auf den Boden gestellt hatte. Angela hatte keine Ahnung, was sich in der Tasche befand, aber sie wäre jede Wette eingegangen, dass es etwas Wertvolles war.

Manche Leute sind wirklich unfassbar dumm, dachte sie und schüttelte kaum merklich den Kopf. *Lernen die denn nie dazu?*

Als ihr Blick von der Tasche am Boden zurück zu ihrem Besitzer und dessen Handy wanderte, trat ein älterer Mann auf ihn zu. Angela konnte hören, was er sagte.

»Entschuldigen Sie, hätten Sie was dagegen, wenn ich mein Getränk bei Ihnen auf dem Tisch abstelle? Ist ganz schön voll heute.«

Der große Mann riss den Blick nicht von seinem Telefon los.

»Ja, hätte ich.«

Angela runzelte verdutzt die Stirn und fragte sich, ob sie sich verhört hatte.

Auch der ältere Herr wirkte ein wenig irritiert.

»Ich brauche auch nicht viel Platz«, versuchte er es aufs Neue. »Ich möchte nur mein Glas abstellen. Ich störe Sie auch nicht.«

»Das tun Sie bereits«, sagte der Typ mit dem Handy, der nun endlich den Kopf hob und den älteren Herrn ansah. »Suchen Sie sich einen anderen Tisch für Ihr Glas, alter Mann. Der hier ist besetzt.«

Angela war fassungslos. *Was für ein Vollarsch.*

Im ersten Moment wirkte der ältere Mann wie erstarrt. Er hatte keine Ahnung, wie er auf die Abfuhr reagieren sollte.

»Verpiss dich, Alter«, sagte der Handytyp mit schneidender Stimme.

Schockiert wandte sich der alte Herr ab und ging.

Angela wollte ihm gerade ihren Tisch anbieten, als die leichtsinnige Angela ihr etwas ins Ohr flüsterte.

»Der Typ ist ein Wichser, Angie. Du solltest ihm eine Lektion erteilen.«

Abermals beäugte Angela die teure Ledertasche.

Der Kerl hatte sich längst wieder seinem Smartphone zugewandt.

Angela leerte ihr Glas und ging ein Stück um ihren Tisch herum, bis sie direkt hinter dem Mann stand. Zur Sicherheit, um keinen Verdacht zu erregen, zückte sie ihr eigenes Handy und hob es ans Ohr. Während sie so tat, als würde sie telefonieren, bewegte sich ihr rechter Fuß unauffällig nach vorn, bis sie den Schulterriemen der Tasche angeln konnte.

Der Mann tippte emsig auf seinem Smartphone.

Angela drehte ihm die Seite zu und machte zwei Schritte in seine Richtung. Dabei reckte sie den Hals und sah sich in der Bar um, als suche sie nach jemandem. Gleichzeitig zog sie mit dem rechten Fuß vorsichtig die Ledertasche zu sich heran.

Der Mann war so sehr mit seinem Smartphone beschäftigt, dass er nichts bemerkte. Und selbst wenn er auf sie aufmerksam geworden wäre, hätte Angela ganz einfach behauptet, ihr Fuß habe sich im Riemen der Tasche verfangen, weil es so voll war. Ein dummes Missgeschick, nichts weiter.

Noch ein kleiner Schritt, noch ein kurzer Ruck am Riemen, und dann kam ihr der Zufall zu Hilfe. Einige Tische entfernt ließ jemand ein volles Tablett fallen. Der Lärm zerbrechender Gläser und Flaschen führte dazu, dass alle sich umdrehten, auch der Mann. Als er sich wenige Sekunden später wieder seinem Telefon zuwandte, war Angela bereits auf dem Weg zum Ausgang – mit seiner Tasche unter der Jacke. Weitere fünf Minuten später saß sie im Bus Nummer 237 Richtung Colfax Avenue.

Sie platzte fast vor Neugier und brannte darauf, nachzuschauen, was in der Tasche war, doch obwohl sie sich einen Platz ganz hinten gesucht hatte, widerstand sie der Versuchung. Sie wollte keine neugierigen Blicke auf sich ziehen.

Von Tujunga Village aus brauchte sie eine gute Dreiviertelstunde bis nach Hause. Sie wohnte in einem kleinen Zweizimmer-Apartment am südlichen Ende der Colfax Avenue. Sobald sie die Wohnungstür hinter sich zugeworfen hatte, streifte sie die Schuhe von den Füßen und machte es sich im Schneidersitz auf dem Bett bequem. Sie legte die Ledertasche vor sich hin und öffnete den Reißverschluss.

Eine Woge der Enttäuschung überkam sie.

Vielleicht lag es an der Größe und Form der Tasche oder daran, dass sie so schwer war, aber Angela hätte darauf wetten können, dass sie einen Laptop oder ein Tablet enthielt. Stattdessen war der einzige Gegenstand in der Tasche ein etwa DIN-A4-großes, in dickes schwarzes Leder gebundenes Notizbuch.

»Wow. Statt eines Laptops kriege ich ein Buch? Genial.«

Angela musste über ihr Pech lachen. Gut, dass sie die Tasche in erster Linie geklaut hatte, um dem Arschloch in der Bar eins auszuwischen.

»Was für ein unhöflicher Mistkerl«, sagte sie kopfschüttelnd. »Ich kann nur hoffen, dass dir dieses Buch sehr, sehr wichtig ist.«

Einer spontanen Eingebung folgend, schlug sie es auf und blätterte ein wenig darin herum.

Das Erste, was ihr auffiel, war, dass die Seiten eng beschrieben waren und der Verfasser, vermutlich der Mann aus der Bar, über eine sehr saubere Handschrift verfügte. Nicht alle Seiten enthielten ausschließlich Text. Einige waren voller primitiver Zeichnungen und Skizzen, denen Angela jedoch nicht viel Beachtung schenkte. An einige Seiten waren Polaroidfotos geheftet. Als Angelas Blick am ersten Foto hängen blieb, geriet ihr Herzschlag ins Stolpern.

Sie blätterte um ... noch ein Polaroid. Diesmal hörte ihr Herz praktisch ganz auf zu schlagen. Mit zitternden Fingern hob sie das Foto an, um zu sehen, ob auf der Rückseite oder darunter etwas geschrieben stand. Nichts.

»Was ist das?«, murmelte sie tonlos. Instinktiv wanderte ihr Blick weiter zum Text unter dem Foto. Sie kam nur wenige Zeilen weit, ehe sie am ganzen Leib zu zittern begann.

»O Gott. Was hast du angestellt, Angie? Was zum Teufel hast du da bloß angestellt?«

2

Montag, 7. Dezember

Das Büro der Ultra Violent Crime Unit des LAPD lag am hinteren Ende der Etage, auf der das Raub- und Morddezernat untergebracht war, im berühmten Police Administration Building mitten im Zentrum von Los Angeles. Detective Robert Hunter, Leiter der UV-Einheit, war gerade aus der Mittagspause zurückgekommen, als der Festnetzapparat auf seinem Schreibtisch klingelte.

Nach dem zweiten Klingeln nahm er ab. »Detective Hunter, UV-Einheit?«

»Robert, hier ist Susan. Haben Sie einen Moment Zeit?«

Dr. Susan Slater galt als eine der besten Forensikerinnen Kaliforniens. Sie hatte schon bei mehreren Fällen eng mit der UV-Einheit zusammengearbeitet.

»Klar, Doc. Stimmt irgendwas nicht?«

»Ich weiß nicht genau«, sagte Dr. Slater und machte eine kurze Pause. »Möglicherweise.«

Neugierig geworden, setzte Hunter sich bequemer auf seinem Bürostuhl zurecht. »Okay. Ich bin ganz Ohr.« Sein

Blick ging zu dem Terminkalender auf seinem Schreibtisch, und er blätterte ein paar Seiten darin zurück, nur um ganz sicherzugehen, dass keine Testergebnisse ausstanden.

Nichts.

»Es ist eine ziemlich merkwürdige Angelegenheit«, begann Dr. Slater. »Als ich heute früh aus dem Haus ging, um ins Labor zu fahren, habe ich wie jeden Morgen in den Briefkasten geschaut. Abgesehen von den üblichen Werbesendungen, die man übers Wochenende so bekommt, lag auch ein dicker Umschlag drin. Darauf stand in großen Buchstaben mein Name geschrieben, sonst nichts.«

»Was meinen Sie damit?«, fragte Hunter.

»Dass meine Adresse nicht draufstand, Robert«, erklärte Dr. Slater. »Nur mein Name. Keine Briefmarke, kein Poststempel, auch keine Absenderadresse.«

»Jemand hat Ihnen den Umschlag also direkt in den Briefkasten gesteckt.«

»Genau«, sagte Dr. Slater.

»Haben Sie ihn schon aufgemacht?«

»Ja, habe ich – natürlich nicht ohne die üblichen Vorsichtsmaßnahmen. In dem Umschlag war ein Buch.«

»Aha?« Hunter runzelte die Stirn.

»Um genauer zu sein ... eine Art Notizbuch.«

»Was für ein Notizbuch denn?«

Diesmal wirkte Dr. Slaters Schweigen deutlich angespannter.

»Ein Notizbuch, von dem ich finde, dass Sie und Carlos es sich dringend ansehen sollten.«

3

Hunters langjähriger Partner in der UV-Einheit war Detective Carlos Garcia. Sie teilten sich ein Büro – eine zweiundzwanzig Quadratmeter große Betonschachtel mit einem einzigen Fenster, zwei Schreibtischen und ein paar alten Aktenschränken. Immerhin war es ein separater Raum, in dem sie vor neugierigen Kollegen und dem Stimmengewirr des übrigen Raub- und Morddezernats größtenteils geschützt waren.

Während Hunter mit Dr. Slater telefonierte, saß Garcia an seinem Rechner und füllte Formulare aus.

»Lust auf einen Ausflug zum Kriminallabor?«, fragte Hunter, sobald er aufgelegt hatte. Er griff bereits nach seiner Jacke.

Das kriminaltechnische Labor, Teil der Forensics Science Division, kurz FSD, bestand aus insgesamt acht Speziallaboren, die die verschiedenen Dezernate des LAPD bei ihren Ermittlungen unterstützten. Die meisten dieser Labore waren im Hertzberg-Davis Forensic Science Center auf dem Campus der California State University in Alhambra im westlichen San Gabriel Valley untergebracht.

»Ins Kriminallabor?« Garcia sah seinen Partner mit zusammengekniffenen Augen an. »Stehen noch irgendwelche Ergebnisse aus?«

»Nein«, antwortete Hunter, ehe er in knappen Worten seine Unterhaltung mit Dr. Slater wiedergab.

»Ein Notizbuch?«

»So hat sie es genannt.«

»Mehr hat sie nicht gesagt?« Garcia stand auf und schnappte sich ebenfalls seine Jacke.

»Nur, dass wir unbedingt einen Blick drauf werfen sollen.«

»Klar komme ich mit«, sagte Garcia. »Ich stehe drauf, wenn man mich auf die Folter spannt.«

4

An einem Montagnachmittag und im dichten Stadtverkehr benötigten Hunter und Garcia rund achtundzwanzig Minuten für die knapp sechs Meilen vom Police Administration Building in der West 1st Street bis zur Universität in Alhambra. Nachdem sie den Wagen auf einem eigens für Mitarbeiter der Strafverfolgungsbehörden reservierten Parkplatz abgestellt hatten, machten sich die beiden auf den Weg zum Hertzberg-David Forensics Science Center – einem imposanten fünfstöckigen Gebäude im südwestlichen Teil des Campus. Nachdem sie den Empfang passiert hatten, nahmen sie die Treppe in den zweiten Stock, wo sich die Abteilung für Spurenanalyse befand. Dort wollte Dr. Slater sich mit ihnen treffen.

»Und? Freust du dich schon auf morgen?«, erkundigte sich Garcia, als sie am ersten Treppenabsatz ankamen.

»Meinst du den Weihnachtsball des LAPD?« In Hunters Miene spiegelte sich nicht mal ein Hauch von Vorfreude wider. »Freust *du* dich etwa?«

»Ja.« Garcia wirkte regelrecht aufgekratzt. »Ich habe sogar schon ein Zombie-Weihnachtsmannkostüm.«

»Zombie-Weihnachtsmannkostüm?« Hunters Lippen verzogen sich zu einem dünnen Lächeln. »Ernsthaft?«

»Klar doch! Solche Partys sind so langweilig, da muss man selber für ein bisschen Spaß sorgen.«

»Und ein Zombie-Weihnachtsmannkostüm ist deine Vorstellung von Spaß?«

»Du bist bloß neidisch, weil du dich nicht verkleiden darfst«, konterte Garcia. »Du und Captain Blake sitzt am Tisch des Bürgermeisters, oder?«

Hunter nickte und verdrehte gleichzeitig die Augen. »Wird bestimmt ein richtig toller Abend.«

Garcia lachte leise. »Ja, jede Wette.«

Wie der Name bereits andeutete, bestand die Hauptaufgabe der Abteilung für Spurenanalyse darin, organisches sowie anorganisches Spurenmaterial zu analysieren, das im Zusammenhang mit Straftaten entweder vom Täter auf das Opfer übertragen oder in der Umgebung eines Tatortes sichergestellt worden war.

Als sie die Doppeltür erreichten, die zu den Räumlichkeiten des Labors führte und die stets verschlossen gehalten wurde, betätigte Hunter den Summer. Sie warteten. Wenige Sekunden später ertönte das gedämpfte Zischen der Türentriegelung.

Im Labor, das mindestens so viel Raum einnahm wie das gesamte Raub- und Morddezernat, war es unangenehm kühl, wenngleich immer noch etwas wärmer als im Freien. Mehrere Kriminaltechniker in langen weißen Laborkitteln waren an verschiedenen Arbeitsplätzen beschäftigt. Im Hintergrund lief leise Klassik.

»Hier drüben, Gentlemen«, hörten sie Dr. Slater rufen, während sich hinter ihnen die Türen langsam wieder schlossen.

Dr. Slater saß unweit von Hunter und Garcia vor einem inversen Mikroskop.

Sie war Mitte dreißig, etwa eins siebzig groß, schlank und athletisch gebaut, mit hohen Wangenknochen und einer schmalen Nase. Ihre langen blonden Haare waren oben auf dem Kopf zu einem unordentlichen Knoten zusammengedreht. Wie meistens trug sie nur ein ganz dezentes Make-up, das das Blau ihrer Augen betonte.

»Danke, dass Sie so schnell gekommen sind.« Sie begrüßte die Detectives mit einem Nicken.

»Tja. Ihr rätselhafter Anruf hat uns neugierig gemacht«, gab Garcia mit einem Lächeln zurück. »Was haben Sie denn Spannendes für uns?«

»Genau das, was ich Robert am Telefon bereits erklärt

habe«, antwortete sie. Ihre Stimme klang sanft und freundlich, aber kein bisschen unsicher. Man hörte ihr die langjährige Berufserfahrung an. »Jemand hat mir irgendwann im Laufe des Wochenendes ein Päckchen in den Briefkasten gesteckt – wahrscheinlich gestern Nacht oder heute am sehr frühen Morgen. Schon allein der Umschlag hat mich stutzig gemacht.« Sie lenkte die Aufmerksamkeit der beiden auf einen großen transparenten Asservatenbeutel, der vor ihr auf dem Tisch lag. Darin befand sich ein großer brauner Umschlag, auf dessen Vorderseite in großen schwarzen Buchstaben »Susan Slater« stand.

»Darf ich?«, fragte Hunter.

»Nur zu.«

Er hob den Asservatenbeutel auf, sodass er und Garcia den Umschlag aus der Nähe betrachten konnten.

»Ich nehme mal an, Sie haben ihn schon auf Fingerabdrücke untersucht?«, fragte Garcia.

Dr. Slater nickte. »Es gab keine – nur meine eigenen.«

»Und die Handschrift?«, wollte Hunter wissen.

»Alles Versalien, keine hervorstechenden Merkmale erkennbar. Der Stift war irgendein billiger Filzstift mit dünner Spitze. Es hat keinen Sinn, sich die Mühe zu machen, die Tinte einer bestimmten Marke zuzuordnen, höchstwahrscheinlich ist es ein handelsüblicher Fineliner, der sogar in allen größeren Supermärkten geführt wird.«

Hunter nickte und legte den Asservatenbeutel wieder hin. »Sie erwähnten etwas von einem Notizbuch?«

»Ja«, sagte Dr. Slater und zeigte in den hinteren Bereich des Labors. »Jetzt wird es interessant. Kommen Sie, ich zeige es Ihnen.«

Hunter und Garcia folgten ihr, vorbei an einer Gruppe von Kriminaltechnikern, die allesamt zu beschäftigt waren, um die Detectives auch nur wahrzunehmen. Als sie einen von insgesamt zwei separaten Räumen am hinteren Ende des Labors erreichten, warteten sie, während Dr. Slater einen achtstelligen Code in das Keypad unterhalb des Türgriffs eingab.

Der Raum, den sie betraten, war etwa acht Meter lang und sechs Meter breit. Darin befanden sich drei einzelne Arbeitsplätze mit insgesamt fünf Computern und sechs verschiedenen Mikroskopen – zwei Laserrastermikroskope, zwei Stereolupen, ein inverses Mikroskop sowie ein konfokales Lasermikroskop. Hier war es noch kälter als im großen Labor nebenan.

Dr. Slater führte sie zu einer freien Arbeitsfläche gleich links neben der Tür.

»Als ich den Umschlag heute Morgen aus dem Briefkasten geholt habe«, begann sie, »war ich *so* kurz davor, ihn einfach aufzumachen.« Sie deutete mit Daumen und Zeigefinger einen praktisch nicht existenten Zwischenraum an. »Ich konnte mich zwar nicht daran erinnern, irgendwas im Internet bestellt zu haben, aber hin und wieder kommt es vor, dass ich was vergesse, vor allem wenn die Lieferzeit länger als drei Tage beträgt. Außerdem schicken mir das FSD oder andere forensische Labore manchmal unaufgefordert Proben oder Materialien zu – einfach nur weil ...« Sie hob die Schultern. »Na ja, so ist es eben. Wie auch immer. Ich wollte den Umschlag schon aufreißen, kam dann aber noch gerade rechtzeitig zur Besinnung.«

»Als Sie gemerkt haben, dass keine Adresse oder Briefmarke drauf ist«, sagte Hunter. »Sondern nur Ihr Name.«

»Genau. Niemand vom FSD oder einem anderen Labor im Land würde mir einfach so eine Sendung zu Hause vorbeibringen. Allerhöchstens, wenn es sich um etwas Dringendes handelt – und dann würden sie klingeln und mir das Päckchen persönlich übergeben, statt es in den Briefkasten zu werfen.«

»Also haben Sie es hergebracht«, sagte Garcia. »Der ideale Ort, um ein paar Tests zu machen.«

Dr. Slater nickte. »Der Umschlag ist bereits durch drei verschiedene Scanner gewandert: ein normales Röntgengerät, das gezeigt hat, dass es sich bei dem Inhalt um ein Notizbuch handelt; dann ein Gerät, das Sprengstoffe nachweist – mit negativem Ergebnis; und schließlich wurde der Umschlag noch auf giftige oder anderweitig gesundheitsschädliche Substanzen getestet, das fiel ebenfalls negativ aus. Ich kam mir vor wie der letzte Trottel, weil ich in meiner Paranoia öffentliche Gelder für so einen Unsinn verschwendet hatte. Aber dann habe ich den Umschlag aufgemacht.« Sie deutete auf einen zweiten Asservatenbeutel, der hinter ihr auf der Arbeitsfläche lag. Darin lag ein in Leder gebundenes Notizbuch. »Und dabei kam das hier zum Vorschein. Vergessen Sie nicht die Handschuhe, bevor Sie den Beutel öffnen.«

Hunter und Garcia zogen jeweils ein Paar blaue Einmalhandschuhe aus einem Spender an der Wand und streiften sie sich über.

Auch ohne dass sie das Notizbuch aus dem Beutel nehmen mussten, fiel ihnen gleich als Erstes auf, dass der schwarze Ledereinband ungewöhnlich dick und stabil war. Er hatte keinen Aufdruck, keine Prägung und war auch sonst weder vorne noch hinten in irgendeiner Weise gekennzeichnet.

Das Zweite, was sie bemerkten, war, dass das Buch deutlich mehr wog als ein normales Notizbuch, obwohl es nur etwa einhundertzwanzig Seiten stark zu sein schien. Wenn man es von der Seite betrachtete, sah man außerdem sofort, dass die Seiten nicht bündig aufeinanderlagen. Das Papier war gewellt und stellenweise dicker, mit Ausnahme der letzten fünfzehn bis zwanzig Blätter. Das deutete darauf hin, dass die Seiten entweder feucht geworden waren oder etwas hineingeklebt worden war – vielleicht auch beides.

Hunter und Garcia stellten sich nebeneinander vor die Arbeitsfläche, ehe Hunter das Notizbuch aus dem durchsichtigen Beutel holte, es hinlegte und aufschlug.

Entgegen dem, was man von einem persönlichen Tagebuch erwartete, enthielt die erste Seite keine persönlichen Angaben über den Besitzer. Auch auf der Innenseite des vorderen Buchdeckels stand nichts geschrieben – kein Name, keine Anschrift, keine Handynummer oder E-Mail-Adresse.

Sie warfen einen Blick auf den ersten Eintrag. Dort war nirgends ein Datum oder eine Zeitangabe verzeichnet, weder ganz oben auf der Seite noch an einer anderen Stelle. Der Text selbst wies keinerlei Absätze oder Zeilenumbrüche auf. Ein Wort folgte auf das andere in einem scheinbar endlosen Block. Immerhin hatte der Verfasser Satzzeichen verwendet, was das Ganze ein wenig lesbarer machte.

Sämtliche Texte waren mit schwarzer Tinte und in sauberer Schreibschrift geschrieben. Fehler waren mit einer einzelnen horizontalen Linie durchgestrichen worden. Der Verfasser hatte weder irgendwo Tipp-ex benutzt noch einzelne Stellen ausradiert oder durch Gekritzel unkenntlich gemacht. Alles war sauber und ordentlich. Es gab auch keine Anzeichen von Vergilbung an den Seitenrändern – ein Hinweis darauf, dass das Tagebuch noch nicht sehr alt sein konnte. Hunter staunte über die schnurgeraden Zeilen, denn das Papier war nicht liniert.

Garcia wollte gerade weiterblättern, als Hunter ihm eine Hand auf den Arm legte. Sein Blick war an der ersten Textzeile hängen geblieben, und er hatte zu lesen begonnen.

Ihr Name war Elizabeth Gibbs, geboren am 22. 10. 1994. Nicht, dass es mich interessiert, wie sie heißen oder wer sie sind. Ihr Leben ist mir vollkommen egal. Mittlerweile waren es schon so viele, dass sie nichts weiter sind als Gesichter in der Dunkelheit. Eins verschwimmt mit dem anderen ... und das wieder mit nächsten ... und immer so weiter. Der Kreislauf endet nie. Mein Gedächtnis ist nicht mehr so gut wie früher. Ich vergesse Dinge. Ich vergesse sehr viele Dinge, und es wird immer schlimmer. Das ist einer der Gründe, weshalb ich mich entschieden habe, dieses Tagebuch an-

zufangen. Der zweite dreht sich um Sicherheit. Ich hätte schon vor langer Zeit auf die Idee kommen sollen, alles aufzuschreiben – gleich als das mit den Stimmen anfing. Aber das ist Schnee von gestern, und jetzt habe ich ja dieses Buch. Ich habe versucht, mich an die Fakten zu erinnern ... an Einzelheiten über die früheren Subjekte, aber wie gesagt, mein Gedächtnis ist nicht mehr das beste, und ich muss mich damit abfinden, dass es von jetzt an immer nur noch weiter bergab geht. Die Stimmen haben sehr genaue Angaben gemacht, was das Subjekt angeht. Weiblich. Größe: mindestens 1,70 m. Haare: schwarz, lang, glatt. Augen: dunkel. Gewicht: maximal 75 kg. Hautfarbe: weiß. Ich brauchte nur wenige Tage, bis ich sie gefunden hatte. Es war nicht schwer. Nachdem ich ihr eine Zeit lang durch die Stadt gefolgt war, ergab sich schließlich die Gelegenheit zum Zuschlagen. Datum und Uhrzeit: 3. 2. 2018–1930 h. Ort: Parkplatz vor dem Albertsons, Rosecrans Avenue, La Mirada. Foto: aufgenommen am selben Abend, wenige Stunden nach der Entführung.

Hunter blätterte um. Die Rückseite war leer. Der Verfasser hatte sich offenbar dazu entschieden, immer nur die Vorderseite der Blätter zu beschreiben. Die nächste Seite begann mit einer Lücke von circa acht Zentimetern oder, grob geschätzt, fünfzehn Zeilen. Zwei winzige Löcher ganz oben ließen erkennen, dass dort etwas eingeheftet gewesen war. Der rechte Rand der Seite war durch eine kleine Schmierspur verunreinigt, die aussah wie Blut. Hunter hob den Kopf und suchte Dr. Slaters Blick.

»Da war ein Foto drin?«, fragte er.

»Ja, ganz richtig«, antwortete sie, ehe sie zu einem anderen Arbeitsplatz ging, um einen dritten Asservatenbeutel zu holen, den sie an Hunter weiterreichte. Darin steckte ein Foto wie von einer Instax-Mini-Sofortbildkamera – zweiundsechzig mal zweiundvierzig Millimeter groß. Es zeigte das Gesicht einer Frau von schätzungsweise Mitte zwanzig. Ihre langen schwarzen Haare fielen ihr offen über die Schultern.

Der Ausdruck in ihren dunklen Augen spiegelte sich auch in ihrem restlichen Gesicht wider und war unverkennbar: Sie litt Todesangst. Sie musste geweint haben, denn ein Großteil ihrer Mascara und ihres Eyeliners war verlaufen und hatte ein Geflecht aus wässrig schwarzen Zickzacklinien auf ihren Wangen hinterlassen. Der hellrote Lippenstift, den sie getragen hatte, war verschmiert. Der Kragen und die Schultern ihrer himmelblauen Bluse waren offenbar durchgeschwitzt. Das Foto war vor dem Hintergrund einer Betonziegelwand aufgenommen worden.

»Das ist der Grund, weshalb ich mich entschieden habe, Sie anzurufen«, erklärte Dr. Slater. »Ich war so frei und habe schon mal ihren Namen und das Foto mit der Vermisstendatenbank abgeglichen. Es gibt sie wirklich ... und das Datum passt.«

Hunter und Garcia wechselten einen unbehaglichen Blick.

»Sie wurden alle eingetütet«, fügte Slater hinzu. »Für die Analyse.«

»Sie?«, fragte Garcia, dessen Blick von dem Foto zu Dr. Slater wanderte.

Sie nickte und atmete tief ein. »In dem Buch waren insgesamt sechzehn Fotos. Sechzehn verschiedene ›Subjekte‹.«

Hunter und Garcia hatten bereits den kleinen Stapel Asservatenbeutel auf der Arbeitsplatte unmittelbar hinter Dr. Slater bemerkt, allerdings waren sie davon ausgegangen, dass es sich um Beweismittel für einen anderen Fall handelte.

»Was ist mit der Schmierspur hier oben auf der Seite?«, wollte Hunter wissen. »Ist das Blut?«

»Ja. Neben jedem Bild, das ich aus dem Buch entfernt habe, gab es einen solchen Blutfleck. Die logische Schlussfolgerung ist wohl, dass es sich um das Blut der Person auf dem dazugehörigen Foto handelt. Ich habe von diesem Schmierfleck hier einen Abstrich genommen und ihn sofort zur Sequenzierung in die DNA-Abteilung geschickt.« Dr. Slater verschränkte die Arme vor der Brust. »Aber bitte, lesen Sie nur weiter. Die richtig gute Stelle kommt erst noch.«

Hunter legte den Asservatenbeutel mit dem Foto neben das Notizbuch, ehe er sich wieder dem Text widmete und direkt unterhalb der Lücke weiterlas. Auf der Seite befand sich auch eine Skizze, die eine rechteckige Kiste darstellte. Darunter stand das Wort »Holz«. Die Maße der Kiste, auch die des Deckels, waren fein säuberlich angegeben.

Anders als beim letzten Mal, das extrem aufwendig und schmutzig war, liefen Vorbereitung und Durchführung diesmal ziemlich simpel. Kein Blut. Keine Folter. Keine Erniedrigung. Die Anweisung der Stimmen war eindeutig: »Sie soll lebendig begraben werden.«

5

Hunter schwieg. Er betrachtete noch einmal kurz das Polaroid im Asservatenbeutel, ehe er sich erneut an Dr. Slater wandte.

»Ist das alles überhaupt echt?«, fragte Garcia mit skeptischer Miene. »Sind Sie sicher, dass das nicht bloß ein dummer Scherz ist?«

»Na ja«, sagte Slater. »Sonst hätte ich Sie wohl kaum angerufen. Ich verschwende nur ungern Ihre Zeit, deshalb habe ich, wie ich eben bereits sagte, das Foto mit den Einträgen in der Vermisstendatenbank abgeglichen.« Sie zog die Augenbrauen hoch, ehe sie in die Tasche ihres Laborkittels langte und einen Ausdruck hervorholte. »Elizabeth Gibbs«, las sie ab. »Geboren am 22. Oktober 1994 hier in Los Angeles. Wohnhaft in La Mirada. Sie wurde am 4. Februar 2018 von ihrem Freund Phillip Miller, mit dem sie zu der Zeit zusammengelebt hat, als vermisst gemeldet. Sie wohnte unweit des Ortes, der im Buch erwähnt wird – der Parkplatz vor dem Albertsons-Supermarkt an der Rosecrans Avenue. Das Sheriffbüro hat ihr Fahrzeug, einen weißen Nissan Sentra, auf diesem Parkplatz sichergestellt. Spuren gab es keine – weder Fingerabdrücke noch sonst irgendwelche verwertbaren Hinweise. Elizabeth Gibbs wurde nie gefunden. Sie gilt immer noch als vermisst.« Dr. Slater faltete das Blatt zusammen und steckte es wieder in ihre Tasche. »Falls es Ihnen entgangen sein sollte, das Datum passt genau zum Eintrag in dem Buch.«

»Ja, ist mir aufgefallen«, sagte Hunter, der die Stirn in nachdenkliche Falten gelegt hatte.

»Steht auf dem Ausdruck auch der Name des Detectives, der in ihrem Fall ermittelt hat?«, fragte Garcia.

Dr. Slater holte ihn noch einmal aus der Tasche und faltete ihn erneut auf. »Detective Henrique Gomez. Von der Vermisstenstelle des LAPD. Kennen Sie ihn?«

Beide schüttelten den Kopf.

»Wie Sie sich wahrscheinlich denken können, war Miss Gibbs' Freund zunächst der Hauptverdächtige, aber er hatte ein wasserdichtes Alibi.«

Garcia rieb sich die Stirn und seufzte unbehaglich. »So langsam kommt mir das hier vor wie ein besonders heftiger Fall von Déjà vu.« Er warf Hunter einen vielsagenden Blick zu. »Schon wieder ein Notizbuch, in dem sich jemand übers Töten auslässt?«

Hunter wusste, dass sein Partner auf Lucien Folter anspielte – den ohne Zweifel gefährlichsten und wahnsinnigsten Serienmörder, den sie jemals gejagt hatten. Dank ihrer gemeinsamen Anstrengungen war Lucien seit einiger Zeit ständiger Bewohner des Hochsicherheitsgefängnisses in Florence, Colorado.

»Das ist nicht vergleichbar, Carlos«, sagte er.

»Das behaupte ich ja auch gar nicht. Ich wollte damit lediglich sagen, dass ein Notizbuch, in dem Opfer und Mordmethoden beschrieben werden, bei mir einige ziemlich unangenehme Erinnerungen weckt.«

»Wovon reden Sie?«, fragte Dr. Slater neugierig. »Was für Erinnerungen?«

»Ein alter Fall«, antwortete Hunter. Mehr sagte er nicht dazu. Stattdessen richtete er seine Aufmerksamkeit wieder auf das Notizbuch, damit er auch den Rest des Eintrags lesen konnte.

Die Kiste zu zimmern war einfach. Die Stimmen hatten sie nicht näher beschrieben, deshalb konnte ich sie nach meinen eigenen Vorstellungen bauen. Ein paar dicke Bretter und ein Sack Nägel – mehr brauchte ich nicht dafür. Das Innere bequem zu machen war ja nicht notwendig. Es kostete mich einen ganzen Tag, die nötigen Vorbereitungen zu treffen, aber am Ende funktionierte alles reibungslos. Das Subjekt liegt bis heute an seiner letzten Ruhestätte. 34°15'16,9" N/118°14'52,4" W.

Garcia fiel die Kinnlade herunter. »Ist das da, was ich glaube, das es ist?«

Hunter spürte das Adrenalin durch seine Adern rauschen. Der Verfasser hatte seinen Eintrag durch die Angabe geografischer Koordinaten ergänzt.

»Ich denke schon«, sagte er.

Beide Detectives schauten fragend zu Dr. Slater, die mit beinahe entschuldigender Miene nickte.

»Vielleicht bin ich ein sehr neugieriger Mensch, aber ich konnte einfach nicht abwarten. Ich habe die Koordinaten im Internet in eine Karten-App eingegeben.«

»Und?«, fragte Garcia ungeduldig.

»Eine Stelle in der Nähe eines kleinen Baumbestands im Deukmejian Wilderness Park in Glendale. Ziemlich weit abgelegen«, fügte sie hinzu. »Aber man gelangt hin.«

Einen Moment lang war es totenstill im Raum.

Garcia bemerkte Hunters Gesichtsausdruck und brach als Erster das Schweigen.

»Okay.« Er nickte seinem Partner zu. »Den Blick kenne ich, Robert. Ich weiß, was du denkst, aber sollten wir nicht wenigstens die DNA-Ergebnisse vom Blutfleck abwarten, ehe wir damit zu Captain Blake gehen und um grünes Licht für ein Grabungsteam bitten? Elizabeth Gibbs' DNA müsste doch in der Vermisstendatenbank gespeichert sein. Wenn sie übereinstimmen, kriegen wir sicher das Okay für die Exhumierung, aber wenn wir jetzt sofort zum Captain rennen, obwohl wir nichts weiter in der Hand haben als zwei miteinander übereinstimmende Daten und ein verdächtiges Notizbuch, gibt sie uns niemals die Erlaubnis. Denk an die jüngsten Etatkürzungen, die haben die Abteilung hart getroffen.«

»Wir haben ja auch noch die Polaroids«, gab Slater zu bedenken.

»Trotzdem«, hielt Garcia dagegen. »Das reicht nie im Leben, um Captain Blake davon zu überzeugen, uns die notwendigen Mittel zur Verfügung zu stellen, damit wir irgendwo im Wald ein Loch graben. Dafür ist die Abteilung viel zu klamm, und so eine Grabungsaktion ist teuer. Wir müssten eine ganze Mannschaft da rausschicken, einschließlich Bagger ... Scheinwerfer ... Generatoren ... was weiß ich. Blake braucht mehr als ein Datum und ein paar Fotos.«

»Ja, du hast recht«, sagte Hunter. »Aber so eine DNA-Analyse braucht Zeit, selbst wenn sie vorgezogen wird.« Er warf einen Blick auf seine Armbanduhr.

Auch diesmal ahnte Garcia bereits, was sein Partner dachte.

»Das kann doch nicht dein Ernst sein«, sagte er ungläubig.

»Es ist kurz vor zwei. Wenn wir sofort losfahren, können wir um drei, spätestens um halb vier dort sein. Dann haben wir noch eine bis anderthalb Stunden Tageslicht. Falls das nicht reicht, kommen wir morgen noch mal wieder.«

Garcia traute seinen Ohren nicht. »Bist du wahnsinnig geworden? Doc Slater hat doch gerade eben gesagt, dass die Koordinaten im Deukmejian Park liegen. Du warst schon mal da, oder? Das ist unwegsames Gelände, Robert. Teilweise felsig, fast überall harter Boden ...« Er hob die Schultern. »Du weißt das wahrscheinlich, aber selbst bei optimaler Bodenbeschaffenheit braucht ein Totengräber circa sechs Stunden, um von Hand ein Grab auszuheben. Wie oft schwingst du so die Schaufel?«

»Eher selten«, gab Hunter zu.

»Mit anderen Worten: nicht oft genug«, sagte Garcia. »Und ich auch nicht. Selbst zu zweit würden wir wahrscheinlich einen ganzen Tag brauchen, um so eine Grube zu schaufeln. Wir müssten den gesamten Abend, die ganze Nacht und vermutlich auch noch morgen daran arbeiten, Robert. Für so was brauchen wir Profis.«

»Du hast recht mit allem, was du sagst«, räumte Hunter ein. »Allerdings hast du ein paar Dinge außer Acht gelassen.«

»Ach ja? Welche denn?«

»Kann sein, dass wir es da oben nicht mit optimaler Bodenbeschaffenheit zu tun haben. Aber wir graben ja auch nicht in unberührter Erde, sondern dort, wo schon mal gegraben *wurde*, das dürfte uns die Arbeit deutlich erleichtern. Außerdem haben wir bereits so einige Fundorte gesehen, wo der Täter seine Leiche oder die Überreste einer solchen vergraben hat. Hast du das vergessen?«

»Nein, natürlich habe ich das nicht vergessen.«

»Dann erinnerst du dich bestimmt auch daran, dass diese Gräber allesamt flach waren. Nicht ein einziges Mal hatten wir es mit einem Grab zu tun, das tiefer als einen Meter war – aus genau den Gründen, die du eben genannt hast: Ein erfahrener Totengräber braucht etwa sechs Stunden, um unter idealen Bedingungen ein zwei Meter tiefes Grab auszuheben. Ein Amateur, noch dazu in unwegsamem Gelände?« Hunter schüttelte den Kopf. »Der würde einen ganzen Tag dafür benötigen – mindestens.«

Garcia kratzte sich am Kinn.

»Im eigenen Garten wäre so was vielleicht machbar«, fuhr Hunter fort. »Aber wir reden hier von einem öffentlich zugänglichen Naturpark. Sicher, da oben gibt es ziemlich abgeschiedene Stellen, trotzdem könnte jederzeit jemand vorbeikommen – zumindest theoretisch. Niemand würde riskieren, an so einem Ort einen ganzen Tag lang ein Loch zu schaufeln, um eine Leiche darin zu vergraben. Ein paar Stunden vielleicht, aber niemals einen ganzen Tag. Deshalb würde es mich sehr wundern, wenn wir tiefer graben müssten als sechzig bis achtzig Zentimeter.«

Dem wusste Garcia nichts entgegenzusetzen.

»Und wo kriegen wir Schaufeln und Ausrüstung her?«, fragte er.

Hunter wandte sich an Dr. Slater.

»Die haben wir da«, sagte sie und nickte Hunter zu. »Unten stehen ein paar Lieferwagen mit den nötigen Gerätschaften. Sie können sich ausborgen, was immer Sie brauchen.«

Garcia legte den Kopf in den Nacken und schloss die Augen. Diese Schlacht hatte er definitiv verloren.

6

Hunter und Garcia borgten sich zwei Schaufeln, zwei schwere Spitzhacken, zwei Paar robuste Gartenhandschuhe, zwei Brechstangen sowie zwei Stirnlampen mit Zweifachlicht aus einem der Vans der Kriminaltechnik, die hinter dem Hertzberg-Davis Forensic Science Center parkten.

Nachdem sie alles im Kofferraum seines Wagens verstaut

hatten, tippte Garcia die Koordinaten aus dem Notizbuch in die Navigations-App seines Smartphones ein.

Der Deukmejian Park erstreckte sich über eine insgesamt knapp zweihundertneunzig Hektar große Fläche in den Ausläufern der San Gabriel Mountains am nördlichen Rand von Glendale. Obschon auch einige von kleinen Bachläufen durchzogene Waldstücke zum Park gehörten, bestand er hauptsächlich aus Buschland, in dem Kreosotbüsche und andere Hartlaubgewächse dominierten – ganz zu schweigen von jeder Menge Felsen und Hügel.

»Definitiv nicht das beste Terrain zum Graben«, meinte Garcia, als sie endlich den Dunsmore Canyon Trail erreicht hatten, der durch den Park führte.

»So viel steht fest«, pflichtete Hunter ihm bei. »Aber abseits des Hauptwanderwegs gibt es auch einige bewaldete Gebiete mit weichem Boden. Die sind über den ganzen Park verstreut. Ich bin mir sicher, deshalb hat er die Gegend ausgesucht.«

Garcia wiegte skeptisch den Kopf. »Falls sich diese verrückte Geschichte bewahrheitet und jemand Dr. Slater wirklich ein ...« Er suchte nach den richtigen Worten. »... Tagebuch des Todes zugespielt hat, wirft das für mich zwei Fragen auf.«

»Wer hat ihr das Buch in den Briefkasten gesteckt?«, sagte Hunter, der genau denselben Gedanken gehabt hatte.

»Genau.« Garcia nickte. »Das wäre auf jeden Fall meine erste Frage. War es der Verfasser des Tagebuchs, also der Täter selbst? Jemand, der mit dem Täter zusammengearbeitet hat und irgendwann die Nase voll hatte? Oder war es bloß ein armer Tropf, dem das Buch durch Zufall in die Hände gefallen ist? Man weiß es nicht ...«

Hunter ließ den Blick über die Landschaft schweifen, die jenseits der Wagenfenster vorbeizog.

»Und dann ist da noch Frage Nummer zwei«, fuhr Garcia fort. »Warum hat die betreffende Person es ausgerechnet Dr. Slater gegeben?«

»Das weiß ich auch nicht«, antwortete Hunter nach einem kurzen Schweigen. Er wollte lieber keine Mutmaßungen anstellen.

»Also, mir fallen dazu nur zwei Möglichkeiten ein«, sagte Garcia. »Wer auch immer ihr das Buch in den Briefkasten gesteckt hat, will entweder aus irgendeinem Grund, dass sie in die Sache verwickelt wird, oder kennt sie zumindest. Nicht unbedingt persönlich – vielleicht weiß er oder sie einfach, was sie beruflich macht, weil im Fernsehen mal ein Interview mit ihr lief. Vielleicht hat die betreffende Person auch einen ihrer Vorträge besucht oder einen Fachaufsatz von ihr gelesen … Keine Ahnung.« Er warf einen Blick auf sein Navi. Sie waren fast am Ziel. »Jedenfalls weiß diese Person, dass sie eine renommierte Forensikerin ist und bei der FSD arbeitet. Wenn man will, dass das Buch so schnell wie möglich analysiert wird, ist es nicht die schlechteste Idee, es Dr. Slater in den Briefkasten zu werfen – allemal schlauer, als es ans LAPD oder ans FBI zu schicken.«

»Das stimmt«, sagte Hunter. »Aber eins stört mich daran: Warum hat die Person es zu ihr nach Hause gebracht statt ins Kriminallabor? Wenn man will, dass Susan sich das Buch so schnell wie möglich ansieht, könnte man das Päckchen doch einfach ans FSD adressieren und ›eilig‹ draufschreiben. Das hätte vollkommen ausgereicht. Warum wurde es an ihrer Privatadresse abgegeben?«

Sie befanden sich immer noch auf dem Dunsmore Canyon Trail. Garcia schaltete einen Gang herunter. Auf dem Display seines Telefons zeigte die kleine karierte Flagge den Zielort an, etwa dreihundertfünfzig Meter von der Straße entfernt unmittelbar zu ihrer Linken. Dort gab es weder einen Abzweig noch eine Piste. Ihnen würde nichts anderes übrig bleiben, als auszusteigen und den Rest der Strecke zu Fuß zurückzulegen – allerdings war auch kein Pfad zu sehen. Sie würden sich wohl oder übel selbst einen Weg durch die Sträucher und das felsige Terrain bahnen müssen.

Und genau das taten sie.

An einigen Stellen war die Vegetation so dicht, dass beide ihre Schaufeln als provisorische Macheten benutzen mussten. Obwohl sie ständig den Boden mit Blicken absuchten, rechnete weder Hunter noch Garcia damit, Spuren zu finden. Erstens hätte der Verfasser des Eintrags auch einen anderen Weg nehmen können, um an den Ort zu gelangen, den Garcias Navi anzeigte; zweitens lag das im Eintrag erwähnte Datum über zwei Jahre zurück. Falls es einmal Spuren gegeben hatte, waren sie inzwischen längst von der Witterung ausgelöscht worden.

Für L. A. war es nicht unbedingt ein warmer Tag. Die Wintersonne sorgte für recht kühle vierzehn Grad, doch der Marsch durchs felsige Gelände, gepaart mit dem schweren Gerät, das sie schleppen mussten, sorgte dafür, dass sie schon bald ins Schwitzen kamen.

»Dem Ding hier zufolge«, meinte Garcia, der sich die Stirn abwischte und gleichzeitig mit einer Kopfbewegung auf sein Smartphone deutete, »müsste die Stelle irgendwo hinter den Bäumen da liegen.« Er deutete auf eine Baumgruppe unmittelbar voraus.

Sie umrundeten den Baumbestand und hielten auf der anderen Seite an.

»Hier müsste es sein«, verkündete Garcia, warf noch einen prüfenden Blick auf sein Telefon und schaute sich um. »Entschuldige bitte meine Unwissenheit, aber wie präzise sind solche Angaben der Längen- und Breitengrade eigentlich?«

»Das hängt von zwei Faktoren ab«, antwortete Hunter. »Erstens von der Position auf der Erdoberfläche oder, genauer gesagt, dem Ort, von dem aus die Messung vorgenommen wurde, und zweitens davon, welches Erdmodell man dafür verwendet.«

Garcia sah seinen Partner verständnislos an. »Und jetzt noch mal für diejenigen unter uns, die kein Nerd sprechen ...«

Hunter grinste. »Sorry. Grundsätzlich kann man sagen: je mehr Nachkommastellen, desto präziser die Angabe. Wenn man möchte, kann man eine Genauigkeit bis auf den Bruchteil eines Zentimeters erreichen.«

»Nachkommastelle?«, fragte Garcia und warf noch einmal einen Blick auf die Koordinaten – 34°15'16,9" N/118°14'52,4" W. »Mist, wir haben nur eine einzige Nachkommastelle. Dann sind die Koordinaten wohl nur eine grobe Richtlinie.«

»Nicht *die* Nachkommastelle«, sagte Hunter. »Man muss es erst in Dezimalgrad umrechnen.«

Garcia schwieg kurz. »Und weißt du, wie man das macht?«

»Das brauchen wir gar nicht. Ich glaube, das hat die App schon erledigt. Es müsste neben oder unter den Koordinaten stehen, die du eingegeben hast.«

Abermals schaute Garcia auf sein Smartphone. Hunter hatte recht. Direkt unterhalb der Koordinaten standen zwei Zahlen: 34,254694 N und 118,247889 W.

»Okay, dann haben wir sechs Nachkommastellen.«

Hunter nickte. »Das wird uns wahrscheinlich auf den Zentimeter genau zu der Stelle führen.«

Garcia schaute zu Boden. Dort, wo sie standen, gab es keinen starken Bewuchs, nur Erdboden sowie einige lose Steine. »In dem Fall sind wir da. Wir stehen direkt darauf.«

Hunter ließ Spitzhacke und Stirnlampe fallen. »Na, dann fangen wir mal an zu graben.« Er packte die Schaufel fester.

Garcia legte ebenfalls seine Spitzhacke sowie die Brechstange ab und schob mit der Schaufel zunächst das lose Geröll zur Seite.

Der Boden war hart, aber nicht so hart, wie er auf den ersten Blick aussah. Die Arbeit ging ihnen leichter von der Hand als gedacht. Die Erde war festgeklopft worden, was darauf hindeutete, dass hier zu einem früheren Zeitpunkt schon einmal jemand gegraben hatte.

Hunter und Garcia arbeiteten Seite an Seite. Trotz allem

war es eine anstrengende Arbeit, und sie kamen nur langsam voran.

»Ich habe dir doch gesagt, es wird nicht so leicht, wie du es dir vorstellst«, sagte Garcia und blickte in den Himmel hinauf. Sie gruben noch nicht sehr lange, und die Sonne berührte bereits den Horizont. »Es wird schon langsam dunkel, und wir haben vergessen, Wasser mitzubringen.«

Ihre Hemden waren schweißdurchtränkt.

»Ja«, pflichtete Hunter ihm bei. »Das war ein Fehler. Mein Mund ist trocken wie eine Tüte geröstete Erdnüsse.« Er legte eine Pause ein und griff nach seiner Stirnlampe. »Pass auf, wir machen noch eine halbe Stunde weiter. Wenn wir bis dahin nichts finden, gehen wir morgen früh zu Captain Blake. Vielleicht kriegen wir ja doch die Genehmigung für ein Grabungsteam, obwohl wir nicht viel vorzuweisen haben.«

»Einverstanden.« Garcia nickte. »Aber wenn sie Nein sagt, kommst du morgen wieder hier raus und machst alleine weiter, stimmt's?«

»Vermutlich«, räumte Hunter ein.

Garcia schüttelte den Kopf und legte ebenfalls seine Stirnlampe an. »Eine halbe Stunde, mehr nicht.«

»Du kannst die Uhr stellen«, sagte Hunter und schaltete seine Stirnlampe ein.

»Das werde ich.« Garcia stellte den Timer auf dreißig Minuten ein und hielt Hunter das Smartphone unter die Nase, der dies mit einem Nicken quittierte, ehe er erneut zu graben begann.

Garcia schaltete ebenfalls seine Stirnlampe ein und machte sich wieder ans Werk.

Sie brauchten keine halbe Stunde. Bereits zwölf Minuten später hörten sie ein dumpfes, hohles Geräusch, als Hunters Schaufel auf etwas Hartes stieß.

Beide hielten abrupt inne.

»Was auch immer das ist«, sagte Garcia. »Es ist keine Erde ...«

Mit dem Rand seiner Schaufel kratzte Hunter noch etwas Dreck beiseite, ehe er sich auf die Knie niederließ und mit den Händen weitergrub.

»Holz«, verkündete er, als er mit den Knöcheln gegen die Oberfläche klopfte.

Er richtete sich wieder auf. Die Sicht war schlecht aufgrund der mondlosen Nacht, aber ihre Stirnlampen spendeten ausreichend Licht, sodass sie noch eine Stunde weitermachen konnten, bis sie die Oberseite einer rechteckigen, etwa zwei Meter langen und sechzig Zentimeter breiten Kiste freigelegt hatten. Das Holz, aus dem sie bestand, war hell und sehr dick. Der Täter hatte den Deckel mit insgesamt zwölf Nägeln verschlossen.

»Soll ich es durchgeben?«, fragte Garcia und legte seine Schaufel weg. »Wir brauchen auf jeden Fall ein Team hier – Spurensicherung, Grabungsteam, Licht, alles. Und der gesamte Umkreis muss nach weiteren Gräbern abgesucht werden.«

»Erst mal müssen wir die hier aufmachen.« Hunter deutete auf die hölzerne Kiste.

»Findest du nicht, dass es besser wäre, auf die Kriminaltechnik und Verstärkung zu warten? Die können den Sarg bergen, außerdem haben sie die notwendige Ausrüstung, um alle Spuren zu konservieren, die der Luft ausgesetzt sind, sobald wir den Deckel abnehmen.«

»Stimmt«, sagte Hunter. »Aber bislang haben wir nichts weiter vorzuweisen als eine Kiste in der Erde, Carlos. Das hier ist keine Ermittlung des LAPD – jedenfalls *noch* nicht. Prinzipiell könnte da auch eine Ladung Marshmallows drin sein. Damit wir es durchgeben können, brauchen wir erst eine Leiche.«

Garcia blies sich in die Handflächen, die rot und wund waren und höllisch wehtaten. Er hätte gerne widersprochen, wusste aber, dass sein Partner recht hatte.

»Alles, was wir noch tun müssen«, sagte der, »ist, die Nägel mit der Brechstange zu entfernen und den Deckel aufzuhebeln.«

Doch die Nägel aus dem Holzdeckel zu ziehen war nicht so einfach, wie sie sich erhofft hatten. Wer auch immer die Kiste zugenagelt hatte, hatte dicke, fünf Zentimeter lange Eisennägel verwendet. Sie wären schneller ans Ziel gekommen, wenn sie den Deckel einfach mit der Brechstange zertrümmert hätten, statt die Nägel einzeln zu entfernen, aber es war wichtig, den Sarg so weit wie möglich zu erhalten.

Es war harte, unangenehme Arbeit, zumal sie immer darauf achten mussten, dass das Holz nicht splitterte. Deshalb benötigten sie annähernd fünfundzwanzig Minuten, bis sie alle zwölf Nägel entfernt hatten. Als der letzte endlich draußen war, sahen sie einander an. Von ihren Stirnen perlte der Schweiß, und ihre Gesichter waren staubverschmiert. Mit ihren Stirnlampen sahen sie aus wie zwei Männer im Kohlebergwerk.

»Du nimmst diese Seite«, sagte Hunter. »Ich nehme die hier. Dann heben wir den Deckel zusammen hoch.«

Abermals ließen sie sich auf die Knie nieder und packten den Deckel, der etwa zweieinhalb Zentimeter dick war und zwischen fünf und acht Kilo wog. Die gesamte Kiste schien von Hand aus massiven Brettern gezimmert worden zu sein.

Sie bemühten sich, den Deckel möglichst gerade zu halten, damit keine Erde ins Innere der Kiste rieselte. Vorsichtig hoben sie ihn aus der Grube und legten ihn zur Seite. Dann konnten sie endlich sehen, was sich im Inneren verbarg.

»Also.« Garcia war der Erste, der das Schweigen brach. »Damit hatte ich definitiv nicht gerechnet.«

7

»Um Himmels willen!« Als der helle Lichtstrahl der Taschenlampe das Innere des geöffneten Sargs traf, verschlug es Dr. Slater fast den Atem. Sie war als Erste im Park eingetroffen, der Rest ihres Teams würde bald nachkommen.

Im Sarg lag eine Frauenleiche im frühen Stadium der Verwesung. Augen, Nase und Lippen waren vollständig verschwunden, sodass ihr ursprüngliches Gesicht nur noch aus vier unheimlich wirkenden schwarzen Höhlen sowie zwei Reihen fleckiger Zähne bestand. Abgesehen davon hing noch relativ viel Haut und Muskelgewebe an dem Skelett.

Doch es war nicht der Zustand der Leiche, der Hunter, Garcia und Dr. Slater so verblüffte. Sie alle wussten, dass ein nicht einbalsamierter menschlicher Körper, der ohne Sarg in zwei Meter Tiefe begraben wurde, zwischen acht und zwölf Jahren brauchte, um bis auf die Knochen zu verwesen. Mit Sarg dauerte der Prozess natürlich wesentlich länger, je nachdem, welches Holz verwendet wurde. Da die von Hunter und Garcia entdeckte Leiche in einer stabilen Holzkiste gelegen hatte und etwa zwei Jahre zuvor in einem sechzig Zentimeter tiefen Grab unter die Erde gelangt war, entsprach der noch nicht sehr weit fortgeschrittene Verwesungsprozess absolut ihren Erwartungen.

Womit sie jedoch nicht gerechnet hatten, war das Hochzeitskleid.

»Der Täter hat ihr ein Brautkleid angezogen?«, sagte Dr. Slater. »Wieso?«

Hunter und Garcia wussten, dass sie nicht wirklich eine Antwort erwartete.

Dr. Slater legte den Kopf schief und zuckte mit den Schultern. »Ich habe auch nicht viel weiter gelesen als Sie zwei.

Wir sind bei so vielen Fällen mit der Arbeit im Rückstand, dass ich schlichtweg nicht die Zeit dazu gefunden habe. Bis zu der Stelle, an der ich stehen geblieben bin, wurde nichts davon erwähnt.«

»Ist das Notizbuch denn noch im Labor?«, wollte Garcia wissen.

»Ja, aber in einem anderen. Ich habe es zur Analyse ins DNA-Labor geschickt, zusammen mit den Polaroidfotos.«

Das Serologie/DNA-Labor war die einzige Abteilung des FSD, die nicht auf dem Campus der California State University in Alhambra untergebracht war. Es lag viereinhalb Meilen entfernt im C. Erwin Piper Technical Center in Downtown Los Angeles, in unmittelbarer Nachbarschaft des PAB.

»Rein aus Interesse«, sagte Dr. Slater, »habe ich die ersten paar Seiten abfotografiert, damit ich sie später noch lesen kann.«

»Könnten Sie uns die Fotos so schnell wie möglich in die UV-Einheit schicken?«, fragte Hunter.

»Sicher.«

»Jetzt, wo wir wissen, dass es kein Scherz ist«, sagte Garcia, »müssen wir das komplette Buch abfotografieren lassen.«

»Kein Problem«, sagte Dr. Slater. »Ich rufe morgen im DNA-Labor an und bitte jemanden darum.« Dann richtete sie ihre Aufmerksamkeit wieder auf den Sarg. Wenige Sekunden später runzelte sie die Stirn. »Moment mal. Irgendwas stimmt hier doch nicht.«

Hunter nickte. Er und Garcia hatten sich bereits darüber unterhalten, während sie auf Dr. Slater gewartet hatten.

»Haben Sie sie in dieser Position vorgefunden?«, wollte sie wissen.

»Wir haben nichts angerührt, Doc«, beteuerte Garcia.

Die Tote lag auf dem Rücken in der für Bestattungen üblichen Position – die Beine lang ausgestreckt, die Hände auf der Brust gefaltet. Ihre langen schwarzen Haare waren wie ein Fächer um ihren Kopf herum ausgebreitet.

»Aber im Notizbuch steht doch, dass das Opfer bei lebendigem Leib begraben wurde.« Slater sah fragend zwischen den beiden Detectives hin und her.

Hunter nickte.

»Sie fragen sich, wie es sein kann, dass sie so ruhig daliegt, stimmt's?«, sagte Garcia. »Als sie in einer dunklen Kiste aufgewacht ist, muss ihr doch nach wenigen Sekunden klar geworden sein, dass sie eingesperrt ist. Sie muss in Panik geraten sein. Bestimmt hat sie getreten, geschlagen, gekratzt und geschrien ... Sie muss alles versucht haben, um sich zu befreien. Jede andere Position wäre realistisch, nur diese nicht. Und dann noch die Haare. Sie umrahmen perfekt ihr Gesicht, als würde sie für ein Foto posieren.«

»Sie hat auf jeden Fall gekämpft.« Hunter wies auf den Deckel, den sie einige Meter entfernt an einen Baum gelehnt hatten. »An der Innenseite sind zahlreiche Kratzspuren und Blutflecke zu sehen. Es stecken sogar abgebrochene Fingernägel im Holz. Sie hat um ihr Leben gekämpft.«

Dr. Slater richtete den Strahl ihrer Taschenlampe auf den Baum mit dem Sargdeckel, ging jedoch nicht hin. Die Spuren konnte sie später im Labor noch eingehend untersuchen.

»Das zweite Problem mit diesem Anblick«, fuhr Hunter fort, »ist, dass das Kleid wenigstens ein paar Risse aufweisen müsste. Und es müsste definitiv schmutzig sein.« Er deutete mit einer Kopfbewegung auf die Tote. »Aber schaut es euch an. Es ist praktisch makellos weiß.«

In dem Moment fiel bei Dr. Slater der Groschen.

»Mein Gott!«, stieß sie hervor. »Das heißt, wer auch immer sie lebendig begraben hat, hat gewartet, bis sie gestorben war, dann ist er noch mal zurückgekommen, hat sie wieder ausgegraben, den Sarg geöffnet, ihr das Brautkleid angezogen, sie so hingelegt und dann ein zweites Mal beerdigt?«

»Davon gehen wir aus«, sagte Hunter.

Dr. Slater seufzte schwer. Sie wollte noch einmal »Wieso?« fragen, aber momentan hätte wohl nur der Täter diese Frage beantworten können. Stattdessen sah sie sich in ihrer Umgebung um.

»Das hier ist ein ziemlich weitläufiges Areal. Glauben Sie, es könnte noch mehr Gräber geben?«

»Im Moment wissen wir praktisch noch gar nichts«, antwortete Hunter. »Fürs Erste würde ich aber keine größere Suchaktion veranlassen. Wir haben das Buch. Wer auch immer die Frau hier begraben hat, hat uns die exakten Koordinaten geliefert ...« Abermals deutete er auf die Leiche. »Ich denke, wir können davon ausgehen, dass er auch die Koordinaten seiner weiteren Gräber dokumentiert hat, ob sie sich nun hier befinden oder anderswo.«

»Klingt vernünftig«, sagte Dr. Slater. Im selben Moment klingelte ihr Telefon. »Entschuldigen Sie mich eine Sekunde.« Sie wandte sich ab und nahm den Anruf entgegen.

»Doc.« Es war Kenneth Morgan, ein erfahrener Kriminaltechniker, der genau wie Dr. Slater in der FSD arbeitete. »Wir sind jetzt da. Wir parken direkt hinter Ihrem Wagen. Wie kommen wir an den Fundort?«

»Bleiben Sie, wo Sie sind. Ich hole Sie ab.«

Aufgrund der Vegetation und des hügeligen, steinigen Geländes war es nicht möglich, mit dem Fahrzeug bis zu der Stelle vorzudringen. Sie mussten am Dunsmore Canyon Trail parken und die komplette Ausrüstung zu Fuß an den Fundort tragen, einschließlich Lichtern, Grabungsgeräten und Stromgeneratoren. So war es fast dreiundzwanzig Uhr dreißig, als das Team der Kriminaltechnik endlich die Scheinwerfer anwarf.

»Einen Kran herzuschaffen kommt nicht infrage«, teilte Dr. Slater Hunter und Garcia mit. »Wir müssen die Kiste wieder verschließen, damit kein Dreck hineingelangt, und sie dann per Hand ausgraben.«

Damit hatten die beiden bereits gerechnet.

»Während wir auf Sie gewartet haben, sind wir schon mal die nähere Umgebung abgelaufen, um nach Hinweisen zu suchen, dass jemand hier war«, sagte Hunter. »Die Stelle ist so abgelegen, wenn wir da etwas finden – einen Zigarettenstummel, einen alten Kaugummi, ein Bonbonpapier, eine leere Wasserflasche oder was auch immer –, ist die Wahrscheinlichkeit hoch, dass es von demjenigen stammt, der das Grab ausgehoben hat. Wer auch immer das ist, es sieht ja so aus, als hätte er eine Menge Zeit hier verbracht, vor allem wenn er noch mal zurückgekommen ist, um sie wieder auszugraben.«

»Und? Sind Sie fündig geworden?«

»Nein«, antwortete Garcia. »Aber wir waren auch nicht annähernd gründlich genug. Es ist stockfinster hier draußen, und wir hatten nur die Stirnlampen.«

»Macht nichts«, meinte Dr. Slater. »Wenn dieses Monster irgendwelche Spuren hinterlassen hat, werden wir sie finden.«

Der Fotograf der Spurensicherung ging an ihnen vorbei und begann, die Leiche in der Holzkiste abzulichten.

»Das wird eine sehr langwierige und öde Arbeit«, sagte Dr. Slater, an Hunter und Garcia gewandt. »Wir werden auf jeden Fall noch mehrere Stunden hier zu tun haben. Sie sollten nach Hause fahren. Ich bin mir sicher, Ihr Dienst ist längst vorbei. Falls wir noch was finden, gebe ich Ihnen sofort Bescheid.«

»Ich bleibe noch ein Weilchen«, sagte Hunter, ehe er sich an seinen Partner wandte. »Aber fahr du ruhig nach Hause, Carlos. Grüß Anna von mir. Wir sehen uns dann morgen im Büro.«

Garcia wollte gerade gehen, als der Fotograf etwas an der rechten Innenseite neben dem Kopf der Leiche entdeckte, das bisher von ihren Haaren verdeckt gewesen war.

»Detectives!«, rief er und ließ seine Kamera sinken. »Vielleicht könnten Sie noch mal kurz herkommen und sich das hier ansehen.«

Hunter, Garcia und Dr. Slater traten näher und gingen am Rand des Grabs in die Hocke. Wenig später gesellte sich auch Kenneth Morgan zu ihnen.

»Da unten.« Der Fotograf schob behutsam einige Haarsträhnen aus dem Weg und deutete auf eine winzige rechteckige Box von der Größe eines Achter-Legosteins.

»Lassen Sie mich mal sehen«, bat Morgan und zog sich ein frisches Paar Latexhandschuhe über. Er kroch näher heran, langte in den Sarg und griff nach der schwarzen Box, doch diese ließ sich nicht entfernen. »Es geht nicht ab. Ich glaube, das Ding ist am Holz festgeklebt.«

»Was zum Teufel ist das?«, fragte Dr. Slater.

»Ich bin mir nicht sicher.« Morgan beugte sich tief über den offenen Sarg, um den Gegenstand aus nächster Nähe in Augenschein zu nehmen. In dem Moment fiel ihm die winzige runde Linse auf. Er stutzte, hob den Kopf und drehte sich zu Dr. Slater um. »Ich glaube, es ist eine Kamera, Doc. Eine Streaming-Kamera. Wer auch immer der Täter ist, er hat diese arme frau nicht nur lebendig begraben, er hat ihr auch noch beim Sterben zugesehen.«

8

Dienstag, 8. Dezember

Barbara Blake, Captain des Raub- und Morddezernats beim LAPD, hatte einen Gutteil ihres Vormittags in einer von vielen Etatsitzungen verbracht. Sobald diese vorbei war, warf sie eine Akte auf ihren Schreibtisch und machte sich ohne Umwege auf den Weg zu Hunters und Garcias Büro.

»So«, sagte sie, nachdem sie die Tür hinter sich geschlossen hatte. Ihre langen schwarzen Haare waren zu einem glatten Pferdeschwanz gebunden, sodass man ihre blinkenden Silberohrringe sehen konnte. Sie trug ein dunkelblaues Kostüm mit Bleistiftrock und darunter eine weiße Seidenbluse. »Was ist das für eine Akte, die ich da heute Morgen auf meinem Schreibtisch vorgefunden habe? Ein Mordtagebuch? Eine Frauenleiche oben im Deukmejian Park? Lebendig begraben? Was hat es damit auf sich?« Sie hob die Hände.

Hunter berichtete Captain Blake alles, was sie bislang in Erfahrung gebracht hatten.

»Und wo ist dieses Tagebuch jetzt?«, fragte sie, nachdem Hunter geendet hatte.

»Im DNA-Labor der FSD«, antwortete Garcia. »Aber wir müssten irgendwann im Laufe des Tages Fotos von allen Seiten bekommen.«

»Und wer ist das Opfer? Wissen wir das schon?«

»Wir müssen noch die Ergebnisse der DNA-Analyse abwarten, um hundertprozentig sicher zu sein.« Hunter deutete auf die Bilder, die der Fotograf der Kriminaltechnik gemacht hatte und die bereits an der Pinnwand hingen.

Blakes Blick streifte sie flüchtig, während Hunter nach einem Notizblock auf seinem Schreibtisch griff.

»Aber es würde mich sehr wundern, wenn der DNA-Test die Angaben aus dem Tagebuch nicht bestätigt«, fügte er hinzu.

»In dem Tagebuch wird auch ihre Entführung beschrieben?«, fragte Captain Blake nach.

»Nicht das genaue Vorgehen. Nur der Ort, von dem sie verschleppt wurde.«

»Wer hat den Fall in der Vermisstenstelle bearbeitet?«

»Detective Henrique Gomez«, antwortete Hunter.

»Gomez kenne ich.« Blake nickte. »Haben Sie schon mit ihm gesprochen?«

»Ja, heute Morgen«, sagte Garcia. »Aber die haben tagtäglich mit so vielen Vermisstenfällen zu tun, und Miss Gibbs' Verschwinden ist über zwei Jahre her. Da überrascht es nicht, dass er sich kaum noch an den Fall erinnern konnte. Alle Infos, die wir haben, stammen aus der Akte, die er uns gegeben hat. So wie es aussieht, wurden die Ermittlungen schon nach wenigen Wochen eingestellt.«

Captain Blake zog die Augenbrauen hoch.

»Die Vermisstenstelle hat jeden befragt, den sie ausfindig machen konnte«, klärte Hunter sie auf. »Den Freund, die Familie, Bekannte, Kollegen, Mitglieder aus ihrem Fitnessclub, die Angestellten des Albertsons-Marktes, die am Abend ihres Verschwindens Schicht hatten ... Es gab keinerlei Hinweise. Jede Spur führte auf kurz oder lang in eine Sackgasse. Die Untersuchung ihres Fahrzeugs hat auch nichts ergeben. Offiziell war der Fall bis jetzt noch offen. Miss Gibbs wurde in der Datenbank nach wie vor als vermisst geführt, aber weil es keine Spur gab, ging man inoffiziell davon aus, dass sie aus freien Stücken verschwunden ist.«

»Tja, jetzt nicht mehr«, sagte Captain Blake. »Und es gab keine Überwachungskameras auf dem Parkplatz?« Sie klang verwundert.

»Nicht an der Stelle, wo sie an dem Abend ihr Auto geparkt hat«, sagte Hunter. »Der Einkaufskomplex in der Rosecrans Avenue ist riesig, da gibt es Restaurants, Bars, Banken, Supermärkte, Drogerien, Apotheken ... sogar ein Kino mit sechs Sälen. Allein der Parkplatz, der übrigens nichts kostet, ist ungefähr so groß wie ein ganzer Straßenblock, mit insgesamt elf Ein- und Ausfahrten. Er ist über drei große Straßen zugänglich – im Norden die Rosecrans Avenue, im Westen der La Mirada Boulevard und im Osten der Adelfa Drive.«

»Unser Mann«, klinkte sich Garcia ein, »ist kein Anfänger. Dem Eintrag in seinem Buch zufolge hat er sein Opfer zunächst vier Tage lang ausgespäht, ehe sich eine Gelegenheit für die Entführung ergab. Das allein zeigt, wie geduldig und entschlossen er ist – und dass er genau weiß, was er tut.«

Blakes Blick kehrte zur Pinnwand zurück. In der Akte, die Hunter ihr auf den Tisch gelegt hatte, hatte sie von dem

Brautkleid gelesen, doch es nun mit eigenen Augen zu sehen, und sei es nur auf einem Foto, war etwas ganz anderes.

»Er hat sie ernsthaft in einem Brautkleid begraben?« Die tiefen Furchen auf ihrer Stirn verrieten, wie fassungslos sie das machte.

»*Wieder* begraben«, berichtigte Hunter, ehe er ihr auseinandersetzte, zu welchen Schlüssen sie angesichts der Auffindsituation der Leiche gelangt waren.

»Himmel. Warum?«

»Das weiß zum jetzigen Zeitpunkt nur der Mörder«, sagte Hunter. »Aber vielleicht haben es ihm die Stimmen befohlen.«

Captain Blake stutzte. Das Gespenst eines verwirrten Lächelns huschte über ihre Züge. »Die Stimmen?«

»Die erwähnt der Täter in seinem Eintrag. Er schreibt, dass er schon früher mit dem Tagebuch hätte anfangen sollen – gleich nachdem sich die Stimmen zum ersten Mal gemeldet haben. Er schreibt auch, dass die Stimmen nach einem ganz besonderen Opfertypus verlangt haben. Haare, Größe, Augenfarbe – alles war genau benannt. Wir haben bis jetzt nur etwa anderthalb Seiten gelesen, aber es sieht ganz danach aus, als würde er morden, weil die Stimmen es ihm befehlen. Vielleicht ist das auch der Grund, weshalb er noch mal zum Grab rausgefahren ist, sie exhumiert, ihr ein Brautkleid angezogen und sie dann wieder vergraben hat.«

»Wir haben es also mit jemandem zu tun, der unter massiven Wahnvorstellungen leidet.« Captain Blake formulierte es als Feststellung, nicht als Frage.

Hunter reagierte mit einer Kopfbewegung, die nicht ganz ein Nicken war. »Falls er wirklich Stimmen hört, leidet er an Schizophrenie. Wahnvorstellungen und Halluzinationen sind lediglich die Anzeichen einer psychischen Erkrankung, aber jeder Mensch ist anders, Captain. Nicht jeder Schizophrene zeigt solche Symptome.«

»Tja«, sagte Garcia und nickte Hunter zu. »Der hier offenbar schon.«

»Und was hat es mit der Streaming-Kamera im Sarg auf sich? Stimmt das wirklich?« Wieder schüttelte Captain Blake den Kopf.

»Es stimmt«, bejahte Garcia.

»Kann eine unterirdische Kamera denn Bilder streamen?«, wollte Blake wissen. »Wie funktioniert das?«

»Da waren wir uns auch nicht ganz sicher«, erklärte Garcia. »Deshalb haben wir uns heute Morgen mit Michelle Kelly unterhalten – das ist die Leiterin der Abteilung für Cyberkriminalität des FBI.«

»Ja.« Blake nickte. »Ich erinnere mich an sie. Sie hat schon bei einigen Fällen mit Ihnen zusammengearbeitet, richtig?«

»Genau.«

»Und was hat sie gesagt?«

»Sie meinte, das hinge von zwei Faktoren ab«, erklärte Hunter. »Einmal von der Signalstärke und außerdem davon, wie tief unter der Erde sich die Kamera befindet. Als ich ihr gesagt habe, dass es sich um ein flaches Grab von circa sechzig Zentimetern Tiefe handelt, hat sie bloß gelacht. Sie meinte, aus der Tiefe könnte man sogar mit einem relativ schwachen Signal problemlos Bilder streamen oder sogar Anrufe tätigen. Die Bilder ruckeln vielleicht ein bisschen, aber funktionieren würde es definitiv.«

»Damit er ein Signal bekommt, bräuchte er aber einen Mobilfunk-Provider«, schloss Captain Blake.

»Ja«, sagte Garcia.

»Kann man das nicht zurückverfolgen?«

»Vielleicht.« Diesmal kam die Antwort von Hunter. »Wir prüfen das gerade.«

Garcia ging zur Kaffeemaschine in der Ecke und goss sich eine Tasse Kaffee ein, ehe er auch Captain Blake eine anbot.

Sie lehnte ab. Hunter hatte bereits eine Tasse auf seinem Schreibtisch stehen.

»Der Täter, mit dem wir es hier zu tun haben, hört also nicht nur Stimmen«, sagte Captain Blake, »und tut, was sie ihm sagen, er scheint auch noch einen Doktortitel in Sadismus zu haben, weil es ihm nicht gereicht hat, diese Frau lebendig zu begraben. Er hat ihr auch noch beim Sterben zugesehen – ihrer Panik, ihrem verzweifelten Überlebenskampf. Das alles hat er live mitverfolgt.«

»Und es würde mich nicht wundern, wenn er all das gemütlich von seinem Wohnzimmer aus gemacht hätte«, setzte Garcia hinzu. »Während er Popcorn isst und sich einen runterholt.«

Captain Blake warf ihm einen angeekelten Blick zu. »Vielen Dank dafür.«

Garcia hatte nichts anderes getan, als das laut auszusprechen, von dem alle drei wussten, dass es der Wahrheit entsprach: Bei neunzig bis fünfundneunzig Prozent aller Serienmorde in den USA spielten triebbefriedigende Handlungen eine Rolle. Die überwältigende Mehrheit der Serienmörder tötete, weil etwas an der Tat – sei es die Gewaltausübung, die Angst des Opfers, sein Leiden und Flehen, das damit verbundene Machtgefühl oder der Tod an sich – sie sexuell erregte.

Garcia zuckte die Achseln. »Wir kennen doch alle die Statistiken, Captain. Warum sollte ausgerechnet dieser Täter anders sein?«

»Da mögen Sie recht haben, Carlos. Trotzdem hätte es dieses Bild nicht gebraucht.« Sie wandte sich an Hunter. »Wie viele Einträge gibt es in diesem ›Tagebuch‹?«

»Das wissen wir noch nicht genau, aber Dr. Slater hat insgesamt sechzehn Polaroidfotos sichergestellt. Sechzehn verschiedene ›Subjekte‹, wie er sie nennt. Dieser Täter ist seit Jahren aktiv, Captain. Obwohl der erste Eintrag in dem Buch nur etwas mehr als zwei Jahre her ist, werden darin auch länger zurückliegende Opfer erwähnt – nicht namentlich, aber es ist klar, dass er schon früher getötet hat. Und wie gesagt, er schreibt, dass er von Anfang an hätte Buch führen sollen, gleich nachdem er zum ersten Mal die Stimmen hörte.«

Captain Blake atmete aus und massierte sich mit Daumen und Zeigefinder die Schläfen. »Also, was ist unser nächster Schritt?«

»Nun«, sagte Hunter. »Das Buch wird gerade im DNA-Labor untersucht. Es handelt sich um ein privates Tagebuch, das irgendwie seinen Weg zu Dr. Slater gefunden hat ...« Er hob die Schultern. »Vielleicht hat der Besitzer es verloren, vielleicht hat es jemand gestohlen, das wissen wir noch nicht, aber momentan sieht es nicht danach aus, als hätte der Besitzer es freiwillig aus der Hand gegeben. Insofern besteht die Hoffnung, dass der Verfasser in Bezug auf Fingerabdrücke, DNA und gewisse Formulierungen vielleicht nicht so vorsichtig war, wie es ratsam gewesen wäre.«

»Sie denken also, es besteht die Chance, dass das Labor was findet«, sagte Blake.

»Das hoffen wir zumindest.« Garcia nickte. »Entweder einen Fingerabdruck oder eine DNA-Spur, vielleicht sogar einen Eintrag, der uns irgendwas über den Täter verrät. Wir müssten auch jede Minute die Fotos von den Tagebuchseiten erhalten.«

»Dann heißt es also erst mal warten«, stellte Captain Blake fest.

»Ja«, sagte Hunter. »Und wir müssen Miss Gibbs' Eltern und vielleicht auch ihrem Freund die traurige Nachricht überbringen, sobald die DNA-Analyse ihre Identität bestätigt hat.«

Captain Blake wusste, dass dies mit zu den schwersten Aufgaben eines Polizisten gehörte. Sie war drauf und dran, noch etwas hinzuzufügen, als der Festnetzanschluss auf Hunters Schreibtisch klingelte.

»Detective Hunter, UV-Einheit.«

»Robert, hier ist Susan«, meldete sich Dr. Slater. »Gut, dass ich Sie an Ihrem Schreibtisch erwische.«

»Warten Sie ganz kurz, Doc, ich stelle Sie auf Lautsprecher. Carlos und Captain Blake sind auch hier.« Hunter drückte einen Knopf am Telefon, ehe er den Hörer auflegte. »So, jetzt schießen Sie los.«

»Ich bin gerade im DNA-Labor«, begann Dr. Slater. »Und wie gesagt, es ist gut, dass ich Sie in Ihrem Büro antreffe. Ich würde Ihnen nämlich gerne was schicken.«

Alle scharten sich um den Telefonapparat auf Hunters Tisch.

»Nicht die Fotos der Tagebuchseiten?«, fragte Garcia.

»Nein, die sind noch nicht fertig. Die kommen bald, aber ich habe noch etwas viel Besseres. Ich maile es Ihnen gerade.«

9

Nach weniger als drei Sekunden war Dr. Slaters E-Mail da. Sobald sie in Hunters Inbox auftauchte, öffnete er sie mit einem Doppelklick.

In der Betreffzeile der Mail stand das Aktenzeichen des Falls, Slaters Nachricht selbst war kurz und bündig: *Schauen Sie sich das mal an*, gefolgt von einer Bilddatei mit Namen 00001.jpg im Anhang.

Hunter klickte auf den Anhang.

»Wir haben einen Fingerabdruck?«, fragte Garcia, sobald das Bild auf Hunters Monitor erschien.

»Nicht von einer der Buchseiten«, erklärte Dr. Slater. »Die untersuchen wir noch. Der Abdruck stammt von einem der Fotos. Er wurde an der rechten unteren Ecke gefunden – Vorderseite und Rückseite, vorne der Daumen, hinten der Zeigefinger. Es sind leider nur Teilabdrücke – circa fünfundsiebzig Prozent des Daumenabdrucks und fünfzig Prozent des Zeigefingers.«

»Fünfundsiebzig Prozent?«, fragte Captain Blake. »Für eine Suche in IAFIS müsste das doch reichen.«

»Falls der Abdruck in IAFIS gespeichert ist«, sagte Garcia.

»Betonung auf *falls*«, warf Hunter, vorsichtig wie immer, ein.

»Ist er«, verkündete Dr. Slater.

Alle im Büro starrten stirnrunzelnd auf Hunters Telefon.

»Wie meinen Sie das, Doc?«, fragte Garcia.

»Tut mir leid, meine Neugier war mal wieder stärker. Ich habe den Abdruck bereits überprüft. Da es nur ein Teilabdruck ist, hat es ein bisschen länger gedauert, aber die wahre Überraschung ist ... Er stammt nicht von einem Mann ... sondern von einer Frau.«

10

Es hatte eine Zeit gegeben, da dauerte das Abgleichen eines Fingerabdrucks über IAFIS – kurz für *Integrated Automated Fingerprint Identification System* – Tage, mitunter sogar Wochen. Einen Teilabdruck abzugleichen, selbst wenn es sich um einen fünfundsiebzigprozentigen handelte, war so gut wie unmöglich gewesen.

Aber solche Zustände gehörten inzwischen der Vergangenheit an. Mittlerweile konnte jeder Detective und Kriminaltechniker von seinem Smartphone aus auf die Datenbank zugreifen und innerhalb weniger Sekunden ein Resultat erhalten. Teilabdrücke dauerten nach wie vor etwas länger.

Hunter zweifelte nicht an dem, was Dr. Slater gesagt hatte, trotzdem führte er – der Gründlichkeit halber – noch eine eigene Suche in IAFIS durch. Er speicherte das Bild des Teilabdrucks auf seinem Rechner und lud es in die Datenbank hoch. Nach etwas mehr als vier Minuten hatte er ein Ergebnis. Als das dazugehörige Festnahmeprotokoll auf seinem Monitor erschien, stellten sich Garcia und Captain Blake hinter seinen Stuhl, um besser sehen zu können.

Das große Foto oben links zeigte eine junge weiße Frau, die geradeaus in die Kamera blickte, vor ihrer Brust das für Polizeifotos obligatorische Schild mit den persönlichen Daten. Der Ausdruck in ihren Augen hatte etwas Faszinierendes – konzentriert, hellwach und zugleich unbekümmert. Ihre butterblonden Haare waren zwar ein wenig unordentlich, ließen jedoch erkennen, dass sie einen klassischen Bob mit Seitenscheitel trug. Ihr Gesicht war annähernd herzförmig, sie hatte schmale Lippen, leicht mandelförmige blaubraune Augen und eine kleine Stupsnase. Ihr Make-up war ziemlich eigenwillig – Augen und Lippen waren praktisch ungeschminkt, dafür hatte sie Wangen und Augenbrauen umso stärker betont. Kein besonders schmeichelhafter Look.

»Angela Wood«, las Captain Blake von dem Schild ab. »Einundzwanzig Jahre alt.« Schweigend überflogen die drei die restlichen Informationen auf dem Festnahmeprotokoll.

Miss Wood stammte aus Potacello in Idaho. Sie war im zarten Alter von siebzehn nach Los Angeles gekommen und ein Jahr später zum ersten Mal in Santa Monica Beach wegen Taschendiebstahls festgenommen worden. Man hatte sie mit sechs verschiedenen Brieftaschen und vier Handys erwischt, woraufhin sie von einem gewissen Richter Connor zu einhundertzwanzig Tagen Haft verurteilt worden war. Ihrer Akte zufolge lebte sie in Studio City.

Captain Blake richtete sich auf und musterte ihre beiden Detectives.

»Das liest sich ja nun nicht gerade wie das Vorstrafenregister eines Serienkillers, der mehr als sechzehn grausame Morde begangen hat, oder was meinen Sie?«

»Sie ist nicht die Täterin, Captain«, sagte Garcia. »Aber wenn ihre Fingerabdrücke auf einem der Polaroids waren, heißt das, dass sie irgendwann, höchstwahrscheinlich im

Laufe der letzten vier Jahre, mit der gesuchten Person in Kontakt gekommen sein muss.«

»Doc?«, wandte Hunter sich an Slater, die die ganze Zeit in der Leitung geblieben war.

»Ja, ich bin noch dran.«

»Wurden alle Polaroids auf Fingerabdrücke untersucht oder nur das eine?«

»Alle«, gab die Forensikerin Auskunft. »Die Seiten im Tagebuch stehen allerdings noch aus.«

»Und befinden sich ihre Abdrücke auch auf den anderen Polaroids?«

»Nein«, sagte Dr. Slater zum Erstaunen der drei im Büro. »Nur auf dem einen.«

»Um welches Foto handelt es sich?«, wollte Hunter wissen. »Das des Opfers, das wir gestern Abend gefunden haben? Der erste Eintrag im Buch?«

»Nein, es gehört zu einem anderen Eintrag. Ich weiß nicht, wer die Person auf dem Foto ist, ich habe mir die entsprechende Stelle im Tagebuch noch nicht angesehen, aber es zeigt einen Jungen, so um die ...« Sie machte eine Pause, als müsse sie überlegen. »... siebzehn oder achtzehn, würde ich sagen.«

»Könnten Sie uns einen Gefallen tun, Doc«, fragte Hunter, »und uns die Fotos so schnell wie möglich schicken?«

»Natürlich. Die Seiten aus dem Tagebuch kommen dann später im Laufe des Tages.«

»Vielen Dank.« Hunter legte auf und wählte sofort die Nummer des Rechercheteams, damit dieses eine Akte über Angela Wood zusammenstellte. Als auch das erledigt war, schaute er auf die Uhr – es war elf Uhr achtunddreißig. »Lust, nach Studio City rauszufahren?«, wandte er sich an seinen Partner.

»Ich dachte schon, du fragst nie«, sagte Garcia und griff nach seiner Jacke.

11

Die Colfax Avenue, jenseits der Hollywood Hills im Norden des San Fernando Valley gelegen, führte über eine Länge von drei Meilen von North Hollywood bis nach Studio City. Dort lag die Adresse, die Hunter und Garcia dem Festnahmeprotokoll von Angela Wood entnommen hatten. Das Haus, in dem sie wohnte, war ein helles dreistöckiges Gebäude gegenüber einem mittelgroßen Supermarkt nebst Spirituosenladen namens »The Village Market«.

»Hier muss es sein«, sagte Garcia, als er langsamer wurde, um die Hausnummern lesen zu können.

»Ja, das da ist es.« Hunter las aus seinen Notizen ab. »Apartment 309.«

Garcia parkte wenige Meter hinter dem Gebäude am Straßenrand. Als sie die Stufen zum Eingangsbereich hinaufliefen, hatten sie Glück. Der Briefträger kam gerade heraus und hielt ihnen die Haustür auf. So konnten sie direkt nach oben gehen, ohne vorher klingeln zu müssen.

Festgenommen zu werden ist eine zutiefst unangenehme Erfahrung, deshalb war es wohl keine Überraschung, dass Menschen mit Vorstrafenregister, noch dazu, wenn sie eine gewisse Zeit im Gefängnis verbracht hatten, tendenziell nicht gerne mit der Polizei redeten, selbst wenn sie nichts zu verbergen hatten. Hunter und Garcia wussten dies und hatten beschlossen, dass es klüger wäre, Angela Wood ihren Besuch nicht anzukündigen.

»Warte kurz«, sagte Garcia. »Ich schaue mal nach, ob es nach hinten raus eine Feuertreppe gibt.« Er sah Hunter achselzuckend an. »Man weiß ja nie, wie die Leute reagieren, wenn sie eine Dienstmarke sehen.«

Hunter wartete, während Garcia um das Gebäude herumlief. Nach weniger als dreißig Sekunden war er wieder da.

»Nein«, sagte er kopfschüttelnd. »Keine Feuertreppe.«

Gemeinsam stiegen sie die Stufen hinauf in den dritten Stock. Oben gelangten sie in einen kurzen, hell erleuchteten Flur mit fünf Türen auf jeder Seite. Apartment 309 war die letzte Tür rechts. Hunter klopfte dreimal energisch dagegen. Dann warteten sie.

Zwanzig Sekunden vergingen, ohne dass sich etwas tat.

Hunter klopfte noch einmal, ehe er und Garcia sich vorbeugten, um an der Tür zu horchen.

Diesmal hörten sie Geräusche aus der Wohnung. Trotzdem mussten sie noch weitere fünfzehn Sekunden abwarten, ehe eine Antwort kam.

»Wer ist da?«, rief eine Frau von drinnen. Sie klang verschlafen.

Hunter wollte etwas erwidern, doch Garcia bat ihn mit einer Geste zu schweigen und zeigte auf die Wohnungstür, die nicht über einen Spion verfügte. Dann übernahm er die Führung.

»Post!«, sagte er laut. »Ich habe hier eine Sendung für Miss Angela Wood und brauche eine Unterschrift.«

»Eine Sendung?«, fragte die Frau skeptisch, fast argwöhnisch.

»Ganz recht, Ma'am. Sie kommt aus ...« Garcia sah Hunter hilfesuchend an.

»Potacello, Idaho«, raunte dieser kaum hörbar. Er erinnerte sich noch an Angelas Geburtsort vom Festnahmeprotokoll.

»Aus Potacello in Idaho«, rief Garcia.

Wieder verstrichen zehn Sekunden, ohne dass sich drinnen etwas regte. Offenbar hatte Angela Wood nicht mit Post aus ihrer Heimatstadt gerechnet.

»Hmmm ...«, machte sie irgendwann. »Okay. Warten Sie ganz kurz, ja? Ich muss mir nur schnell was anziehen. Ich komme gerade aus der Dusche.« Sie klang immer noch nicht ganz überzeugt.

Hunter und Garcia machten abermals einen Schritt auf die Tür zu, um zu lauschen, was in der Wohnung vor sich ging. Sie hörten jemanden hektisch umherlaufen, dann ein Quietschen wie von schlecht geölten Scharnieren.

Hunter sah seinen Partner an.

»Fenster«, sagte er.

»Fenster?«, wiederholte Garcia. »Wir sind im dritten Stock, und es gibt keine Feuertreppe. Ist die irre?«

Ohne auf eine Antwort zu warten, sprintete Garcia los, den Flur entlang in Richtung Treppenhaus.

Hunter wandte sich wieder der Wohnungstür zu und klopfte erneut. Der Briefträgertrick hatte offenbar nicht funktioniert. »Miss Wood, hier ist das LAPD, bitte machen Sie die Tür auf.«

Drei Sekunden – keine Reaktion.

Er klopfte noch einmal. »Miss Wood, bitte öffnen Sie die Tür. Hier ist das LAPD. Wir müssen mit Ihnen reden.«

Nichts.

»Miss Wood, das ist meine letzte Warnung. Wenn Sie die Tür nicht öffnen, bin ich gezwungen, sie einzutreten.«

Wieder ließ er drei Sekunden verstreichen.

Dann nahm er einen Schritt Anlauf und trat mit dem rechten Fuß fest gegen den Türknauf. Der dumpfe Knall hallte durch den gesamten Flur. Die Tür wackelte in den Angeln, hielt aber stand. Hunter versetzte ihr einen zweiten Tritt, diesmal mit mehr Kraft.

Fast, aber nicht ganz.

Ein dritter Versuch. Diesmal nahm er all seine Kraft zusammen.

Der Türrahmen krachte, Holzsplitter flogen in alle Richtungen. Sowie die Tür aufschwang, war Hunter in der Wohnung. Angela Wood saß im geöffneten Fenster. Sie hatte einen Rucksack über der Schulter und die Beine bereits über das Fensterbrett nach draußen geschwungen.

»Warten Sie!«, rief er von der Tür her und hob beschwichtigend die Hände. »Was machen Sie da? Wir wollen doch bloß mit Ihnen reden.«

»Ja, klar.« Sie packte mit beiden Händen das Fensterbrett, als wollte sie springen.

»Bitte, tun Sie das nicht!« Hunter blieb ganz bewusst auf Abstand, damit sie ihn nicht als unmittelbare Bedrohung wahrnahm. Er sprach betont ruhig. »Miss Wood, bitte hören Sie mir zu. Das ist keine gute Idee, was Sie da vorhaben. Vom Fenster bis zur Erde sind es mindestens zwölf Meter. Wenn Sie Glück haben – sehr viel Glück –, kommen Sie mit einem gebrochenen Bein davon. Wahrscheinlicher sind zwei gebrochene Beine. Offene Frakturen. Wir reden hier von sechs bis neun Monaten im Rollstuhl und auf Krücken. Das wollen Sie doch sicher nicht.« Er spürte, wie Angela zögerte. »Hören Sie zu, wir sind nicht gekommen, um Sie festzunehmen, darauf gebe ich Ihnen mein Wort. Wir wollen wirklich nur mit Ihnen reden. Wir brauchen Ihre Hilfe. Bitte, kommen Sie wieder rein.«

Angela spähte über ihre linke Schulter. Der Cop klang aufrichtig, aber sie war nicht zum ersten Mal reingelegt worden. Sie wollte lieber kein Risiko eingehen.

»Was ist denn hier los?«, ertönte gleich darauf eine halb erstaunte, halb besorgte Stimme hinter Hunter.

Der drehte sich um und sah einen gut hundertzwanzig Kilo schweren glatzköpfigen Mann im Flur stehen, der drohend einen Baseballschläger erhoben hatte. Wahrscheinlich ein Nachbar, der den Lärm gehört hatte und nach dem Rechten sehen wollte.

»Schon in Ordnung, Sir«, sagte Hunter und zeigte dem Mann seinen Dienstausweis. »Ich bin Detective beim LAPD. Ich habe hier alles unter Kontrolle. Bitte nehmen Sie den Schläger runter und gehen Sie zurück in Ihre Wohnung.«

Der Griff des Mannes um den Baseballschläger lockerte sich ein wenig, und er legte den Kopf schief, um einen genaueren Blick auf Hunters Ausweis zu werfen. Doch im nächsten Moment sah er hinter Hunter etwas, das ihn vor Schreck die Augen aufreißen ließ.

»O mein Gott!«, stieß er entsetzt hervor.

Hunter fuhr herum.

Der Fensterrahmen war leer. Von Angela Wood fehlte jede Spur.

Hunter wandte sich wieder zu dem Mann um, der hilflos mit den Schultern zuckte.

»Sie ist gesprungen.«

12

Garcia hatte das Ende des Flurs erreicht. Statt die Stufen hinunterzulaufen, nahm er den ganzen Treppenabsatz mit einem großen Sprung. Gerade als er aufkam, hörte er von oben einen lauten Knall. Wahrscheinlich war das Hunter, der versuchte, die Tür zu Angela Woods Wohnung einzutreten.

Garcia rannte um die Ecke und sprang auch den nächsten Treppenabsatz hinunter ... und den nächsten ... und den nächsten ... bis er das Erdgeschoss erreicht hatte.

Eine gebrechliche alte Dame zog gerade die Eingangstür hinter sich zu, als Garcia im Erdgeschoss ankam. Sie sah ihn erst, als er schon vor ihr stand.

»Ach, du liebe Zeit!«, rief sie mit zitternder Stimme und ließ vor lauter Schreck ihren Gehstock fallen, ehe sie einen Schritt zurückwich und sich die Hand aufs Herz presste. Aus ihrem halb geöffneten Mund drang ein angstvolles Keuchen. Sie sah aus, als bekäme sie keine Luft mehr, ihre Knie fingen an zu zittern, und sie ließ sich mit dem Rücken gegen die Glastür sinken.

Als Garcia sah, wie ihr ohnehin schon blasses Gesicht noch bleicher wurde, trat er auf sie zu.

»Das tut mir furchtbar leid«, sagte er und legte ihr sanft die Hände auf die Schultern. Er konnte ihre Knochen unter der Haut spüren. »Ich wollte Sie nicht erschrecken.«

Immer noch nach Atem ringend, sah die Dame ihn mit wässrigen Augen an.

Garcia war hin- und hergerissen. Er musste weiter. Er musste hinten sein, bevor das Undenkbare geschah, und das hier hielt ihn nur auf. Er versuchte, die alte Dame so gut es ging zu beruhigen.

»Schön durchatmen«, sagte er fest. »Langsam und regelmäßig. Nicht zu schnell.« Er begann in einem gleichmäßigen Rhythmus zu atmen, um ihr zu zeigen, was er meinte, während er gleichzeitig mit zwei Fingern an ihrem Handgelenk nach dem Puls tastete. Er pochte ein wenig zu schnell, aber nichts Besorgniserregendes.

»Es tut mir wirklich aufrichtig leid«, beteuerte er noch einmal, ehe er hinzufügte: »Ich bin vom LAPD ... und muss jetzt leider weiter.« Sein eiliger Ton sorgte dafür, dass die Dame wieder ein wenig zur Besinnung kam. »Atmen Sie einfach ganz ruhig weiter, dann wird das schon wieder.« Er hob ihren Gehstock auf und drückte ihn ihr in die Hand, ehe er sie behutsam zur Seite schob und an ihr vorbei ins Freie rannte.

Fünf Sekunden später war er auf der Rückseite des Gebäudes angelangt – gerade noch rechtzeitig, um zu sehen, wie Angela Wood aus einem Fenster im dritten Stock sprang.

13

Angela Wood war nicht das, was Psychiater gemeinhin als selbstmordgefährdet bezeichneten – jedenfalls nicht mehr. Allerdings hatte es eine Zeit gegeben, in der die Vorstellung, ihr eigenes Leben zu beenden, ihr ganzes Denken beherrscht hatte. Mehr als einmal hatte sie versucht, dem Tod so nahe wie möglich zu kommen, ohne tatsächlich die letzte Grenze zu überschreiten.

Angefangen hatte diese Phase etwa fünf Jahre zuvor, als sie sechzehn gewesen war. Damals hatte Angela ein Jahr lang unter schwersten Depressionen gelitten. Tag für Tag hatte sie sich mehr vor den Menschen in ihrem Umfeld zurückgezogen, erdrückt von Traurigkeit, innerer Leere, Schuld und einem alles verschlingenden Gefühl der Wertlosigkeit. Sich selbst zu verletzen wurde zur Gewohnheit, auch wenn sie es nur heimlich tat und die Auswirkungen gut zu verbergen wusste. Drogen, legale wie illegale, wurden ihre Zuflucht ... Aber das war nicht immer so gewesen.

Während ihrer Kindheit und zu Beginn ihrer Jugend war Angela ein fröhliches, lebhaftes Mädchen gewesen. Die Probleme und Auseinandersetzungen, die sie bisweilen mit ihren Eltern hatte, unterschieden sich nicht von denen, die die meisten Kinder in der Pubertät durchmachten. In der Schule kam sie mit allen Lehrern gut aus. Sie schrieb hervorragende Noten und galt unter ihren Freunden als lustige, stets gut aufgelegte Person.

Doch eine Woche nach ihrem sechzehnten Geburtstag wurde alles anders. Schuld war eine schreckliche Tragödie: der Tod ihres jüngeren Bruders Shawn.

Danach geriet Angela in eine dunkle Abwärtsspirale zerstörerischer Gedanken und Gefühle, aus der sie sich nicht mehr befreien konnte. Wäre sie nicht irgendwann vor ihrer Familie und aus ihrer Heimatstadt geflohen, hätten ihre Eltern mit Sicherheit auch noch ihr zweites Kind verloren.

So verrückt und unwahrscheinlich es auch klang, aber der Umzug nach Los Angeles hatte Angela das Leben gerettet. Hier war sie der Dunkelheit endlich entkommen und hatte das Leben wieder zu schätzen gelernt.

Allerdings war der Kampf noch längst nicht gewonnen. Die

Traurigkeit, die Leere und das Gefühl von Wertlosigkeit waren immer noch da. Kein Tag verging, ohne dass sie ihren jüngeren Bruder schmerzlich vermisste, und an manchen Tagen war es so schlimm, dass sie es kaum aushielt. Doch irgendwie hatte ein kleiner Funke den Weg in ihr Inneres gefunden, und Angela hatte Schritt für Schritt den Weg zurück ins Licht gewagt. Die Selbstverletzungen waren seltener geworden, sie musste fast keine Tabletten mehr nehmen, und sie hatte seit über drei Jahren nicht mehr an Selbstmord gedacht.

Ihr Sprung aus dem Fenster war dementsprechend keine Rückkehr zu jenen schwarzen Tagen, sondern ein sorgsam geplantes Fluchtmanöver. Sie hatte es schon unzählige Male geübt, auch wenn es heute zum ersten Mal ernst geworden war.

Genau genommen sprang sie auch nicht aus dem Fenster zur Erde, sondern lediglich an das stabile Fallrohr, das vom Dach des Gebäudes bis zum Boden verlief und, wie es der Zufall wollte, nur etwa fünfzig Zentimeter von ihrem Fenster entfernt war. Da es aus extra dickem Blech bestand, konnte es Angelas Gewicht von maximal sechzig Kilo sowie das ihres kleinen Rucksacks mühelos aushalten.

Während der Detective durch das plötzliche Auftauchen ihres Nachbarn abgelenkt war, nutzte Angela die Gelegenheit. Sie stieß sich mit den Fersen von der Hauswand ab und machte einen Satz nach links ans Fallrohr. Eine ihrer leichtesten Übungen.

Sie klammerte sich mit Händen und Füßen fest. Ihre Knie schabten gegen die Hauswand, aber das war halb so schlimm.

Die einfachste Art, nach unten zu gelangen, wäre es gewesen, am Rohr hinunterzurutschen wie ein Feuerwehrmann, aber da es mit drei dicken Metallschellen an der Hauswand befestigt war, musste der Abstieg in mehreren Etappen erfolgen. Auch das hatte Angela oft genug trainiert, sodass es ihr keine Probleme bereitete. Keine vier Sekunden nachdem sie aus dem Fenster gesprungen war, landete sie mit beiden Beinen auf der Erde. Mit einem zufriedenen Grinsen im Gesicht schaute sie noch einmal zu ihrem geöffneten Fenster empor, ehe sie kehrtmachte und losrennen wollte.

Leider war dies der Teil, der nicht ganz so gut lief wie erwartet.

Noch während Angela herumwirbelte, wurde sie von Garcia abgefangen, der bereits auf sie wartete.

»Nicht schlecht«, sagte er und hielt sie am Handgelenk fest, ehe sie auch nur blinzeln konnte. »Kann man Sie für Geburtstagspartys buchen?«

Vollkommen perplex sah Angela ihn an. »Wie zum Teufel sind Sie so schnell hier runtergekommen?«

Garcia lächelte. »Was? Glauben Sie etwa, Sie sind die Einzige, die ein paar gute Tricks auf Lager hat?« In einer blitzschnellen Bewegung trat er hinter sie, griff nach ihrem anderen Handgelenk und legte ihr Handschellen an. »Ta-da!«, sagte er theatralisch.

»Machen Sie mich los, Sie Vollidiot.« Angela zerrte an den Handschellen. »Ich habe nichts verbrochen.«

»Geht es ihr gut?«, kam Hunters Stimme von oben. Er lehnte mit dem gesamten Oberkörper aus dem Fenster.

»Alles bestens«, antwortete Garcia und reckte den Daumen in die Höhe.

Hunter nickte. »Super. Ich nehme trotzdem lieber die Treppe.«

Als Garcia Angela zum Wagen eskortierte, loderte der kalte Zorn in ihren Augen.

14

Im Untergeschoss des PAB saß Angela bereits seit annähernd einer halben Stunde allein in einem Vernehmungsraum. Ihre Hände waren mit einer dreißig Zentimeter langen Kette an einem Ring im Tisch befestigt. Der Tisch wie auch der Stuhl, auf dem sie saß, waren fest mit dem Boden verschraubt.

Einen Verdächtigen warten zu lassen, normalerweise in Handschellen, war eine erprobte psychologische Taktik, die von der Polizei häufig angewandt wurde. Sie hatte zwei Vorteile: Zum einen wurde durch das Warten die Nervosität der betreffenden Person gesteigert, und ein nervöser Verdächtiger neigte eher dazu, Fehler zu machen oder sich beim Lügen in Widersprüche zu verwickeln. Den Verdächtigen zu fesseln schränkte ihn in seiner Bewegungsfreiheit ein, und vor allem suggerierte es, dass die Polizei ihn – oder sie – bereits als schuldig betrachtete.

Der zweite Vorteil bestand darin, dass der Verdächtige nur scheinbar allein war. In Wahrheit wurde er die ganze Zeit beobachtet, entweder durch einen Einwegspiegel oder mithilfe von Kameras. Jemand – normalerweise der Detective, der hinterher auch die Vernehmung leitete, oder ein ausgebildeter Psychologe – studierte sein Verhalten, seine Gestik und Mimik. Außerdem war das Mikrofon im Raum eingeschaltet. Mitunter hatte die Polizei Glück, und der Verdächtige fing an, mit sich selbst zu reden. Schuldige und nervöse Menschen studierten manchmal vorher ein, was sie bei der Vernehmung sagen wollten.

Der Vernehmungsraum, in dem Angela saß, hatte einen Spiegel – einen sehr großen zu ihrer Rechten. Hunter und Garcia standen nebenan und beobachteten die junge Frau aufmerksam. Beide waren beeindruckt davon, wie gefasst sie wirkte.

Sobald man sie allein gelassen hatte, hatte sie es sich auf ihrem Stuhl bequem gemacht – so gut das mit an die Tischplatte geketteten Händen möglich war. Sie hatte den Kopf gegen die Rückenlehne sinken lassen und die Augen zugemacht, als wollte sie schlafen. Kein wütendes Reißen an den Handschellen, keine Flüche gegen die Polizisten. Sie bewegte nicht mal Schultern oder Nacken, um ihre Muskeln zu lockern. Sie sah sich auch nicht nervös im Raum um oder wippte ungeduldig mit den Füßen. Sie ließ nicht die geringsten Anzeichen von Nervosität erkennen, ganz im Gegenteil: Als Hunter und Garcia endlich die Tür öffneten und eintraten, sah sie so aus, als wäre sie kurz davor, einzunicken.

»Wie geht es Ihnen?«, erkundigte sich Hunter, als er auf den Tisch zutrat und einen Plastikbecher mit Wasser vor sie hinstellte. »Mein Name ist Detective Robert Hunter, und das hier ist Detective Carlos Garcia.«

Angela war von Kopf bis Fuß in Schwarz gekleidet: schwarze Jeans, schwarzes T-Shirt und ein schwarzer Hoodie, auf dem vorne der schwer zu entziffernde Schriftzug einer Metalband aufgedruckt war. An den Füßen trug sie Sneaker. Den Rucksack hatte man ihr abgenommen und durchsucht. Es waren über tausend Dollar in bar, ein Handy und Wechselsachen darin sichergestellt worden.

»Wie es mir geht?«, wiederholte Angela mit einer Stimme, die eher irritiert als wütend klang. Ihr Blick pendelte zwischen den beiden Detectives hin und her. »Mir ist langweilig, und ich bin ziemlich angepisst. *So* geht es mir. Ich sitze schon seit Ewigkeiten hier rum, bin an einen Tisch gekettet wie ein Tier und habe immer noch keine Ahnung, was ich eigentlich hier soll.«

Hunter und Garcia hatten auf der Fahrt zum PAB kein Wort mit ihr gesprochen.

»Niemand hat mir was gesagt«, fuhr sie fort. Ihr Blick war so intensiv, dass er praktisch die Haut der Detectives versengte. »Bin ich wegen irgendwas verhaftet? Falls ja, dann haben Sie die Sache aber so richtig verkackt. Sie haben mir nicht meine Rechte vorgelesen, ich durfte nicht telefonieren, ich wurde nicht über den Grund meiner Festnahme aufgeklärt, und ich werde hier behandelt wie ein stinkender Straßenköter. Und dann ist da noch meine Wohnungstür, die Sie eingetreten haben.« Sie lachte. »O Mann, dafür kriege ich Sie so was von dran.«

Hunter wartete, bis Angela in ihrer Schimpftirade innehielt.

»Möchten Sie vielleicht lieber Kaffee als Wasser?«, fragte er in freundlichem Ton, während er ihr die Handschellen aufschloss. Zuvor hatte er eine Akte auf den Tisch gelegt, auf der in kleinen schwarzen Buchstaben ANGELA WOOD geschrieben stand.

Während er Angelas Hände befreite, fiel ihm auf, wie sie besorgt darauf schielte.

»Nein«, sagte sie, massierte sich die Handgelenke und setzte sich aufrecht hin. »Ich *möchte*, dass Sie mir endlich sagen, was Sache ist. Bin ich jetzt verhaftet oder nicht?«

Hunter nahm die Akte wieder in die Hand, dann setzten er und Garcia sich Angela gegenüber an den Tisch.

»Sollte man Sie denn verhaften?«, fragte Garcia zurück.

Sie funkelte ihn böse an. »Nein, wieso?«

Garcia schlug die Beine übereinander. »Keine Ahnung. Sagen Sie es uns.«

Angela betrachtete die beiden Detectives mehrere Sekunden lang, ehe sich ein selbstbewusstes Lächeln auf ihren Zügen ausbreitete. Ihre Zähne waren ungewöhnlich gerade und weiß.

»Ah, ich verstehe, was Sie hier machen«, sagte sie und nahm eine entspanntere Sitzposition ein. »Deshalb hat auch keiner von Ihnen Vorkehrungen getroffen, unser Gespräch aufzuzeichnen, stimmt's? Weil Sie in Wahrheit gar nichts gegen mich in der Hand haben.«

Die Männer schwiegen.

»Und deshalb versuchen Sie es mit irgendwelchen billigen Psychotricks, damit ich einen Fehler mache.« Sie lachte. »Im Auto schweigen Sie mich die ganze Zeit an, dann lassen Sie mich Ewigkeiten warten, Sie knallen diese Akte da auf den Tisch ... wirklich ganz großes Kino.«

Ziemlich ausgeschlafen, dachte Hunter bei sich. Trotzdem ließen er und Garcia sich nichts anmerken.

»Wo haben Sie das her?«, fuhr Angela fort. »*Psychologie für Dummies*?« Sie schüttelte spöttisch den Kopf. »Tja, ich muss sagen, Sie bekleckern sich hier nicht gerade mit Ruhm, Detective …?«

»Garcia.«

»Vielleicht sollten Sie zur Abwechslung auch mal andere Psychologiebücher lesen, Detective *Garcia*.«

Dass sie Angela ein bisschen schmoren lassen wollten, war nicht der einzige Grund, weshalb Hunter und Garcia erst nach einer halben Stunde zu ihr in den Vernehmungsraum gekommen waren. Sie hatten noch auf ihre Akte gewartet.

Verhörregel Nummer eins: So viel Vorwissen wie möglich über den Verdächtigen sammeln.

»Also, ich habe *Psychologie für Dummies* nicht gelesen«, meinte Garcia. »Du?« Die Frage war an Hunter gerichtet.

»Nein«, sagte dieser. »Kann ich nicht behaupten.«

»Können Sie es empfehlen?«, wollte Garcia von Angela wissen.

Die lachte abermals. »Für Sie? Ja. Vielleicht hilft es Ihnen, ein bisschen an Ihrer Technik zu feilen.«

Hunter nickte gutmütig, ehe er die Akte aufschlug und die erste Seite überflog, die einige Fakten über Angelas bisherigen Lebensweg enthielt. Nicht, dass das nötig gewesen wäre. Er hatte das Dokument bereits im Beobachtungsraum gelesen. Die Akte war nur fünf Seiten dick.

Angela bemühte sich, die Miene des Mannes, der ihr gegenübersaß, zu deuten, doch sie wurde nicht recht schlau aus ihm.

»Also«, sagte sie. »Wollen Sie mir jetzt mal verraten, weshalb ich wirklich hier bin, oder belügen Sie mich wieder so wie vorhin?«

Hunter hob fragend die Augenbrauen.

»In meiner Wohnung, erinnern Sie sich nicht mehr?« Sie schnitt eine Grimasse, und ihre Stimme nahm einen spöttischen Tonfall an. »Wir sind nicht hier, um Sie zu verhaften, darauf gebe ich Ihnen mein Wort. Wir wollen bloß mit Ihnen reden. Wir brauchen Ihre Hilfe. Was für eine Ladung Bullshit.«

Hunter war überrascht, dass Angela sich selbst unter Stress noch an den genauen Wortlaut dessen erinnern konnte, was er zu ihr gesagt hatte.

»Aber wissen Sie, was das Komischste ist?«, fuhr Angela fort. »Keine Ahnung, warum, aber ich hätte Ihnen fast geglaubt.«

»Ich entschuldige mich für die unzureichende Kommunikation«, sagte Hunter. »Sie haben recht, wir hätten offener zu Ihnen sein müssen.«

Angelas Lippen verzogen sich zu einem amüsierten Lächeln. »Oh, wow, sieh mal einer an. Da trainiert wohl jemand für die Weltmeisterschaft im Zurückrudern. Liegt das daran, dass Sie wissen, dass Sie es verkackt haben und ich Sie wegen der Nummer hier verklagen kann, oder ist das wieder nur so ein dämlicher Trick?«

»Das ist kein Trick«, sagte Hunter.

Er zog einen Asservatenbeutel mit einem Polaroidfoto aus der Akte hervor und legte ihn vor Angela auf den Tisch.

»Das ist der Grund, weshalb Sie hier sind.«

Angelas Blick fiel auf das Foto, und ihr Lächeln verschwand.

Es war das Porträt eines etwa siebzehnjährigen Jungen. Mit seinen halblangen blonden Haaren sah er aus wie ein Skater oder ein Grunge-Fan. Seine blassblauen Augen waren verquollen, das Weiße von roten Äderchen durchzogen, was darauf hindeutete, dass er lange geweint hatte. Sein Gesicht war starr vor Angst.

»Können Sie uns sagen, wer das ist?«, fragte Garcia.

Angelas Blick ruhte auf dem Foto. Sie sagte kein Wort.

»Haben Sie das Foto gemacht?«, versuchte Garcia es mit einem anderen Ansatz.

»Nein.« Die Antwort kam wie aus der Pistole geschossen. Garcias Frage musste einen Nerv bei ihr getroffen haben.

»Wissen Sie denn, wer es gemacht hat?«, hakte er nach. »Waren Sie dabei, als es aufgenommen wurde?«

»Nein.« Wieder eine reflexartige Antwort. Diesmal schwang ein Anflug von Furcht in ihrer Stimme mit.

»Komisch«, sagte Garcia, der Angela keine Zeit gab, ihre Antwort weiter auszuführen. »Weil wir nämlich Ihre Fingerabdrücke darauf gefunden haben.«

Auf einmal hatte Angela einen dicken Kloß im Hals. Sie war unachtsam gewesen. Sie hatte einen riesengroßen Fehler gemacht.

Sie hatte das grauenhafte Buch am Sonntagmorgen in aller Frühe bei Dr. Slater in den Briefkasten gesteckt. Zuvor hatte sie den Einband und die Ränder jeder Seite, die sie angefasst hatte, gründlich abgewischt. Sie war sich ganz sicher gewesen, keine Stelle übersehen zu haben. Aber nun sah es ganz danach aus, als hätte sie in ihrer Panik, das Buch so schnell wie möglich loszuwerden, das eine Foto vergessen, das sie angefasst hatte ... das von dem Jungen. Sie dachte zurück. Tatsächlich konnte sie sich nicht mehr daran erinnern, es abgewischt zu haben. Deshalb war es der Polizei also gelungen, sie so schnell ausfindig zu machen. Sie hatte ihnen ihren Fingerabdruck frei Haus geliefert. Wie dämlich konnte man sein? Im Stillen verwünschte sie sich für ihre Dummheit.

Sie brauchte mehrere Sekunden, ehe es ihr gelang, den Blick vom Foto loszureißen und den Kopf zu heben. Bestimmt konnten die beiden ihr die Angst ansehen. Sie hatten ihre Abdrücke auf einem Foto in diesem abartigen Tagebuch gefunden. Da war es nur logisch, dass sie dachten, sie hätte etwas damit zu tun.

Garcia und Hunter beobachteten, wie Angela alle Farbe aus dem Gesicht wich.

»Aha«, fuhr Garcia fort. »Wenn Sie das Foto nicht gemacht haben und auch nicht anwesend waren, als es gemacht wurde, könnten Sie uns dann freundlicherweise erklären, wieso Ihre Fingerabdrücke die einzigen waren, die darauf sichergestellt wurden?«

Angelas Instinkt riet ihr, den beiden Detectives die Wahrheit zu sagen: dass sie keine Ahnung hatte, wer der Junge auf dem Foto war ... dass sie weder mit dem Foto noch mit dem Buch auch nur das Geringste zu tun hatte. Aber sie wusste, dass das ein Fehler gewesen wäre. Sie wusste, dass es der Polizei nicht um die »Wahrheit« ging, sondern einzig und allein darum, was sie jemandem nachweisen konnte. Ganz zu schweigen davon, dass sie ihnen wohl kaum die Wahrheit sagen konnte, ohne gleichzeitig zu gestehen, dass sie eine professionelle Taschendiebin war. Kein besonders schlauer Zug, wenn man mit zwei Detectives in einem Vernehmungsraum des LAPD saß.

Wie so oft behielt am Ende die Vernunft die Oberhand.

»Bin ich jetzt verhaftet oder nicht?«, fragte sie. »Dann möchte ich nämlich den Anruf machen, der mir vom Gesetz her zusteht.« Ihre Augen funkelten trotzig.

»Nein«, sagte Garcia nach einem kurzen Schweigen. »Sie sind nicht verhaftet.« *Noch nicht*, hätte er um ein Haar hinzugefügt, doch er hielt es für besser, dieses Detail vorerst für sich zu behalten.

»Dann kann ich also gehen, richtig?« Ihr Blick pendelte zwischen Garcia und Hunter hin und her. »Ich glaube, das mache ich jetzt auch.«

Sie erhob sich.

»Eine letzte Frage noch, wenn es erlaubt ist?«, sagte Hunter.

Angela verschränkte die Arme vor der Brust.

»Der Junge auf dem Foto.« Hunter deutete auf das Polaroid. »Erinnert er Sie an Ihren Bruder?«

15

Angela Wood war von klein auf ein überdurchschnittlich intelligentes Mädchen gewesen. Am Ende der zehnten Klasse waren die Lehrer dermaßen beeindruckt von ihren Noten, dass sie beschlossen, sie einer Reihe von Tests zu unterziehen, um festzustellen, ob sie einen Jahrgang überspringen konnte. Es überraschte niemanden, als sie sämtliche Tests mit Bravour bestand und im Alter von fünfzehn Jahren in die zwölfte Klasse kam.

In dem Sommer, als ihr Bruder starb, war Angela gerade sechzehn geworden. Sie hatte ihren Schulabschluss in der Tasche und genoss es, ausnahmsweise auch mal an Wochentagen im Bett liegen bleiben zu können. Doch an diesem Morgen konnte sie nicht so lange ausschlafen, wie sie es gerne gewollt hätte, denn gegen halb acht wurde sie jäh durch einen Donnerschlag geweckt, der so heftig war, dass ihr Bettgestell davon erzitterte.

Obwohl der offizielle Sommeranfang schon zwei Wochen zurücklag und die Temperaturen in Pocatello zu dieser Jahreszeit auf bis zu dreißig Grad steigen konnten, war das Wetter an diesem Donnerstag von Anfang an hässlich. Dunkle Wolken ballten sich zusammen, der Wind wehte in scharfen Böen, und grelle Blitze zuckten über den Himmel. Der Donnerschlag, von dem Angela aufgewacht war, war nur der erste von vielen, und die Wolkenwand am Horizont kündigte heftige Regengüsse an. Und wie es dann regnete – stundenlang ohne Unterlass.

Da man bei diesem Wetter unmöglich aus dem Haus gehen konnte, verbrachte Angela den Tag mit ihrer Lieblingsbeschäftigung: Lesen. Sie liebte Bücher, und selbst während des Schuljahrs hatte sie trotz der Hausaufgaben und Klassenarbeiten mindestens sieben bis zehn Bücher pro

Monat gelesen. Ihr Bruder Shawn hingegen, zu dem Zeitpunkt elf Jahre alt, saß vor dem Fernseher und zockte Videospiele.

Gegen fünfzehn Uhr ließ der Regen, der um kurz nach neun angefangen hatte, endlich ein wenig nach. Die Straßen und Gehwege draußen hatten sich in reißende Flüsse verwandelt, weil die Abwasserkanäle der Stadt mit den Wassermassen – die Niederschlagsmenge eines ganzen Monats innerhalb von sechs Stunden – überfordert waren. Ganz hinten am tristen grauen Himmel zeigte sich endlich ein winziger Streifen Blau, und es sah so aus, als wäre die Sintflut vorüber.

»Es hat aufgehört«, meldete Shawn, der aus dem Fenster schaute. »Wurde auch Zeit.«

»Gott sei Dank. Noch ein bisschen länger, und wir hätten Schwimmwesten gebraucht.«

»Manche brauchen die vielleicht sogar«, meinte Shawn. »Wir wohnen auf dem Hügel. Weiter unten wurden bestimmt ein paar Häuser überflutet.«

»Kann sein«, sagte Angela gleichgültig.

Shawn starrte noch eine Weile aus dem Fenster. »Ich hab Hunger«, rief er irgendwann.

»Warum sagst du mir das? Schau im Kühlschrank nach.«

»Hab ich doch schon. Es ist nichts mehr da. Hast du keinen Hunger?«

»Eigentlich nicht. Aber Mom und Dad kommen bald von der Arbeit, dann gibt es Abendessen, also reg dich ab.«

»Es ist noch nicht mal halb vier.« Shawn wies auf die Uhr an der Wand des Wohnzimmers. »Mom und Dad kommen erst um sechs nach Hause, bei dem Wetter vielleicht sogar noch später. Das heißt, es gibt frühestens um sieben Abendessen. Bis dahin bin ich verhungert.«

»Mein Gott, jetzt veranstalte doch nicht so ein Theater.« Es machte Angela wahnsinnig, andauernd beim Lesen unterbrochen zu werden. »Iss halt eine Banane oder was weiß ich. Davon sind noch reichlich da.«

Shawn verzog angewidert das Gesicht. »Ich hasse Bananen. Das weißt du genau.«

»Okay, dann mach dir ein Sandwich mit Erdnussbutter und Marmelade. Ist mir doch egal, aber hör auf zu nerven.«

»Würde ich ja, wenn wir noch Brot oder Marmelade hätten. Haben wir aber nicht. Wie lange warst du eigentlich nicht mehr in der Küche, Angie?«

»Und was soll ich jetzt machen, Shawn? Willst du mich essen oder was?«

»Nein, aber wir könnten doch eben zum Laden runtergehen und welches holen. Ist dir nicht langweilig vom vielen Lesen? Du machst schon den ganzen Tag nichts anderes.«

»Ist dir vom Zocken langweilig?«

»Nein.«

»Na also. Außerdem gehe ich bei dem Wetter nicht raus. Ich bin doch kein Fisch.«

»Es hat doch längst aufgehört.« Shawn war wieder ans Fenster getreten. »Schau mal, die Wolken verziehen sich.«

Angela hob nicht mal den Kopf.

»Komm schon, Angie. Bitte. Ich hab Hunger, und der Supermarkt ist doch nur die Straße runter. Eine Viertelstunde hin und zurück, länger brauchen wir nicht. Danach kannst du sofort weiterlesen.«

»Ich gehe nicht raus«, sagte Angela streng. »Vergiss es.«

»Es dauert doch wirklich nicht lange. Und sollst du nicht sowieso einkaufen gehen?«

Bevor ihre Eltern am Morgen zur Arbeit gefahren waren, hatte Angelas Mutter ihr klare Anweisungen gegeben.

»Sieht so aus, als würde es heute ziemlich schlimm werden, Angie«, hatte sie zu ihrer Tochter gesagt, während sie in den finsteren Himmel hinaufblickte. »Mir wäre es lieber, dass ihr erst rausgeht, wenn es aufklart. Und ich möchte auf jeden Fall, dass du schon mal fürs Abendessen einkaufst. Schieb das bitte nicht auf deinen Bruder ab. Versprich es mir.«

»Jetzt nicht«, sagte Angela zu ihrem Bruder. »Lass mich in Ruhe.«

»Mann, Angie. Wir wollen doch nur schnell zum Supermarkt an der Ecke, um Brot und Marmelade zu kaufen. In zehn Minuten sind wir wieder da.«

»Gerade eben waren es noch fünfzehn Minuten.«

»Wenn wir uns beeilen, schaffen wir es in zehn.«

»Träum weiter.«

»Ernsthaft, Angie, zehn Minuten. Ich will einfach nur was zu essen.«

Angela kannte ihren Bruder. Sie wusste, dass er keine Ruhe geben würde, wenn sie nicht mit zum Supermarkt kam oder ihn alleine gehen ließ. Er würde sie immer weiter nerven, und sie würde nie das Ende des Kapitels erreichen, obwohl sie gerade an der spannendsten Stelle war.

»Komm schon, Angie, bitte, bitte, bitte ...«

»Jetzt sei doch mal endlich still«, stöhnte Angela genervt. »Ich komme nicht mit, das kannst du vergessen. Hier sind zehn Dollar, kauf Brot und Marmelade ... Erdbeer ... Bring mir das Restgeld zurück. Und wehe, du bist nicht in zehn Minuten wieder da, hörst du? Zehn Minuten.«

»Geht klar.« Er nahm das Geld, ehe er sich seine Jacke anzog. »Auf jeden Fall. Du kannst die Zeit stoppen.«

»Mache ich auch, verlass dich drauf.«

Aber Shawn war nach zehn Minuten nicht wieder da.

Fünf Wochen später wurde sein grausam zugerichteter Leichnam am Stadtrand am Ufer des Portneuf River gefunden.

Trotz aller Bemühungen der Polizei, des Sheriffbüros und des FBI wurde sein Mörder nie gefasst.

16

»Der Junge auf dem Foto«, wiederholte Hunter. »Er erinnert Sie an Ihren Bruder, nicht wahr?«

Das Rechercheteam der UV-Einheit hatte Angela Woods Akte einen Zeitungsausschnitt über den Mord an Shawn beigefügt. Dieser Ausschnitt – ein sechs Jahre alter Artikel aus dem *Idaho State Journal* – enthielt auch ein Foto des elfjährigen Jungen. Er schilderte die Entdeckung und Identifizierung von Shawns Leiche, allerdings hatte sich die Zeitung aus naheliegenden Gründen dagegen entschieden, Fotos vom Fundort am Portneuf River abzudrucken.

Der Junge auf dem Polaroid war siebzehn – so alt, wie Shawn gewesen wäre, wenn er noch gelebt hätte. Doch das Alter war nicht die einzige Gemeinsamkeit zwischen den beiden. Sowohl Shawn als auch der Junge auf dem Foto hatten eine ähnliche Haarfarbe, Augenfarbe, einen ähnlichen Hautton und fast die gleiche Gesichtsform.

Statt zu antworten, wandte Angela den Blick ab. Sie suchte sich eine Stelle auf dem Estrichboden und fixierte sie. Ihre Arme waren immer noch vor der Brust verschränkt.

Hunter ließ ihr Zeit.

»Das war kein Trick, Angela«, sagte er irgendwann. »Wir wollten Sie wirklich nicht festnehmen. Wir möchten nur mit Ihnen reden.«

Angela blickte nicht auf.

»Das Buch ist echt«, sagte Hunter.

Das änderte alles. Wie in Zeitlupe wanderte Angelas furchtsamer Blick zurück zu ihm. Aber diesmal lag noch etwas anderes darin – eine Frage, die zu stellen sie offenbar nicht die Kraft oder den Mut hatte.

Hunter bemerkte es. »Ja«, sagte er und nickte. »Die Morde, die in dem Buch beschrieben werden ... sind alle wirklich passiert. Die Menschen auf den Fotos ...«, sein Blick ging kurz zu dem Polaroid, ehe er sich wieder Angela zuwandte, »die sind tot.«

In Angelas Augen schimmerten Tränen.

Es war Zeit für den nächsten Schritt.

Weder Hunter noch Garcia behagte es, auf Manipulation zurückgreifen zu müssen, um jemanden zum Reden zu bringen, aber gewisse Kniffe, korrekt angewandt, erlaubten es ihnen, gleich mehrere Fliegen mit einer Klappe zu schlagen. Und da der Mörder einen beträchtlichen Vorsprung vor ihnen hatte, waren sie bereit, alles zu tun, was nötig war.

»In Wahrheit«, begann Hunter, »glauben wir nicht, dass Sie mit dem Buch oder einem der darin dokumentierten Morde in direktem Zusammenhang stehen.«

Er sah, wie Angela bei diesen Worten zusammenzuckte, was darauf schließen ließ, dass sie die kleine Einschränkung wahrgenommen hatte. Dass sie nicht in einem *direkten* Zusammenhang mit den Morden stand, hieß nicht, dass sie unschuldig war.

»Das Problem ist leider«, fuhr Garcia fort, »dass es nicht unbedingt eine Rolle spielt, was wir glauben. Wichtig ist einzig und allein, was bewiesen werden kann, und im Moment können wir nur beweisen, dass die Fingerabdrücke, die wir auf dem Foto gefunden haben, von Ihnen stammen.« Er machte eine effektheischende Pause. »Dass Sie vor uns weggelaufen sind, verbessert Ihre Situation auch nicht gerade. So ein Verhalten lässt Sie schuldig wirken.« Abermals machte er eine Pause, diesmal eine etwas längere. »Aber wir sind einsichtige Menschen. Wir glauben Ihnen, wenn Sie uns sagen, dass Sie dieses Foto nicht gemacht haben oder bei seiner Entstehung dabei waren. Wir *möchten* Ihnen vertrauen, Angela, wirklich – aber Sie müssen uns dabei helfen. Sie müssen uns irgendetwas liefern.«

»Wenn es stimmt, was Sie sagen«, schaltete Hunter sich ein, »kann das nur bedeuten, dass Sie irgendwann – vermutlich erst kürzlich – mit dem Besitzer des Buchs in Kontakt gekommen sind. Wenn dem so ist, müssen Sie es uns sagen.«

Man musste kein Experte sein, um zu sehen, welche inneren Kämpfe Angela gerade ausfocht.

Garcia war derjenige, der ihr den finalen Schlag versetzte.

»Ist oder war er vielleicht Ihr Freund? Ist das die Verbindung, die Sie zu ihm haben?«

»Was? Nein«, rief Angela mit beinahe überschnappender Stimme. »Ich kenne den Kerl überhaupt nicht.«

»Aber Sie wissen, wer es ist.« Garcia formulierte es nicht als Frage, sondern als Feststellung.

»Nein, ich habe keine Ahnung, wer er ist.« Sie klang belegt, als wäre sie kurz davor zu weinen. »Ehrlich nicht. Das ist die Wahrheit.«

»*Angie*«, wisperten beide Angelas ihr ins Ohr. »*Um Himmels willen, halt doch endlich die Klappe. Sag ihnen, du willst jetzt deinen Anruf machen, besorg dir einen Anwalt und sag nichts mehr, bis er oder sie hier ist.*«

Angela nahm sich einen Moment Zeit, um ihre Gedanken zu sortieren. »Ich glaube, ich möchte jetzt wirklich gerne einen Anwalt anrufen, wenn Sie nichts dagegen haben.«

Hunter hatte sie die ganze Zeit aufmerksam beobachtet. Nach dem Studium ihrer Akte hatte er sich ein Szenario überlegt, das erklären konnte, was möglicherweise geschehen war – und wie ihre Fingerabdrücke auf das Foto geraten waren. Nun, nachdem er gesehen hatte, wie sie auf ihre Fragen reagierte, fühlte er sich in seinen Vermutungen bestätigt. Es galt nur noch einige Lücken zu füllen.

»Berufen Sie sich auf den fünften Verfassungszusatz?«, fragte er.

Der fünfte Verfassungszusatz enthielt mehrere strafrechtlich relevante Klauseln, darunter auch eine, die durch zahlreiche Hollywoodfilme Berühmtheit erlangt hatte. Es handelte sich um das Recht eines jeden, die Aussage zu verweigern, wenn er sich damit selbst belastete.

Angela sah Hunter in die Augen. »Nicht aus den Gründen, die Sie vermuten.«

»Soll ich Ihnen sagen, was ich vermute?«

Keine Antwort.

Zeit, meine Theorie einem Praxistest zu unterziehen, dachte Hunter.

»Der Grund, weshalb wir wissen, dass es sich bei dem Fingerabdruck auf dem Foto um Ihren handelt«, begann er in versöhnlichem, nicht wertendem Ton, »ist, dass Sie aktenkundig sind. Und Sie sind aktenkundig, weil Sie schon einmal verhaftet wurden.«

Er nahm die Akte hoch, die er mitgebracht hatte, um seine Worte zu unterstreichen. »Wegen Taschendiebstahls. Das war vor drei Jahren.« Er verstummte und fixierte Angela mit einem bohrenden Blick. »Klar kann es sein, dass Sie seitdem auf den Pfad der Tugend zurückgekehrt sind, aber die tausend Dollar, die wir in Ihrem Rucksack gefunden haben, sprechen eine andere Sprache. Genau wie Ihr Fluchtversuch, als wir bei Ihnen an die Tür geklopft haben, und jetzt Ihr Wunsch, die Aussage zu verweigern – angeblich ›nicht aus den Gründen, die wir vermuten‹ ... All das sagt mir, dass Diebstahl nach wie vor eine zentrale Rolle in Ihrem Leben spielt.«

Angela wich Hunters Blicken aus.

»Hier kommt meine Theorie«, fuhr er fort. »Der Grund, weshalb Ihnen dieses Buch und das Foto in die Finger geraten sind, ist, dass Sie es seinem Besitzer geklaut haben, auch wenn Sie vermutlich nicht wussten, worum es sich handelt. Stimmt das?«

Angela schwieg beharrlich. Trotzdem wusste Hunter, dass er auf der richtigen Fährte war.

»Und dass dieses Buch bei uns gelandet ist, liegt daran, dass der Junge auf dem Foto Sie an Shawn erinnert hat, richtig? Die Ähnlichkeit zwischen den beiden hat Sie dazu veranlasst, das Richtige zu tun und das Buch den Behörden zu übergeben.« Er schwieg einige Sekunden lang. »Und? Wie war das bis jetzt?«

Angela blickte nicht auf, aber Hunter sah einen Muskel in ihrem Kiefer zucken. Fast hatte er sie dort, wo er sie haben wollte. Er nahm seinen Dienstausweis und legte ihn auf den Tisch.

»Detective Garcia und ich sind beim Morddezernat. Wir gehören zu einer Spezialabteilung, die sich UV-Einheit nennt und sich mit extrem brutalen Gewaltverbrechen beschäftigt.« Er zeigte auf seinen Ausweis. »Was ich Ihnen sagen will, Angela, ist, dass uns Bagatellen wie Taschendiebstahl nicht interessieren. Wir sind nicht hier, um Sie deswegen einzusperren. Das kann ich Ihnen garantieren.«

Angela rutschte langsam auf ihrem Stuhl hin und her.

»Vorhin«, sagte Hunter, »haben Sie erwähnt, dass keiner von uns Anstalten gemacht hat, dieses Gespräch aufzuzeichnen. Das liegt daran, dass wir Sie von Anfang an nicht als eine Verdächtige betrachtet haben.« Er schüttelte den Kopf. »Um Dinge zu tun, wie sie in dem Buch beschrieben werden, muss man ein ganz besonderer Typ Mensch sein. Ein von Grund auf böser Mensch. Und das sind Sie nicht, Angela, glauben Sie mir. Wir sind solchen Leuten schon oft genug begegnet.«

Erst jetzt griff Angela nach dem Plastikbecher mit Wasser auf dem Tisch und trank einen großen Schluck. Genau wie zuvor in ihrer Wohnung spürte sie irgendwie, dass dieser Detective ihr die Wahrheit sagte.

»Ich weiß nicht, wie viel von dem Buch Sie gelesen haben, ehe Sie es bei Dr. Slater in den Briefkasten gesteckt haben«, fuhr Hunter fort. »Aber wer auch immer es geschrieben hat, wird nicht aufhören zu töten, nur weil ihm jemand seine Aufzeichnungen gestohlen hat. So ticken solche Leute nicht.«

Angela wurde immer unruhiger, ein klares Indiz dafür, dass ihre Schutzmauern bröckelten. Garcia beschloss, dass es an der Zeit war, die emotionalen, schmerzvollen Erinnerungen, die sie garantiert mit sich herumschleppte, ins Spiel zu bringen.

»Dieser Kerl wird immer weiter morden, Angela«, sagte er. »Er wird weiterhin Menschen entführen … einige von ihnen Kinder, so wie Ihr Bruder Shawn.«

Angela schloss die Augen. Ihre Tränen liefen über.

»Er wird mit ihnen machen, was er will, bevor er sie ermordet und ihre Leichen irgendwo entsorgt. Deshalb brauchen wir Ihre Hilfe, Angela … Sie sind ihm begegnet. Sie wissen, wer er ist.«

Angela riss die Augen auf. »Nein, das stimmt doch gar nicht«, stieß sie hervor. »Ich habe keine Ahnung, wer er ist.« Sie wandte sich an Hunter. »Was immer ich Ihnen sage, versprechen Sie, dass Sie mich dafür nicht drankriegen?«

»Versprochen«, sagte Hunter. »Sie haben mein Wort.«

Sichtlich nervös, atmete sie tief ein. »Ihre Theorie stimmt mehr oder weniger«, begann sie. »Ja, ich habe jemandem eine Tasche geklaut, in der das Buch drin war. Ich hatte keine Ahnung, was ich da klaue. Und was noch schlimmer ist: Ich habe es nicht mal wegen der Beute mitgehen lassen. Ich habe es nur gemacht, um dem Typen eine Lektion zu erteilen.«

Hunter und Garcia nahmen ihren letzten Satz mit einem Stirnrunzeln zur Kenntnis, doch keiner der beiden unterbrach sie.

»Ja«, fuhr sie fort. »Der Junge sieht meinem Bruder ähnlich. Aber ich brauche so was wie das da gar nicht, um mich an Shawn zu erinnern.« Mit einer Kopfbewegung deutete sie zu dem Foto auf dem Tisch. »Ich denke sowieso jeden Tag an ihn.«

Abermals kamen ihr die Tränen.

»Sie haben die Tasche geklaut, um jemandem eine Lektion zu erteilen?«, fragte Garcia schließlich. »Wie genau ist das zu verstehen?«

Angela wischte sich die Tränen aus den Augen, ehe sie ihr Wasser austrank.

»Du hast angefangen«, flüsterten die Angelas ihr ins Ohr. *»Jetzt kannst du ihnen genauso gut auch den Rest erzählen.«*

17

Angela berichtete Hunter und Garcia in knappen Worten, was sich am vergangenen Samstagabend ereignet hatte. Verständlicherweise beschränkte sie sich dabei hauptsächlich auf das Geschehen im Rendition Room und darauf, wie sie in den Besitz des Tagebuchs gelangt war.

Die beiden Detectives hörten zu, ohne ihr ins Wort zu fallen. Als sie geendet hatte, war Hunter der Erste, der ihr eine Frage stellte.

»Dann haben Sie sein Gesicht also nie gesehen?«

»Nicht wirklich«, sagte Angela. »Er saß mit dem Rücken zu mir und hatte eine Kapuze auf. Selbst als er den älteren Herrn angekackt ...« Sie brach ab und hob entschuldigend die Hand. »Selbst als er den älteren Herrn *angepflaumt* hat, hat er nicht von seinem Handy hochgeschaut. Er hat irgendwie so seitlich über die Schulter gesprochen.« Angela demonstrierte, was sie meinte, indem sie den Kopf leicht nach rechts drehte. »Von meinem Platz aus konnte ich sein Gesicht nicht erkennen.«

»Was ist mit seiner Körpergröße oder Statur? Ungefähres Alter? Irgendwelche Auffälligkeiten?«

»Ich würde sagen, er war in etwa so groß wie Sie.« Angela deutete auf Hunter. »Und auch so breit. Vielleicht ein bisschen breiter.«

»Was genau meinen Sie mit breit?«, klinkte Garcia sich ein. »Muskulös oder dick?«

»Nein, dick war er auf keinen Fall. Selbst von hinten und trotz des Hoodies konnte man deutlich sehen, dass er gut trainiert war ... alles Muskeln, kein Fett. Was sein Alter angeht ...« Sie hob die Schultern, während sie nachdachte. »Vielleicht Ende dreißig oder Anfang vierzig. Älter bestimmt nicht.«

»Was ist mit seiner Stimme?«, fragte Hunter weiter. »Ist Ihnen daran etwas aufgefallen – ein Akzent oder Ähnliches?«

»Ich habe nichts bemerkt, aber es lief Musik in der Bar, und ich habe auch nicht wirklich darauf geachtet. Aber sein Ton klang irgendwie so ... bestimmt ... so hart – wissen Sie, was ich meine? Als wäre er es gewohnt, auf diese Weise mit Leuten zu sprechen. Ihnen Befehle zu erteilen.«

»Ich würde gerne noch mal auf etwas zurückkommen, was Sie vorhin erwähnt haben«, sagte Garcia. »Sie meinten, Sie wären in den Rendition Room gegangen, weil Sie nachschauen wollten, wie viel Geld in den Brieftaschen war, die Sie bis dahin geklaut hatten, richtig?«

Angela nickte trotzig. »Ich bin nicht gierig. Ich nehme zwei, maximal drei Geldbörsen, bevor ich Kasse mache und das Bargeld und die Karten rausnehme. Wenn ich genug zusammenhabe, mach ich Schluss. Wenn nicht, entsorge ich die Brieftaschen und drehe noch eine zweite Runde. Wenn die Brieftasche nur Geld und Kreditkarten enthält, nehme ich sie raus und werfe die Brieftasche in einen Abfalleimer. Wenn Papiere drin sind – Führerschein, Ausweis und so weiter –, dann schicke ich sie dem Besitzer per Post zurück.«

Als sie das hörten, runzelten beide Detectives die Stirn.

»Sie schicken sie den Besitzern zurück?«, wiederholte Hunter ungläubig.

Angela rieb sich den Nacken. »Ich weiß, wie ätzend es ist, wenn man Papiere neu beantragen muss. Außerdem kann so was richtig teuer werden. Ich habe ihnen ja schon das Geld und die Kreditkarten abgenommen, da muss ich sie nicht auch noch treten, während sie am Boden liegen, oder?«

Garcia lachte leise und warf seinem Partner einen Blick zu. »Was sagst du dazu? Eine ehrenhafte Taschendiebin.«

»Dann nehme ich mal an, in der von Ihnen erwähnten Ledertasche befanden sich keine persönlichen Ausweisdokumente«, stellte Hunter fest.

»Nein, nichts. Nur das Buch.«

»Bitte, sagen Sie mir, dass Sie wenigstens die Tasche noch haben.« Garcia beugte sich vor und stützte die Ellbogen auf den Tisch.

Angela wandte den Blick ab.

»Ernsthaft? Was haben Sie damit gemacht?«

»Weggeworfen.«

»Ich fasse es nicht.« Garcia schlug sich die Hand vor die Stirn. »An der Tasche waren höchstwahrscheinlich Fingerabdrücke, DNA, Faserspuren ... was weiß ich.«

Angela funkelte ihn an. »Was hätte ich denn Ihrer Meinung nach damit tun sollen – sie behalten? Ich konnte ja nicht ahnen, dass Sie bei mir an die Tür klopfen und nach Beweismitteln fragen. Glauben Sie, ich habe meine Fingerabdrücke absichtlich auf dem Foto hinterlassen? Sie sollten dankbar sein, dass ich mir die Mühe gemacht habe, Dr. Slater das Buch in den Briefkasten zu werfen. Ich hätte genauso gut auch alles wegschmeißen und die Sache einfach abhaken können.«

»Ach ja, ich vergaß. Ihr Ehrgefühl«, konterte Garcia.

»War sonst noch was in der Tasche?«, unterbrach Hunter den Streit der beiden.

»Nein.«

»Vielleicht finden wir die Tasche ja noch.« Garcia wollte die Hoffnung nicht aufgeben. »Wann und wo haben Sie sie weggeworfen?«

»Die finden Sie nicht mehr«, gab Angela zurück. »Die ist ein für alle Mal weg.«

»Wieso? Was haben Sie damit gemacht?«

»Ich habe sie weggeschmissen, aber in meiner Straße

kommt die Müllabfuhr immer montags – das war gestern. Ich habe mit eigenen Augen gesehen, wie sie die Container geleert haben und alles in die Müllpresse gewandert ist. Die Tasche ist weg, glauben Sie mir.«

Irgendetwas an Angelas Geschichte schien Garcia nicht ganz einzuleuchten.

»Moment mal«, sagte er. »Eben haben Sie behauptet, dass Sie manchmal die Brieftaschen an ihre rechtmäßigen Besitzer zurückschicken, richtig? Aber das Buch haben Sie nicht per Post geschickt.« Er wechselte einen Blick mit Hunter, als hätte er den entscheidenden Widerspruch in Angelas Aussage gefunden. »Der Umschlag wurde in Dr. Slaters privaten Briefkasten geworfen.«

»Ja. Und?«

»Und ... Frage Nummer eins: Woher wussten Sie, wo sie wohnt und wer sie ist? Frage Nummer zwei: Warum haben Sie das Buch einer Kriminaltechnikerin gegeben, nicht direkt dem LAPD?«

Angela schwieg.

»Sie haben uns Märchen erzählt, stimmt's?«, hakte Garcia nach. »Ihre ganze Geschichte ist erstunken und erlogen.«

Angela sah so aus, als überlegte sie fieberhaft, was sie erwidern sollte.

»Wissen Sie, was ich glaube?«, fuhr Garcia seelenruhig fort. »Ich glaube, dass Sie ganz genau wissen, wem das Buch gehört. Ich glaube, Sie waren mal seine Freundin oder Geliebte, oder wie auch immer man es nennen möchte. Ich glaube, er hatte irgendwann die Nase voll von Ihnen und hat Sie abserviert ... vielleicht hat er Sie auch gegen eine Neue ausgetauscht. Das hat Sie ziemlich wütend gemacht, und als Rache haben Sie ihm das Tagebuch geklaut. Und jetzt saugen Sie sich hier diese lächerliche Geschichte aus den Fingern.«

»Das können Sie doch nicht ernst meinen«, sagte Angela fassungslos.

»O doch, ich meine es sogar sehr ernst. Und es würde

mich nicht wundern, wenn Sie bei einigen, wenn nicht sogar bei allen dieser Morde seine Komplizin gewesen wären.«

»Haben Sie einen Knall?« Angelas Augen waren vor Angst weit aufgerissen. »Tickt der nicht mehr ganz sauber?«, wollte sie von Hunter wissen.

»Meine Version der Ereignisse ist wesentlich plausibler als Ihre«, gab Garcia zu bedenken.

»Ihre Version ist pure Fantasie!«, rief Angela. »Sie wissen genau, dass ich nicht mal hier sitzen müsste.«

»Wirklich? Dann beweisen Sie mir, dass ich mich irre. Woher wussten Sie, wo Dr. Slater wohnt oder wer sie überhaupt ist? Und wieso haben Sie ihr das Buch in den Briefkasten geworfen, obwohl Sie es genauso gut ans LAPD oder ans FBI hätten schicken können?«

Angela wusste, dass es das Klügste war, den Mund zu halten. Es sah wirklich nicht gut für sie aus.

»Eine Diebin mit Ehrgefühl«, sagte sie schließlich.

»Es war purer Zufall. Sie haben mal ihre Brieftasche geklaut.« Endlich ergab das Ganze für Hunter einen Sinn.

»Was?«, sagte Garcia, an seinen Partner gewandt.

»Erinnerst du dich nicht mehr?«

»Woran denn?« Garcia legte die Stirn in Falten.

»Das war vor ungefähr einem Monat. Wir hatten an einem Tatort in Encino zu tun. Dreifachmord. Susan hat das Team der Spurensicherung geleitet.«

»Ja, das weiß ich noch. Und?«

»Obwohl ...«, sagte Hunter, während er die Ereignisse Revue passieren ließ. »Kann sein, dass du zu dem Zeitpunkt gar nicht im Raum warst. Susan hat mir erzählt, dass ihr einige Abende zuvor jemand die Geldbörse aus der Handtasche geklaut hatte, während sie mit ein paar Freundinnen feiern war.«

Garcia schüttelte den Kopf. »Das höre ich zum allerersten Mal.«

Hunter sah Angela an. »Das waren Sie.«

Angela zuckte die Achseln, wie um jegliche Verantwortung von sich zu weisen. »Sie war total leichtsinnig. Hat einfach ihre Handtasche offen über der Stuhllehne hängen lassen. Da kann sie genauso gut ein Schild dranheften, auf dem ›Klau mich!‹ steht.«

»Ihre Brieftasche«, schloss Hunter, »war eine derjenigen, die Sie zurückgeschickt haben.«

Angela nickte. »Da war alles drin: Führerschein, Ausweis fürs LAPD, Zugangskarte fürs Labor, Sicherheits-IDs – einfach alles. Ich hatte noch nie einen Cop beklaut, deshalb bin ich ein bisschen in Panik geraten. Ich habe nicht mal das Geld behalten.«

»Was denn?«, fragte Garcia spöttisch. »Wollen Sie mir etwa weismachen, dass Sie eine Liste mit den Kontaktdaten sämtlicher Leute führen, denen Sie mal die Brieftaschen oder Handtaschen geklaut und wieder zurückgeschickt haben?«

»Nein, will ich nicht«, sagte Angela und äffte dabei Garcias Tonfall nach. »Aber ich habe ein gutes Gedächtnis. Ich weiß nicht, wieso, ich kann mir Sachen eben sehr leicht merken. Außerdem war sie die erste Polizistin, die ich je beklaut habe, wie schon gesagt.«

»Sie ist keine Polizistin«, fiel Garcia ihr ins Wort.

»Von mir aus, aber sie arbeitet für die Forensic Science Division«, hielt Angela dagegen. »Und die gehört doch auch irgendwie zum LAPD.«

Garcias Blick wurde immer argwöhnischer.

Das blieb Angela nicht verborgen. »Ich habe Ihnen doch gesagt, dass ich ein gutes Gedächtnis habe. Wie auch immer ...« Weil sie es vorzog, mit Hunter zu sprechen, wandte sie sich wieder an ihn. »Ich konnte mich jedenfalls noch an ihre Privatadresse erinnern.«

»Warum haben Sie ihr das Buch dann nicht einfach per Post zugeschickt?« Garcia ließ nicht locker. »Warum haben Sie es persönlich vorbeigebracht?«

»Das war eine spontane Entscheidung.« Angela neigte leicht den Kopf zur Seite.

»Das kaufe ich Ihnen nicht ab«, sagte Garcia.

»Das steht Ihnen frei. Aber es ist die Wahrheit.« Auch diesmal richtete sie das Wort ausschließlich an Hunter. »Richtig, wenn Shawn noch leben würde, sähe er dem Jungen auf dem Foto wahrscheinlich sehr ähnlich. Und ...«

Jetzt kam sie endgültig nicht länger gegen ihre Tränen an und musste sich abwenden.

Garcia sah aus, als wollte er noch etwas sagen, aber Hunter hielt ihn mit einer unauffälligen Geste zurück.

»Gib ihr ein bisschen Zeit«, murmelte er.

18

Angela hatte nicht gelogen. Sie brauchte das Polaroid wirklich nicht, um sich an ihren Bruder zu erinnern. Sie dachte nach wie vor täglich an ihn. Trotzdem hatte die Ähnlichkeit zwischen Shawn und dem Jungen auf dem Foto etwas in ihr ausgelöst, worauf sie absolut nicht vorbereitet gewesen war.

»Könnte ich bitte noch ein Wasser kriegen?«, fragte sie irgendwann, während sie sich die Tränen aus dem Gesicht wischte.

»Natürlich«, sagte Hunter, ehe er aufstand und den Raum verließ. Weniger als eine halbe Minute später kam er mit einem Metallkrug voller eisgekühltem Wasser zurück. Er füllte ihren Plastikbecher auf, stellte den Krug auf den Tisch und setzte sich wieder hin.

Angela griff nach dem Becher und trank die Hälfte des Wassers in drei tiefen Zügen aus. Ihre Hände zitterten.

»Es war meine Schuld.« Die Worte kamen ihr nur als

erstickteѕ Flüstern über die Lippen, doch die beiden Detectives hörten sie trotzdem.

»Was war Ihre Schuld?«, fragte Garcia.

Wieder machte Hunter ihm ein Zeichen – ein fast unmerkliches Kopfschütteln.

»Ich hätte ihm an dem Tag nicht erlauben dürfen, allein aus dem Haus zu gehen«, fuhr sie fort. Sie hielt den Kopf gesenkt und blickte mit vom Weinen glasigen Augen starr auf eine Stelle im Fußboden.

Natürlich interessierte sich Angela nicht wirklich für den Fußboden, das wusste Hunter. Für sie existierte der Fußboden in diesem Moment gar nicht. Der ganze Raum existierte nicht. Hunter und Garcia existierten nicht. Ihre Erinnerungen waren an jenen Tag zurückgekehrt, als Shawn verschwunden war. Statt sie mit Fragen zu unterbrechen, war es das Beste, sie einfach reden zu lassen.

»Mom hat es mir extra gesagt.« Angela schluckte mühsam ihre Tränen hinunter. Ihre Nase begann zu laufen.

Rasch griff Hunter in seine Jackentasche und legte ihr eine Packung Papiertaschentücher auf den Tisch.

»Ich war einfach nur zu faul«, fuhr Angela mit emotionsgeladener Stimme fort, die gar nicht mehr wie ihre eigene klang. »Ich war zu faul, aufzustehen und selber einkaufen zu gehen. Obwohl das eigentlich meine Aufgabe gewesen wäre. Stattdessen habe ich ihn losgeschickt ... und er ist nie zurückgekommen.«

So langsam konnte Hunter sich zusammenreimen, was an dem schicksalhaften Tag vor etwas mehr als sechs Jahren geschehen sein musste.

Keiner der beiden Detectives hatte Zeit gehabt, die Hintergründe von Shawn Woods Verschwinden und Ermordung zu recherchieren. Sie wussten nicht genau, was sich an dem Tag im Einzelnen ereignet hatte und welche Anstrengungen die Ermittler in dem Fall unternommen hatten. Ihr gesamtes Wissen bezogen sie aus dem sechs Jahre alten Artikel aus dem *Idaho State Journal,* den ihr Rechercheteam Angelas Akte beigefügt hatte.

»Er war erst elf«, sagte sie, während sie nach den Taschentüchern griff. »Elf ... und dieses Monster ...« Sie schüttelte den Kopf, unfähig, ihre Gefühle in Worte zu fassen.

Der Zeitungsartikel hatte nicht die näheren Umstände der Tat beschrieben. Es wurde lediglich erwähnt, dass die Leiche des Jungen grausam zugerichtet gewesen war.

»Dieses Schwein hat meinem kleinen Bruder alles genommen«, sagte Angela, nachdem sie das restliche Wasser aus ihrem Becher ausgetrunken hatte. »Seine Würde ... seine Unschuld ... sein Leben.«

Ihre Tränen begannen aufs Neue zu fließen.

»Er hat ihn uns weggenommen ... mir und meiner Mom und meinem Dad. Das hat unsere Familie zerstört.«

Hunter spürte Angelas Schmerz. Er wusste aus eigener Erfahrung, wie schrecklich es war, hilflos zusehen zu müssen, wenn die eigene Welt in Stücke brach.

Angela nahm sich noch ein Taschentuch, ehe sie den Kopf hob und die beiden Detectives ansah.

»Aber ob dieser Junge nun so aussieht wie Shawn oder nicht. Er hat Eltern. Vielleicht hat er auch Geschwister.« Sie machte eine Pause, um sich die Nase zu putzen und tief durchzuatmen. »Das Foto hat mich nicht in erster Linie an Shawn erinnert. Es hat mich daran erinnert, dass dieser verfickte Psychopath, der ihn getötet hat, niemals gefasst wurde. Es hat mich daran erinnert, dass er immer noch irgendwo da draußen rumläuft und wahrscheinlich mit anderen Kindern das Gleiche macht wie mit meinem kleinen Bruder. Das Foto und das Buch haben mich daran erinnert, dass er nicht der Einzige ist, sondern dass die Welt voll ist mit kranken Arschlöchern wie ihm – mit Mördern. Mit Menschen, die einfach nur abgrundtief böse sind.« Sie sah Hunter in die Augen. »Erst wollte ich das Buch ans LAPD schicken, aber ich war mir nicht sicher, ob es jemand ernst nehmen würde. Ich bin zwar eine Taschendiebin, aber ich bin nicht blöd. Ich weiß, dass Sie jede Menge Anrufe, Briefe, Päckchen und Mails von Verrückten und Betrügern kriegen. Wenn ich das Buch ans LAPD geschickt hätte, wäre es bestimmt erst mal zur Seite gelegt worden. Vielleicht hätte jemand einen Blick reingeworfen, vielleicht auch nicht. Vielleicht hätte man es als dummen Scherz abgetan und einfach in den Müll geworfen, ohne der Sache nachzugehen.«

Hunter war ganz auf Angela fixiert, dennoch spürte er Garcias Blicke auf sich. Angelas Einschätzung war gar nicht so weit von der Realität entfernt.

»Und dann ist mir die Frau wieder eingefallen, der ich vor ein paar Wochen das Portemonnaie geklaut hab«, sagte sie. »Die im kriminaltechnischen Labor des LAPD arbeitet.« Sie schenkte sich Wasser nach. »Ich dachte mir, sie kann vielleicht am schnellsten überprüfen, ob das Buch echt ist – ohne den ganzen Papierkram. Im Gegensatz zum LAPD kriegt das Labor bestimmt nicht so viel Post von irgendwelchen Spinnern – falls überhaupt. Dass ich mich entschieden habe, es ihr in den Briefkasten zu werfen, statt es mit der Post zu schicken, war eine taktische Entscheidung.«

»Taktisch?«, wiederholte Garcia.

»Ich habe versucht, mich in ihre Lage zu versetzen. Wenn ich ein Päckchen kriege, auf dem nur mein Name draufsteht – ohne Adresse oder Briefmarke –, würde mich das sofort neugierig machen.« Sie richtete sich auf ihrem Stuhl auf. »Die Tatsache, dass ich jetzt mit Ihnen beiden hier sitze – zwei Tage nachdem ich ihr das Buch in den Briefkasten geworfen habe –, gibt mir doch wohl recht, oder nicht?«

Hunter nickte. »Ja, das stimmt.«

Auch Garcia konnte ihr nicht widersprechen. »Eine Frage habe ich allerdings noch.«

Angela verzog missmutig das Gesicht.

»Wer auch immer die Einträge in dem Buch vorgenommen hat«, sagte er, Angelas Grimasse ignorierend, »scheint mir alles andere als dumm zu sein. Im Gegenteil. Wir hatten noch keine Zeit, uns alles anzusehen, aber der Eintrag, den wir bisher gelesen haben, deutet auf eine geradezu militärische Präzision bei der Ausführung der Taten hin. Er hat keinerlei Spuren hinterlassen – weder Fingerabdrücke noch DNA, noch Fasern. Er hat sich keine Fehler geleistet.« Er machte eine kurze Pause, um Angela Gelegenheit zu geben, seine Worte zu verarbeiten. »Was ich damit sagen will, ist Folgendes: Er klingt nicht wie jemand, der sich von einem gewöhnlichen Taschendieb aufs Kreuz legen lässt. Und trotzdem sagen Sie, dass Sie ihm einfach so ...« Er schnippte mit den Fingern. »... ohne jede Schwierigkeiten seinen vermutlich kostbarsten Schatz abgenommen haben. Sein Mordtagebuch. Den einen Gegenstand, der ihm das Genick brechen, seinem jahrelangen Mordzug ein Ende bereiten und ihn lebenslang hinter Gitter bringen könnte.« Garcia wiegte den Kopf hin und her. »Ein bisschen unglaubwürdig, finden Sie nicht?«

Diesmal widersprach Angela ihm nicht. »Klar. Der Unterschied ist nur: Das bin ich nicht.«

»Sie sind das nicht?«, sagte Garcia. »*Was* sind Sie nicht?«

»Ein gewöhnlicher Taschendieb.« Angela sah ihn voller Selbstvertrauen an. »Sie sagten, der Mann klingt nicht nach jemandem, der sich von einem gewöhnlichen Taschendieb aufs Kreuz legen lässt. Tja, ich *bin* keine gewöhnliche Taschendiebin. Ich bin die beste, die es gibt.«

Garcia sah sie zweifelnd an. »Sie sind die beste Taschendiebin, die es gibt? Wirklich?«

Angela nickte. »Wirklich.«

Garcia lehnte sich zurück und kratzte sich am Kinn. Wenige Sekunden später sah er seinen Partner an.

»Jetzt bleibt uns wirklich keine andere Wahl mehr«, verkündete er. »Wir müssen es tun.«

Angela runzelte die Stirn. »Was müssen wir tun?«

19

Im Vernehmungsraum gab es keine Fenster. Die Luftzufuhr erfolgte über ein uraltes, nicht sonderlich effektives Ventilationssystem. Folglich wurde die Luft im Raum immer schnell schal und muffig. Der niedrigen Außentemperatur zum Trotz hatten alle drei mittlerweile Schweißperlen auf der Stirn. Angela tupfte sich ihre mit einem Papiertaschentuch weg.

»Was müssen wir tun?«, fragte sie, während ihr Blick wie ein Tennisball zwischen den beiden Detectives hin und her sprang.

Garcia stand auf und ging ein paar Schritte. Etwa anderthalb Meter von dem großen Spiegel an der Wand blieb er stehen.

»Das, was Sie am besten können«, sagte er nach einer Weile, ehe er in die Innentasche seiner Jacke langte und sein Portemonnaie herausholte. »Hier ist mein Geldbeutel.« Er hielt ihn hoch, damit Angela ihn sehen konnte. »Ich will, dass Sie ihn mir stehlen.« Er steckte ihn zurück in die Tasche.

Angelas Augenbrauen wanderten mehrere Zentimeter in die Höhe. »Ist das Ihr Ernst?«

»Natürlich. Sie haben uns doch gerade gesagt, dass Sie die Beste sind. Jetzt will ich mich selbst davon überzeugen. Ich will die Meisterin bei der Arbeit sehen.«

»So geht das nicht«, protestierte Angela ein wenig verunsichert.

»Was soll das heißen? Entweder Sie haben es drauf, oder Sie haben uns angelogen.«

»Normalerweise rechnen die Leute nicht damit, dass ich ihnen die Brieftasche klaue. Das ist der entscheidende Unterschied. Sie sind mit ihrer Aufmerksamkeit woanders, und genau darin besteht unser Vorteil. Sie hingegen erwarten nicht nur, dass Ihnen der Geldbeutel geklaut wird, Sie wissen auch noch genau, wann und von wem. Selbst wenn Sie so tun, als würden Sie nichts mitkriegen, werden Sie doch automatisch wachsam, sobald ich in Ihre Nähe komme. Damit ist das Überraschungsmoment dahin, und das macht achtzig Prozent des Erfolgs aus.«

»Warum versuchen Sie es nicht trotzdem? Geben Sie Ihr Bestes. Ich möchte sehen, wie geschickt Sie sind. Selbst wenn ich damit rechne, dass Sie mich beklauen, kann ich doch trotzdem Ihre Technik würdigen ... sofern Sie wirklich so gut ist, wie Sie sagen.«

»Das klappt niemals.«

»Versuchen Sie es«, beharrte Garcia.

Angela wusste, dass ihr keine andere Wahl blieb, und schnaubte frustriert.

»Na schön. Von mir aus.«

Sie erhob sich und ging zum Spiegel. Gut zwei Meter von Garcia entfernt blieb sie stehen, sodass sie einander wie in einem alten Western gegenüberstanden.

Hunter rückte seinen Stuhl zurecht und machte es sich bequem. Er hatte einen Platz in der ersten Reihe und freute sich schon auf die Vorstellung.

Angela erläuterte rasch, wie sie ihr potenzielles Opfer zunächst eine Weile beobachtete, um herauszufinden, wo es sein Portemonnaie oder die Handtasche aufbewahrte.

»Super«, sagte Garcia und klopfte sich auf die Brust. »Gehen wir davon aus, dass Sie gerade beobachtet haben, wie ich mein Portemonnaie in die Innentasche meiner Jacke gesteckt habe – was ja auch der Wahrheit entspricht. Wie würden Sie versuchen, es mir wegzunehmen?« Er winkte sie mit beiden Händen zu sich. »Na, kommen Sie. Zeigen Sie, was Sie draufhaben.«

Angela schielte zu Hunter, der so aussah, als wäre er ebenfalls sehr gespannt darauf, sie in Aktion zu erleben. Sie schüttelte den Kopf, um auszudrücken, dass sie das ganze Unterfangen für sinnlos hielt.

»Also schön. Machen wir es zunächst mal langsam, damit ich Ihnen zeigen kann, wie es abläuft.«

»Ist mir recht«, sagte Garcia.

»Freut mich zu hören. Wie Sie vermutlich beide wissen, besteht die gängigste Methode darin, einfach auf die Zielperson zuzugehen und sie anzurempeln.« Sie steuerte auf Garcia zu. »Wir rempeln die Zielperson immer auf der Seite an, wo das, was ich stehlen will, nicht ist. Wenn ich also weiß, dass Sie Ihr Geld in der Tasche hier haben ...« Mit der linken Hand tippte sie dorthin, wo sich Garcias Geldbeutel befand. »... remple ich Sie auf der anderen Seite an.« Sie demonstrierte den Vorgang. »Wenn ich weiß, dass sich Ihre Brieftasche in dieser Tasche hier befindet ...« Sie tippte auf Garcias linke Jackentasche. »... würde ich Sie hier anrempeln. Aber ich wette, das wussten Sie auch schon?«

Garcia nickte spöttisch.

Sie kehrte an ihren ursprünglichen Platz zurück. »Okay, also. Jetzt zeige ich Ihnen, wie ich es mache. Sie sind mit Ihrer Aufmerksamkeit überall, nur nicht bei mir, okay? Auf einer belebten Straße würden Sie nicht mal merken, dass ich auf Sie zukomme.«

»Gut.«

Angela ging los, bis sie Garcia fast erreicht hatte, dann blieb sie stehen. »Durch das Anrempeln lenkt man die Person ab und hat außerdem eine Ausrede, sie anzufassen. Ungefähr so.«

Angela stieß mit ihrer linken Schulter gegen Garcias linke Schulter. Der Rempler war gerade so heftig, dass er sich veranlasst sah, sich nach ihr umzudrehen.

»Oh, das tut mir leid«, sagte sie und sah ihn an. Zur gleichen Zeit legte sie die rechte Hand auf seinen linken Arm und ihre linke Hand auf seine Jacke, ganz in die Nähe der Stelle, wo sich die Innentasche befand.

Hunter verfolgte aufmerksam ihre Bewegungen.

»Jetzt kommt's«, sagte sie, an Garcia gewandt. »Taschendiebstahl ist ein bisschen so wie Zaubern. Damit es funktioniert, kommt es vor allem auf eins an: Ablenkung.« Mit der rechten Hand klopfte sie zweimal auf Garcias linken Arm. »Unser größter Vorteil ist der Umstand, dass das Nervensystem des menschlichen Körpers sich ziemlich leicht überlisten lässt. Normalerweise achtet man immer nur auf die Körperstelle, wo der Stimulus am größten ist.«

Garcia machte ein gelangweiltes Gesicht.

»Und weil ich Ihren Körper an zwei Stellen gleichzeitig berühre ...« Angela demonstrierte es erneut. »... kann ich steuern, auf welche Stelle sich Ihr Nervensystem konzentriert, indem ich an einer Stelle mehr Druck ausübe. So zum Beispiel.«

Erneut klopfte sie ihm auf den Arm, diesmal ein wenig fester.

»Das haben Sie gespürt, oder?«

»Natürlich.«

»Das wäre also die Ablenkung. Ich lenke Ihre Aufmerksamkeit auf eine ganz bestimmte Stelle.« Sie schaute auf ihre rechte Hand.

Garcias Blick folgte ihr.

»Während meine andere Hand die eigentliche Arbeit macht.« Ganz langsam fuhr sie mit der linken Hand in Garcias Jacke, um das Portemonnaie herauszufischen. »So.«

Garcia betrachtete sie schweigend. »Okay, aber das habe ich ganz klar gespürt. So was würde bei mir niemals klappen. Ich hätte Sie gestoppt, ehe Sie auch nur zwei Schritte weit gekommen wären.«

Angela nahm die Hände weg. »Das war ja auch praktisch in Zeitlupe, da ist es logisch, dass Sie was merken. Aber wissen Sie noch, was ich gesagt habe – dass Taschendiebstahl in erster Linie mit erfolgreicher Ablenkung zu tun hat?«

Garcia nickte.

»Es kommt noch ein weiterer Punkt dazu, und das ist Geschwindigkeit. Das Ganze ist in drei, maximal vier Sekunden vorbei. So schnell, dass es Ihnen gar nicht auffällt.«

»Okay, dann machen wir es doch noch mal in Echtzeit.«

Angela kehrte an ihre Ausgangsposition zurück. »Bereit?«

»Wenn Sie es sind.«

Sie gingen aufeinander zu. Angela rempelte Garcia mit der Schulter an.

»Ach du liebe Zeit, entschuldigen Sie bitte«, sagte sie und fasste Garcia an die Jacke, während sie ihn ansah. »Alles in Ordnung bei Ihnen?«

»Nichts passiert.«

Drei Sekunden später gingen die beiden ihrer Wege. Angela blieb ein paar Schritte hinter Garcia stehen.

Garcia schaute ihr nicht nach. Stattdessen fuhr er mit der linken Hand in seine Innentasche und schüttelte den Kopf.

»Die Brieftasche ist noch da.«

Seltsamerweise bemerkte er, wie sich auf Hunters Gesicht ein Lächeln ausbreitete. »Was grinst du so?«

»Dein Geldbeutel ist noch da. Aber dein Handy und deine Marke sind weg.«

Garcia schaute in seiner linken Innentasche nach – sein Smartphone war verschwunden. Als Nächstes überprüfte er seinen Gürtel – keine Marke. Er drehte sich zu Angela um. Die hielt sein Handy in der rechten und seine Marke in der linken Hand.

»Scheiße!«, fluchte er. »Ich habe überhaupt nichts mitbekommen!«

»Ich hätte Ihnen auch Ihre Waffe abnehmen können«, sagte Angela mit schief gelegtem Kopf. »Aber ich dachte mir, wenn ich das mache, schießt Ihr Partner vielleicht auf mich.«

Hunter nickte.

»Aber ich habe den Verschluss an Ihrem Halfter geöffnet.«

Garcia überprüfte seinen Schulterholster unterhalb der rechten Achsel, in dem seine Wilson Combat Tactical 45er Pistole steckte. Der Sicherheitsverschluss war offen. Er ließ den Sicherheitsverschluss nie offen.

»Sie ist gut«, sagte Hunter und nickte Angela anerkennend zu.

»Ich bin die Beste«, korrigierte sie ihn, ehe sie Garcia sein Telefon und seine Marke zurückgab.

Hunter stand auf. »Okay, damit steht es für mich fest. Fahren wir.«

»Wohin?«, fragte Garcia.

»In den Rendition Room nach Tujunga Village. Da haben Sie doch die Tasche geklaut, richtig?«

Angela nickte.

»Dort gibt es bestimmt Überwachungskameras«, sagte Hunter. »So wie in den meisten Bars. Vielleicht haben wir Glück. Außerdem besteht die Chance, dass der Besitzer der Tasche am Tresen danach gefragt oder mit dem Manager geredet hat, sobald ihm klar wurde, dass sie weg ist. Auch wenn Ms Wood sein Gesicht nicht gesehen hat – vielleicht ja jemand anders.«

»Gute Idee.« Garcia befestigte die Marke wieder an seinem Gürtel.

»Wenn Sie ›Ms Wood‹ sagen, frage ich mich immer, ob meine Mutter in der Nähe ist«, sagte Angela. »Sie können mich Angela nennen.«

Sie zuckte die Achseln. »Oder Angie. Also – kann ich dann jetzt gehen?«

»Leider nicht«, sagte Hunter. »Ich hätte gern, dass Sie noch ein bisschen bei uns bleiben. Nur bis wir auch den Rest Ihrer Geschichte bestätigt haben.«

»Soll das ein Witz sein?«

»Was ist denn?«, fragte Garcia. »Kommen Sie sonst zu spät zur Arbeit? Gibt es irgendwelche Brieftaschen, die dringend darauf warten, von Ihnen geklaut zu werden?«

»Oje.« Angela grinste frech. »Was sind Sie für ein schlechter Verlierer. Habe ich Ihren Stolz verletzt?«

Garcia schüttelte den Kopf. »Ich bin kein schlechter Verlierer, und mein Stolz ist intakt.«

»Seien Sie nicht so hart zu sich selbst«, versuchte Angela ihn zu trösten. »Ich bin wirklich die Beste. Der einzige Grund, weshalb Ihr Partner überhaupt gesehen hat, wie ich Ihnen das Handy und die Marke abgenommen habe, war die spezielle Situation. Er wusste ja, worum es geht, und hat mich die ganze Zeit im Auge behalten. Draußen auf der Straße hätte es niemand bemerkt.«

»Dürfte ich vorschlagen, dass wir uns auf den Weg machen?«, setzte Hunter der Auseinandersetzung ein Ende, dann lotste er die beiden aus dem stickigen, ungemütlichen Vernehmungsraum.

20

Garcia saß am Steuer. Diesmal hatte das Schweigen im Wagen nichts mit Kalkül zu tun, die drei wussten einfach nur nicht, worüber sie reden sollten. Hin und wieder warf Hunter im Rückspiegel einen prüfenden Blick auf Angela. Sie saß mit vor der Brust verschränkten Armen da und starrte nach draußen. Auf den ersten Blick wirkte sie gefasst, doch zwischendurch biss sie sich immer wieder auf die Unterlippe, und ihr Blick geisterte einige Sekunden lang ziellos umher. Dann sah sie traurig und besorgt aus.

Es herrschte verhältnismäßig wenig Verkehr, und so schafften sie die vierzehn Meilen zwischen dem PAB und dem Rendition Room in exakt zweiunddreißig Minuten.

Normalerweise öffnete die Bar erst um siebzehn Uhr, aber da während der Adventszeit die Straßen voll waren mit Weihnachtseinkäufern, hatte das Management beschlossen, im Dezember einige Cocktails auf Kaffeebasis auf die Karte zu setzen und schon ab mittags zu öffnen.

Die Entscheidung schien sich zu rentieren. Um kurz nach fünfzehn Uhr war jeder Tisch in der Bar besetzt. Einzig drei Hocker an dem langen Bartresen aus dunklem Holz waren noch frei.

Kurz nachdem sie die stimmungsvoll beleuchtete und wunderschön im Dreißigerjahrestil eingerichtete Bar betreten hatten, blieb Hunter stehen. Aus mehreren kleinen Lautsprechern drang Ragtime-Musik, die den großen Raum mit ihrem beschwingten Rhythmus erfüllte und eine ansteckende Fröhlichkeit verbreitete.

»Können Sie uns zeigen, wo Sie gestanden haben?«, fragte Hunter.

»Da drüben.« Angela wies auf einen kleinen Tisch wenige Meter von der Bar entfernt, an dem gerade zwei Männer standen, die sich ihr Bier schmecken ließen.

»Und der Mann?«, fragte Garcia.

»Am Tisch daneben.« Sie zeigte auf einen anderen Tisch.

Hunter betrachtete die Lage der beiden Tische innerhalb der Bar, ehe er sich nach den Überwachungskameras umschaute. Er fand insgesamt drei, alles gewöhnliche Deckenkameras in einem Gehäuse aus dunklem Glas. Die erste hing über der Kasse hinter der Theke und damit in direkter Linie zu den beiden Tischen, die Angela ihnen gezeigt hatte. Die zweite befand sich weiter hinten beim Durchgang zu den WCs. Die dritte Kamera war über dem Ein- und Ausgang angebracht.

»Stand er mit dem Gesicht zur Theke?«, wollte Hunter wissen.

»Nein. Ich auch nicht. Wir haben beide in die andere Richtung geschaut.«

Hunter nickte, ehe er sich dem ruhigeren Ende des Bartresens näherte. An der Tür daneben hing ein Schild mit der

Aufschrift NUR FÜR PERSONAL. Garcia und Angela folgten ihm, als er einem der drei Barkeeper, einem jungen Mann, ein Zeichen gab.

»Hallo«, sagte der und legte ungefragt drei kleine Untersetzer vor sie hin. »Was kann ich Ihnen bringen?«

Hunter zeigte dem Mann diskret seine Marke. »Ich bin Detective Robert Hunter vom LAPD. Das hier ist Detective Carlos Garcia.«

Auch Garcia zeigte seinen Ausweis vor.

Der Barkeeper musterte die beiden Männer einige Sekunden lang, ehe er sich neugierig an Hunter wandte.

»Haben Sie zufällig auch am letzten Samstag gearbeitet?«, wollte dieser wissen. »In der Abendschicht?«

»Nein, ich hatte das ganze Wochenende frei. Aber Ricardo war hier, unser Manager.« Er neigte den Kopf nach rechts, um sie auf den schlanken Mann mit Seitenscheitel und akkurat getrimmtem Schnurrbart hinzuweisen, der neben der Registrierkasse stand.

»Ricky«, rief er, ehe er ihm bedeutete, zu ihnen zu kommen.

»Was kann ich für Sie tun?«, fragte Ricardo, nachdem er sich zu ihnen gesellt hatte. Er schien etwa zehn Jahre älter zu sein als sein Kollege.

Wieder zeigte Hunter unauffällig seine Marke und stellte sich vor.

Ricardo betrachtete ihn forschend. »Gibt es irgendein Problem?«

»Nein, überhaupt nicht«, sagte Hunter beschwichtigend. »Wir versuchen nur, einen Gast zu finden, von dem wir wissen, dass er letzten Samstag hier bei Ihnen war. Er hat an dem Tisch dort gestanden, und zwar so gegen …« Er schaute hilfesuchend zu Angela.

»Halb sechs«, sagte die mit einer unbestimmten Kopfbewegung.

»Wir glauben, dass ihm seine Tasche gestohlen wurde,

während er hier war«, fuhr Hunter fort. »Können Sie sich zufällig noch daran erinnern? Ist jemand am Samstagabend zu Ihnen oder einem Ihrer Kollegen gekommen und hat nach seiner Tasche gefragt?«

Der Manager sah Hunter stirnrunzelnd an. »Heute suchen Sie nach dem Mann, dessen Tasche geklaut wurde, nicht nach der Tasche oder nach demjenigen, der sie genommen hat? War das nicht ein Kollege von Ihnen? Müssten Sie seinen Namen und seine Adresse nicht eigentlich wissen?«

Die drei blinzelten.

»Ich glaube, ich kann Ihnen nicht ganz folgen«, sagte Hunter.

»Am Sonntag war ein Officer hier«, führte Ricardo aus. »Der hat sich nur für die Person interessiert, die die Tasche geklaut hat – den Dieb ... Was mir, ehrlich gesagt, auch viel logischer erscheint als Ihre Herangehensweise.« Er schüttelte in scheinbarer Verwirrung den Kopf. »Ist der Bestohlene denn nicht zur Polizei gegangen, um den Diebstahl anzuzeigen?«

»Am Sonntag war ein Kollege hier und hat nach der Tasche gefragt?«, wiederholte Hunter.

»Ja, genau.«

»War er in Zivil?«, wollte Garcia wissen. »Ein Detective so wie wir? Oder trug er Uniform?«

»Uniform«, sagte Ricardo. »Mit Mütze. Er hatte sogar eine Sonnenbrille auf – bei dem Licht hier drinnen.« Er zeigte mit dem rechten Arm zur Decke. »Hat sie die ganze Zeit nicht abgenommen.«

Hunter schielte in Garcias Richtung. »Haben Sie mit ihm gesprochen?«

»Ja.«

»Hat er Ihnen einen Namen oder eine Telefonnummer genannt oder Ihnen gesagt, wie Sie ihn erreichen können, falls die Tasche wieder auftaucht?«

»Nein, hat er nicht.«

»Hat er Ihnen gesagt, in welchem Revier er arbeitet?«, fragte Garcia.

Ricardo überlegte kurz. »Vielleicht. Ich kann mich nicht mehr erinnern.«

Angela sah aus, als verstünde sie die Welt nicht mehr.

»Am Samstagabend«, fuhr Hunter fort, »an dem Abend, als die Tasche gestohlen wurde, ist der Besitzer der Tasche da zu einem der Barkeeper gekommen, nachdem er den Diebstahl bemerkt hatte?«

»Nein, definitiv nicht. Es gab keine besonderen Vorkommnisse an dem Abend.«

»Sind Sie sicher?«, hakte Garcia nach. »Müssten Sie da nicht erst Ihre Kollegen fragen?«

»Hundertprozentig sicher.« Ricardo wirkte beinahe beleidigt. »Wenn einer unserer Gäste bei einem Mitarbeiter einen Diebstahl meldet, der sich innerhalb der Bar ereignet hat, muss das sofort an den Manager weitergegeben werden. Ich war am Samstagabend da, und mir hat niemand etwas gesagt.«

»Noch mal zurück zu dem Officer, der am Sonntag hier war«, sagte Hunter. »Könnten Sie wiedergeben, was er zu Ihnen gesagt hat? Je mehr Sie noch wissen, desto besser.«

Ricardo vermochte seine Verwirrung nicht zu verbergen. »Irgendwie kann ich Ihnen nicht ganz folgen. Was ist hier eigentlich los?«

Soeben hatten einige neue Gäste den Rendition Room betreten und näherten sich der Bar.

»Vielleicht wäre es besser, wenn wir uns irgendwo ungestört unterhalten könnten«, schlug Hunter vor. »Wäre das möglich?«

Ricardo zögerte einen Moment lang, ehe er auf seine Uhr sah. »Wie Sie sehen, herrscht um diese Zeit ziemlich viel Betrieb.«

Doch Hunter ließ nicht locker. »Wir wollen Sie wirklich nicht von der Arbeit abhalten, aber es ist sehr wichtig.«

Ricardo rieb sich den Mund, dann wandte er sich an seine Kollegen. »Mick, George, könnt ihr kurz alleine die Stellung halten? Ich bin gleich wieder da.«

Die beiden nickten.

»Also gut.« Ricardo deutete auf die Tür mit der Aufschrift NUR FÜR PERSONAL. »Kommen Sie mit.«

21

Das Büro, in das Ricardo Hunter, Garcia und Angela führte, war klein, eng und vollgestopft mit Bierkisten und Spirituosenkartons. Die Wände waren einmal weiß gewesen, aber die Zeit hatte ihre Spuren hinterlassen und sie mittlerweile zu einem schmutzigen Beige nachgedunkelt.

»Bitte entschuldigen Sie die Unordnung«, sagte Ricardo, während er zwei Kartons mit Wodkaflaschen von den Holzstühlen nahm, die vor einem kleinen Schreibtisch mit einem Computer standen. »Tut mir leid, ich habe nur zwei Stühle.«

»Die brauchen wir gar nicht«, gab Hunter zurück.

Ricardo nickte, lehnte sich gegen die Schreibtischkante und verschränkte die Arme vor der Brust – ein Musterbeispiel für abweisende Körpersprache.

»Es besteht die Möglichkeit, dass der Mann, mit dem Sie am Sonntag gesprochen haben, nicht wirklich vom LAPD war«, sagte Hunter.

Ricardos Verwirrung wuchs. »Ach ja? Aber wer macht denn so was? Und warum?«

»Deshalb ist es für uns so wichtig zu wissen, was während Ihrer Unterhaltung gesagt wurde.«

»Und zwar so genau wie möglich«, setzte Garcia hinzu.

Hunter fiel auf, dass die Hände des Managers, die auf seinen überkreuzten Armen lagen, sich unmerklich anspannten.

»Ich will ja nicht unhöflich sein«, sagte Ricardo, »aber könnte ich mir vielleicht noch mal Ihre Dienstausweise anschauen?«

Mit dieser Bitte hatte Hunter bereits gerechnet. Er und Garcia diskreditierten jemanden, der sich als Polizist ausgegeben und – im Gegensatz zu ihnen – auch wie einer ausgesehen hatte.

»Sicher«, sagte er und reichte Ricardo bereitwillig seinen Dienstausweis. Garcia folgte seinem Beispiel.

»Und was ist mit ihr?« Ricardo deutete auf Angela.

»Sie ist nicht bei der Polizei«, sagte Garcia ausweichend, um weitere Erklärungen zu vermeiden. »Sie ist eine Zivilistin, die uns berät.«

Ricardo schien noch nicht ganz überzeugt, aber die Ausweise, die Hunter und Garcia ihm präsentiert hatten, sahen echt aus – nicht, dass er in der Lage gewesen wäre, gefälschte von echten Dienstausweisen zu unterscheiden. Er musterte sie noch eine Zeit lang, ehe er sie schließlich zurückgab.

»Wäre das dann geklärt?«, fragte Garcia.

»Ja, denke schon.«

»Also«, begann Hunter erneut. »Könnten Sie uns jetzt bitte schildern, was dieser ›Officer‹ am Sonntag zu Ihnen gesagt hat?«

Ricardo zuckte mit den Achseln und schüttelte leicht den Kopf. »Ehrlich gesagt, haben wir nicht viel geredet.«

»Wie genau ist das zu verstehen?«

»Na ja, der Officer kam zu mir, hat mir erklärt, was am Abend zuvor passiert war ... dass die Tasche gestohlen wurde ... Er hat auf den Tisch gezeigt, genau wie Sie, und dann hat er mich gefragt, ob er sich die Aufnahmen der Überwachungskameras ansehen könnte.«

»Das heißt, es gibt Aufnahmen?«, fragte Garcia. »Die Kameras in der Bar sind echt?«

»Natürlich sind die echt.«

Hunter und Garcia hatten im Laufe der Jahre schon so

viele Kameraattrappen gesehen, dass sie nichts als selbstverständlich hinnahmen.

»Und hat sich dieser Officer die Aufnahmen angesehen?«, wollte Hunter wissen.

»Ja. Ich bin mit ihm ins Büro gegangen, und er hat meinen Rechner benutzt. Es hat nicht lange gedauert ... nach ungefähr fünfzehn Minuten war er fertig.«

»Waren Sie die ganze Zeit über bei ihm?«, fragte Garcia. »Oder haben Sie ihn hier allein gelassen?«

»Ich habe ihm das Programm gezeigt, und dann bin ich gegangen«, antwortete Ricardo. »Am Sonntagnachmittag war es viel zu voll, da konnte ich nicht noch für einen Polizisten Babysitter spielen.« Er schwieg einen Moment. »Jedenfalls *dachte* ich, dass er Polizist ist.«

»Dürfen wir uns die Aufnahmen auch mal ansehen?«, fragte Hunter.

»Klar, tun Sie sich keinen Zwang an.« Ricardo ging um den Schreibtisch herum, sodass er den Monitor vor sich hatte. »Warten Sie eine Sekunde ... Gibt es eine bestimmte Kamera, die Sie sich zuerst ansehen wollen?«

»Fangen wir mit der über der Theke an«, sagte Hunter.

»Das hat keinen Sinn. Die ist direkt auf die Kasse ausgerichtet.« Er machte eine hilflose Geste mit den Händen. »Im letzten Jahr mussten wir drei Leute entlassen, weil sie geklaut haben.«

»Okay«, sagte Hunter. »Dann die im Durchgang zu den Toiletten.«

»Alles klar.« Zwei Mausklicks. »Und Sie wollen sich die Aufnahmen vom letzten Samstag anschauen, richtig? Vom 5. Dezember.«

»Genau.«

Wieder ein Klick.

»Die Uhrzeit war so gegen halb sechs Uhr abends?«

»Eigentlich ...«, überlegte Hunter. »Fangen wir ruhig schon um siebzehn Uhr an.«

»Okay, kein Problem.« Ein erneuter Doppelklick. Dann stutzte Ricardo und runzelte die Stirn. »Okay ... das ist merkwürdig.«

»Was denn?«, fragte Angela mit hörbar nervöser Stimme. Sie hatte Angst, die Aufnahmen könnten sie beim Klauen der Tasche zeigen.

Hunter, der bereits eine ziemlich gute Ahnung davon hatte, was Ricardo so verwirrte, warf einen Blick auf den Zeitstempel oben rechts am Bildschirm.

Tatsächlich.

»Ein großer Teil der Aufnahmen fehlt«, teilte Ricardo den dreien mit. »Von vierzehn bis achtzehn Uhr. Schauen Sie sich das an.« Er verlangsamte den Bildvorlauf. Als die Uhr 14:00:00 anzeigte, sprang sie im nächsten Moment plötzlich zu 18:00:00. »Vier Stunden – einfach weg.«

»Mülleimer?«, schlug Hunter vor.

Ricardo klickte auf das Recycling-Icon.

»Wurde geleert«, verkündete er.

Angela fiel ein Stein vom Herzen, aber Hunter rieb sich die Stirn.

»Ich checke die andere Kamera«, sagte Ricardo. »Die über dem Eingang.«

Weder Hunter noch Garcia sagten etwas, doch insgeheim wussten beide, dass der Manager sich umsonst bemühte.

»Auch weg«, sagte er nach einigen Klicks. »Die gleichen vier Stunden.«

»Wundert mich nicht«, lautete Garcias Kommentar.

Ricardo sah die beiden Detectives neugierig an.

»Es besteht die Möglichkeit, dass die Forensiker aus der IT-Abteilung die Daten retten können«, sagte Hunter. »Das bedeutet allerdings, dass wir Ihre Festplatte benötigen.«

Ricardo nahm wieder seine Abwehrhaltung ein.

»Tut mir leid, aber für so was brauchen Sie einen Beschluss. Ich kann Ihnen nicht einfach den Computer mitgeben. Ich bin hier nur der Manager, nicht der Besitzer.«

Hunter beeilte sich, Ricardo zu beschwichtigen. »Natürlich, das verstehen wir vollkommen. Wir besorgen uns den entsprechenden Beschluss. Ich wollte nicht andeuten, dass wir den Computer jetzt gleich mitnehmen müssen. Vielleicht wird es auch gar nicht nötig sein. Ich bin mir nicht sicher, aber bis die Frage geklärt ist, würde ich vorschlagen, dass Sie den Besitzer kontaktieren und vielleicht schon mal anfangen, Kopien von allen anderen Dateien zu machen, die sich sonst noch auf der Festplatte befinden.«

»Mein Gott!«, stöhnte Ricardo und strich sich mit Daumen und Zeigefinger den Schnurrbart. »Und das alles nur wegen einer geklauten Tasche? Was um alles in der Welt war denn da drin?«

»Das wollen Sie gar nicht wissen«, sagte Angela und streckte die Hand nach der Türklinke aus.

22

Es hatte geregnet, während sie im Rendition Room gewesen waren – einer der plötzlichen Schauer, für die L. A. bekannt war.

Pfützen ließen das Ausmaß des Regengusses noch erahnen, aber der blaue Himmel hätte jeden getrogen. Es war keine einzige dunkle Wolke zu sehen, und die Sonne schien, als wäre nichts passiert. Allerdings hatte es sich durch den Regen merklich abgekühlt, und Feuchtigkeit lag in der Luft.

Als sie ins Freie traten, schlossen sie hastig ihre Jacken. Trotz des Regens und der Tatsache, dass es ein Dienstagnachmittag war, tummelten sich zahlreiche Menschen auf den Straßen.

»So, kann ich dann jetzt endlich gehen?«, fragte Angela.

»Von hier komme ich zu Fuß nach Hause, oder ich nehme den Bus. Die Fahrt dauert nicht lange.«

»So einfach ist das nicht«, sagte Garcia.

»Wieso nicht?«, fragte sie mit flehentlichem Blick. »Ich habe Ihnen geholfen. Mehr weiß ich nicht, und Sie haben doch gerade gehört, dass ich die Wahrheit gesagt habe. Warum sollte der Kerl sonst als Cop verkleidet zurückkommen, sich die Aufnahmen der Überwachungskameras für genau den Zeitraum ansehen, in dem ich dort war, und sie dann löschen? Weil darauf sein Gesicht zu sehen war. Ist doch logisch.«

»Vielleicht war sein Gesicht aber nicht das Einzige, das die Kameras eingefangen haben«, meinte Hunter. Er schaute sich die ganze Zeit auf der Straße um, als suche er nach jemandem. »Ich bin mir sicher, das ist der eigentliche Grund, weshalb er hier war.«

Angela verzog irritiert das Gesicht. »Ich kapiere nicht, was Sie meinen.«

»Glauben Sie, Sie würden ihn wiedererkennen, wenn Sie ihn noch mal sähen? Auf der Straße, zum Beispiel?«

Angela lachte leise. »Haben Sie mir vorhin nicht zugehört? Ich habe sein Gesicht nicht gesehen. Er hatte eine Kapuze auf und hat nie von seinem Handy hochgeschaut. Er könnte jetzt vor mir stehen, und ich würde nicht wissen, dass er es ist. Ich schwöre es Ihnen, mehr kann ich echt nicht für Sie tun. Lassen Sie mich doch einfach gehen ... bitte.«

Hunter warf einen Blick auf sein Smartphone. Noch keine Mail von Dr. Slater.

»Wir müssen noch mal zurück ins PAB«, sagte er, an Angela gewandt. »Es gibt noch Papierkram, der erledigt werden muss. Danach können Sie gehen.«

»Papierkram? Wollen Sie mich verarschen?« Angela fuchtelte verärgert mit den Armen. »Dafür brauchen Sie mich doch nicht. Können Sie das nicht alleine machen?«

»Was ist mit Ihrem Rucksack?«, warf Garcia ein.

Angela hatte ganz vergessen, dass sich ihr Rucksack noch im PAB befand. Trotzdem störte sie etwas an der Situation. Sie hatte das Gefühl, dass Hunter ihr bewusst etwas verschwieg.

»Meinetwegen«, lenkte sie schließlich ein. »Dann fahren wir eben zurück ins PAB, wenn es unbedingt sein muss. Aber erst wenn Sie aufhören, mir auszuweichen, und mir sagen, was Sache ist.« Sie maß Hunter mit einem erbosten Blick. »Was haben Sie gemeint, als Sie gesagt haben, das Gesicht des Mannes ist vielleicht nicht das Einzige, das auf den Aufnahmen zu sehen war?«

Hunter, der bereits einige Schritte vorausgegangen war, kehrte zu Angela zurück. Er hörte auf, mit Blicken die Straße abzusuchen, und sah sie an. Statt etwas zu sagen, hob er lediglich ganz leicht die Augenbrauen.

Da fiel bei ihr der Groschen.

»Sie meinen *mein* Gesicht?«

»Würde es Sie wirklich überraschen, wenn derjenige, dem das Buch gehört, es zurückhaben möchte?«

Angela presste die Lippen zu einem dünnen Strich zusammen, als ihr wieder einfiel, dass sie bereits ihre Perücke abgenommen und die Kontaktlinsen herausgenommen hatte, als sie die Tasche des Mannes gestohlen hatte.

»Und aus seiner Sicht«, fuhr Hunter fort, »gibt es dafür nur einen Weg: Er muss Sie ausfindig machen. Das ist der eigentliche Grund, weshalb er sich die Aufnahmen der Überwachungskameras ansehen wollte.«

Einige Sekunden verstrichen, während Angela diese Informationen verarbeitete. Dann sah sie Hunter an. »Halten Sie deswegen die ganze Zeit Ausschau?«

Hunter schwieg.

»Ja, oder?« Jetzt ließ auch Angela den Blick durch die Menge der Passanten schweifen. »Deshalb wollten Sie auch wissen, ob ich ihn wiedererkennen würde. Sie denken, er könnte möglicherweise die Bar beobachten in der Hoffnung, dass ich noch mal hierher zurückkomme, stimmt's?«

»Falls er Ihr Gesicht auf den Videoaufnahmen erkennen konnte«, sagte Garcia, »wäre das ein ziemlich naheliegender Schritt, finden Sie nicht?«

»Ach du Scheiße«, stieß Angela hervor, ehe sie sich hastig die Kapuze ihres Hoodies so weit wie möglich in die Stirn zog.

Auf einmal kam ihr die Aussicht, zurück ins PAB zu fahren, gar nicht mehr so schlimm vor.

23

Der Gedanke, den Rendition Room zu beobachten, war dem Mann durchaus gekommen. Er wusste, dass viele Diebe, insbesondere Taschendiebe, immer wieder dieselben Jagdgründe aufsuchten – belebte Viertel, von denen sie wussten, dass sie fette Beute versprachen. Wenn die Person, die ihm die Tasche gestohlen hatte, wirklich ein professioneller Taschendieb war, wovon man ausgehen konnte, würde sie höchstwahrscheinlich nicht so bald in den Rendition Room zurückkehren. Allerdings bestand eine gewisse Chance, dass sie in anderen Bars oder Geschäften in Tujunga Village ihrem Gewerbe nachging – erst recht in der Vorweihnachtszeit, wenn deutlich mehr Leute unterwegs waren. In Tujunga Village Ausschau zu halten, war also grundsätzlich keine schlechte Idee. Aber zuerst musste er das kleine Wiesel identifizieren, das ihm die Tasche geklaut hatte. Und das würde ihm nur gelingen, wenn die Aufnahmen der Überwachungskameras aus dem Rendition Room etwas hergaben.

Sich als Cop auszugeben war ein hervorragender Einfall

gewesen. Die Leute kooperierten viel eher, wenn sie den Eindruck hatten, einem Polizisten gegenüberzustehen. Nachdem der Manager der Bar ihn in sein Büro geführt und mit den Aufzeichnungen allein gelassen hatte, konnte er tun und lassen, was er wollte.

Er machte sich keine Sorgen, dass sein Gesicht auf einem der Bänder zu sehen sein könnte. Was das anging, war er immer sehr vorsichtig. Er ging nie ohne seine Pilotenbrille und Kapuzenjacke aus dem Haus. Sicher, im Rendition Room hatte er die Sonnenbrille abgenommen, aber erst nachdem er alle Kameras lokalisiert hatte. An seinem Tisch hatte er sich bewusst so hingestellt, dass sein Gesicht auf keiner der Aufnahmen zu sehen sein würde. Sein größter Fehler an dem Abend war es gewesen, die Ledertasche auf den Boden zu stellen.

Seit er angefangen hatte, Tagebuch zu führen, trug er es immer und überall bei sich – teils aus Paranoia, teils aus der Furcht heraus, er könnte etwas Wichtiges vergessen, wenn er es nicht sofort aufschrieb. Als er an dem Abend seine Tasche neben sich auf den Tisch gelegt hatte, hätte er fast sein Glas umgestoßen. Nur deshalb hatte er sie auf den Boden gestellt. Eine riesengroße Dummheit, das wusste er jetzt.

Er hatte sich mit dem Rücken zu den Kameras an den Tisch gestellt, und es bestand die Möglichkeit, dass der Dieb das Gleiche getan hatte. Leute in ihren Metiers konnten es sich nicht leisten, nachlässig zu sein. Falls dem so war, hatte er Pech gehabt. Dann gäbe es keine Möglichkeit, den Dieb der Tasche ausfindig zu machen.

Der Mann schaute sich die Aufnahmen nicht an, während er im Büro des Managers saß, das hätte viel zu lange gedauert. Stattdessen kopierte er sie auf einen Flashdrive.

Zu Hause steckte er den Flashdrive in seinen Computer und sichtete das Material in aller Ruhe. Als Erstes nahm er sich die Kamera vom Eingang vor. Statt die gesamten Aufnahmen von Anfang an anzusehen, begann er zu dem Zeitpunkt, als er selbst die Bar betreten hatte – gegen siebzehn Uhr fünfundzwanzig.

Es dauerte nicht lange, bis er fündig wurde. Kurz nachdem er dem alten Mann, der sein Getränk bei ihm auf den Tisch stellen wollte, eine Abfuhr erteilt hatte, fiel ihm auf, dass die Frau am Tisch hinter ihm ihr Glas austrank. Doch statt zu gehen, holte sie ihr Handy heraus und machte einen Anruf – oder zumindest tat sie so. Das Seltsame daran war, dass sie diesen Anruf sehr gut von ihrem Platz aus hätte tätigen können, doch stattdessen ging sie auf die andere Seite des Tisches – dorthin, wo seine Tasche stand.

Das Telefonat dauerte nicht mal eine Minute, und obwohl der Kamerawinkel nicht weit genug war, um zu zeigen, was auf dem Fußboden vor sich ging, hatte der Mann keinen Zweifel, dass sie währenddessen mit dem Fuß seine Tasche angelte.

Sie war gut, das musste man ihr lassen. Keine Nervosität, keine unbeholfenen Bewegungen, die sie hätten verraten können. Auf den ersten Blick wirkte nichts an ihr in irgendeiner Weise verdächtig. Sie war einfach nur eine junge Frau, die telefonierte.

Dann geschah etwas Unerwartetes, denn plötzlich drehten sich alle Köpfe – auch seiner – nach rechts.

Er hielt die Aufnahmen an und dachte einen Moment lang nach.

»Ach ja, richtig«, sagte er, als es ihm wieder einfiel. Es hatte einen lauten Krach gegeben. Ein Kellner hatte am anderen Ende der Bar ein Tablett voller Gläser fallen lassen. Sobald der Mann das Band weiterlaufen ließ, sah er, dass die Diebin die Gelegenheit nutzte, um sich zu bücken und blitzschnell die Tasche aufzuheben. Als er sich wieder seinem Handy zuwandte, war sie bereits auf dem Weg nach draußen.

Der Mann konnte sich ein Lächeln nicht verkneifen. Die Frau war ganz schön abgebrüht. Ein Profi, keine Frage.

Dummerweise schaute sie kein einziges Mal auf, nicht

einmal beim Verlassen der Bar, sodass er ihr Gesicht nicht richtig erkennen konnte. Aber immerhin wusste er jetzt, nach wem er suchen musste.

Der Mann spulte die Aufnahmen bis etwa siebzehn Uhr zurück und ließ sie von Neuem ablaufen. Erst gegen halb sechs sah er die Frau in die Bar kommen. Er musste noch einmal zurückspulen und die Stelle mehrmals anschauen, um ganz sicher zu sein, denn sie sah anders aus. Beim Betreten der Bar hatte sie statt des blonden Bobs mit Seitenscheitel noch eine schwarze Kurzhaarfrisur. Nur ihre Jacke verriet sie.

»Da bist du ja«, sagte der Mann und nickte. Seine Stimme klang trocken und heiser, als wären seine Stimmbänder geschädigt. »Na, komm schon, schau hoch. Sag Hallo zur Kamera. Nur einmal.«

Aber er hatte kein Glück. Die Frau betrat die Bar mit gesenktem Kopf, schlängelte sich im Zickzackkurs zwischen den vollbesetzten Tischen hindurch und steuerte schnurstracks auf den hinteren Bereich zu. Die Kamera über dem Eingang reichte nicht bis dorthin, deshalb konnte der Mann nicht erkennen, wo sie hinging, aber es hatte den Anschein, als wolle sie zur Toilette. Dort blieb sie relativ lange – annähernd eine Viertelstunde. Sobald sie wieder aufgetaucht war, trat sie an die Bar, bestellte sich dort einen Drink und belegte den Tisch hinter seinem eigenen, der unmittelbar zuvor frei geworden war.

Noch immer gab es kein Bild von ihrem Gesicht.

»Komm schon, Baby, schau hoch. Lass mich wenigstens einmal dein hübsches Gesicht sehen.«

Immer noch Fehlanzeige. Als Nächstes nahm er sich die Aufnahmen der Kamera in der Nähe der WCs vor.

Diesmal ging alles sehr viel schneller, da er bereits wusste, zu welcher Uhrzeit er suchen musste.

Aus der neuen Kameraperspektive sah er die Frau durch die Menge gehen und die Tür zu den Damentoiletten aufstoßen. Sie hielt die ganze Zeit über den Kopf gesenkt.

So langsam verlor er den Mut. Wenn die Frau Stammgast in der Bar war und dort häufiger Taschen oder Geldbeutel klaute, war es nur logisch, dass sie wusste, wo die Kameras installiert waren. Vielleicht war das der Grund, weshalb sie nie aufblickte oder sich immer genau so drehte, dass sie auf den Bildern nicht zu sehen war.

»Letzte Chance«, sagte der Mann ohne allzu große Hoffnung, ehe er die Aufzeichnungen vorspulte. Gegen siebzehn Uhr siebenundvierzig tauchte die Frau wieder auf. Das war der Moment, in dem ihm das Schicksal hold war. Als sie die Tür aufzog, um die Toiletten zu verlassen, hatte sie den Kopf für einen kurzen Augenblick leicht nach links oben geneigt.

Unverzüglich hielt er die Aufnahmen an, ehe er sie Bild für Bild zurückspulte.

»Bingo!«, sagte er, als er ein Bild fand, auf dem ihre Gesichtszüge vollständig zu erkennen waren. »Da bist du ja.« Ein Lächeln umspielte seine Lippen. »Wie schön, dich endlich kennenzulernen.«

Der Mann machte einen Screenshot von der Aufnahme, den er sodann in einem professionellen Bildbearbeitungsprogramm öffnete. Nachdem er das Bild so gut wie möglich bereinigt und geschärft hatte, speicherte er es auf seinem Desktop. Jetzt musste er die Frau nur noch finden.

Und er hatte bereits eine recht gute Idee, wo er mit seiner Suche beginnen würde.

24

Es war schon fast Viertel vor fünf, als Hunter, Garcia und Angela wieder beim PAB ankamen. Ehe Hunter die Papiere für ihre Entlassung fertig machte, holte er ihren Rucksack aus dem Aufbewahrungsraum und gab ihn ihr zurück.

Angela öffnete den Reißverschluss und überprüfte den Inhalt. Sie fand ihr Handy und die Wechselsachen, die sie kurz vor ihrer Flucht aus der Wohnung hineingestopft hatte.

»Das Geld ist noch da«, sagte Hunter. »In der Außentasche.«

Angela schaute nach. Tatsächlich, es war alles noch vollständig. Jeder einzelne Dollar. Verdutzt hob sie den Blick.

»Wir können nicht beweisen, dass das Geld nicht rechtmäßig Ihnen gehört. Wenn wir es beschlagnahmen würden, würde es nur bis ans Ende aller Tage in der Asservatenkammer herumliegen, weil wir nicht wüssten, an wen wir es zurückgeben sollen.«

Angela zog die Reißverschlüsse wieder zu und schwang sich den Rucksack über die Schulter.

»Das LAPD schickt jemanden, der Ihre Tür repariert«, sagte Hunter mit einem Blick auf seine Armbanduhr. »Heute wird es wohl leider nichts mehr.«

»Wehe, wenn nicht. Ich kriege sonst einen Riesenärger mit dem Vermieter.«

»Können Sie heute vielleicht irgendwo anders übernachten?«

Angela nahm echte Besorgnis in Hunters Stimme wahr.

»Ach, alles halb so schlimm. Ich finde schon einen Weg, wie ich die Tür verrammeln kann. Aber beeilen Sie sich gefälligst mit der Reparatur.«

»Machen wir«, versprach Hunter. »Ich habe ja Ihre Handynummer, falls ich Sie noch mal kontaktieren muss.« Er gab ihr eine Visitenkarte. »Meine Nummer steht auf der Rückseite, nur für den Fall, dass Sie mich erreichen wollen.«

Angela betrachtete Hunter einen Moment lang schweigend. Er wirkte immer noch besorgt, und dabei schien es um mehr zu gehen als nur um die kaputte Tür. Sie machte keine Anstalten, die Karte zu nehmen.

»Es geht Ihnen nicht um die Tür, stimmt's? Sie machen sich Sorgen wegen diesem Typen.« Sie blickte dem Detective forschend in die Augen. »Sie haben Angst wegen den Aufnahmen der Überwachungskameras. Sie glauben, der Kerl könnte jetzt wissen, wie mein Gesicht aussieht.«

Angela besaß eine schnelle Auffassungsgabe, das konnte Hunter nicht leugnen. »Ja, das ist richtig.«

»Tja, ich auch«, gestand Angela. »Aber ich frage Sie mal was: Wie viele Einwohner hat die Stadt Los Angeles?«

Hunter wusste natürlich, worauf sie damit hinauswollte. »Über vier Millionen«, sagte er.

»Eben. Ich würde sagen, da steht er vor einem ziemlichen Problem.«

»Schon klar«, räumte Hunter ein. »Selbst wenn er weiß, wie Sie aussehen, muss er immer noch rausfinden, wo Sie wohnen. Und in einer Stadt mit Millionen von Menschen ist das nicht leicht, wenn man nichts weiter hat als ein Foto.«

»Sehen Sie? Es gibt doch noch Hoffnung für Sie«, sagte Angela mit einem unbekümmerten Lächeln. »Sein einziger Anhaltspunkt ist Tujunga Village. Das wissen Sie.« Sie deutete auf Hunter. »Deshalb waren Sie vorhin auch so unruhig, als wir vor der Bar standen.« Angela wartete nicht auf eine Antwort von Hunter. »Die Lösung ist also ganz einfach: Ich halte mich in Zukunft von Tujunga Village fern.«

»Das ist definitiv eine kluge Entscheidung.«

Angela sah ihn an. »Sie wirken immer noch besorgt.«

»Natürlich bin ich besorgt«, entgegnete Hunter. »Als leitender Detective muss ich alle möglichen Szenarien in Betracht ziehen. Wir wissen nicht mal, ob Ihr Gesicht auf den Aufnahmen der Kameras zu sehen ist. Falls ja, weiß der Besitzer des Tagebuchs jetzt, wie Sie aussehen, und dann besteht die Möglichkeit, dass er Sie irgendwie ausfindig macht – selbst wenn die Wahrscheinlichkeit gering ist. Das heißt, dass Sie rund um die Uhr auf der Hut sein müssen. Um Tujunga Village einen Bogen zu machen, ist der erste Schritt, aber es darf nicht der einzige bleiben. Seien Sie wachsam, behalten Sie immer Ihre Umgebung im Auge.«

Hunter hielt ihr nach wie vor seine Karte hin. »Dieser Kerl ist kein gewöhnlicher Krimineller.«

Noch immer nahm Angela die Karte nicht.

»Hören Sie«, sagte Hunter. »Ich habe mein ganzes Berufsleben damit verbracht, Mörder wie den Besitzer dieses Tagebuchs zu studieren und zu jagen.«

»Sie meinen Serienkiller.«

»Ja, ich meine Serienkiller. Nur sehr wenige sind so umtriebig wie der Mann, dem Sie am Samstagabend begegnet sind. Der Grund dafür ist, dass die meisten früher oder später einen Fehler machen.«

»Dann müssen Sie doch nichts weiter tun, als genau darauf zu warten, und alles wird gut«, sagte Angela leichthin.

»Genau da liegt das Problem.« Im Gegensatz zu Angela war Hunters Ton sehr ernst. »Wer auch immer der Kerl ist, er mordet seit Jahren. Das Buch, das Sie ihm gestohlen haben, beweist das. Er hat schon mindestens sechzehn Menschen auf dem Gewissen, und bis vor zwei Tagen hatten wir keine Ahnung, dass er überhaupt existiert. Das bedeutet, dass er in all den Jahren, die er bereits sein Unwesen treibt, nie leichtsinnig geworden ist.« Er machte eine Pause, damit Angela die Tragweite dessen, was er gesagt hatte, auch wirklich begriff.

»Was wollen Sie mir denn jetzt damit sagen?«

»Ich möchte, dass Sie verstehen, dass dieser Mann sehr vorsichtig ist. Er ist gründlich, er geht methodisch vor, und er scheint mir sehr findig zu sein. Dass er als Polizist verkleidet im Rendition Room auftaucht, ist nur ein Beispiel für seinen Einfallsreichtum und seine Entschlossenheit.«

Angela wechselte ihren Rucksack von der rechten auf die linke Schulter.

»Es wäre ein fataler Fehler, jemanden wie ihn zu unterschätzen.« Noch einmal hielt er Angela seine Karte hin. »Ich bitte Sie einfach nur darum, vorsichtig zu sein. Und falls Ihnen irgendetwas verdächtig vorkommt, egal was, bitte zögern Sie nicht, mich anzurufen.«

Endlich nahm Angela die Karte. Während sie sich umdrehte und ging, summte Hunters Telefon in seiner Jackentasche zweimal kurz hintereinander, was bedeutete, dass er eine neue E-Mail erhalten hatte. Dr. Slater hatte ihnen endlich die Fotos der Tagebuchseiten geschickt.

25

Sobald Hunter wieder an seinem Schreibtisch saß, öffnete er die Mail von Dr. Slater. Sie enthielt einen Ordner mit insgesamt einhundertundzwanzig Fotos, von denen jedes zu einer Seite im Tagebuch gehörte. Um Verwechslungen zu vermeiden, hatte der Kriminaltechniker, der die Seiten abfotografiert hatte, auf Dr. Slaters Geheiß hin alle Polaroidfotos auf die dazugehörigen Seiten gelegt.

Hunter lud den Zip-Ordner herunter.

Garcia, der ins CC gesetzt worden war, tat das Gleiche.

Hunter schenkte sich selbst und seinem Partner eine Tasse Kaffee ein, ehe er das erste Bild mit dem Dateinamen »Seite001« öffnete. Alle Bilder waren hochauflösend gespeichert worden, was die Schrift gut lesbar machte.

Obwohl sie im kriminaltechnischen Labor bereits die ersten Seiten überflogen hatten, fing Hunter noch einmal ganz von vorne an. Der Rest des ersten Eintrags schilderte, wie der Mörder die Kiste gezimmert hatte, in der Elizabeth Gibbs lebendig begraben worden war. Danach beschrieb er, wie leicht es gewesen war, sie mit gewöhnlichen, zu Pulver zerstoßenen Schlaftabletten zu betäuben, ehe er sie in den Sarg gelegt und ihn zugenagelt hatte.

Von der kleinen Kamera, die sie im Sarg gefunden hatten, erwähnte der Verfasser nichts, allerdings beschrieb er Elizabeths verzweifelten Überlebenskampf, sobald ihr klar geworden war, dass man sie lebendig begraben hatte. Sie hatte am Deckel der Kiste gekratzt, dagegen geschlagen und getreten, ja sogar hineingebissen, ehe ihr schließlich Hoffnung und Kraft ausgegangen waren.

Den Aufzeichnungen zufolge hatte es annähernd vierundzwanzig Stunden gedauert, bis der Sauerstoff knapp geworden und Elizabeth Gibbs gestorben war. Ihre letzten Stunden hatte sie nicht mehr gekämpft, sondern geweint und gebetet.

Allerdings endete der Eintrag mit einer Überraschung.

Genau wie alle bisherigen Subjekte hat auch dieses geweint und mich um sein Leben angefleht, als es ernst wurde. Auch die Fragen sind immer dieselben: »Warum? Warum ich? Warum tun Sie mir das an? Was habe ich Ihnen je getan?« Es ist faszinierend, ein Subjekt dabei zu beobachten, wie ihm bewusst wird, dass es wirklich und wahrhaftig sterben wird und dass es nichts gibt, was es tun kann, um mich umzustimmen oder aufzuhalten. Manche bieten mir ihren Körper an. Sie sagen mir, dass ich mit ihnen machen kann, was ich will, solange ich sie hinterher gehen lasse. Manche sagen mir auch, dass sie mir auf eine Art und Weise Befriedigung verschaffen können, die ich vorher nicht mal für möglich gehalten hätte. Manche appellieren an meine Menschlichkeit und erzählen mir Geschichten aus ihrem Leben. Sie sagen mir, wie viel sie schon durchgemacht und gelitten haben. Manche erzählen von ihren Familien ... ihren Eltern ... ihren Geschwistern ... ihren Ehemännern ... sogar von ihren Haustieren. Diese Frau war nicht anders. Sie erzählte mir Dinge aus ihrer Kindheit – dass ihr Stiefvater sie als Kind drei Jahre lang regelmäßig vergewaltigt hätte. Sie erzählte mir, wie sehr er ihr körperlich und seelisch wehgetan hätte. Er hätte sie so schwer verletzt, dass sie niemals Kinder bekommen könnte, und sie wäre fast daran zerbrochen ... Mehr als einmal wäre sie kurz davor gewesen, sich das Leben zu nehmen, und der einzige Grund, weshalb sie es am Ende nicht getan hatte, wäre ihr bester Freund ge-

wesen, der irgendwann ihr Geliebter und schließlich ihr Verlobter wurde. Dass sie in acht Monaten heiraten wollten. Ich habe alle nur erdenklichen Geschichten von den Subjekten gehört, und ich kann es ihnen nicht verübeln. Sie versuchen nur, ihr Leben zu retten. Das liegt in der Natur des Menschen. Aus irgendeinem Grund ist die Geschichte dieser Frau bei mir hängen geblieben. Vielleicht war es der Ausdruck in ihren Augen ... der tiefe Schmerz in ihrer Stimme, oder vielleicht lag es auch daran, dass sie mich an jemanden erinnerte, den ich vor langer Zeit kannte. Ich weiß es nicht, aber ich beschloss, ihr ein Geschenk zu machen. Ich beschloss, dass ich ihr in acht Monaten – an dem Tag, an dem sie eigentlich hätte heiraten sollen – ein Brautkleid anziehen würde.

Hunter hörte auf zu lesen und blickte von seinem Bildschirm auf. Wie auf Kommando machte Garcia genau dasselbe.

»Warst du schon an der Stelle mit dem Hochzeitskleid?«, fragte er.

»Ja«, sagte Hunter.

»Ist das etwa seine Vorstellung von Gnade? Ihr an dem Tag, an dem sie vor den Altar hätte treten sollen, ein Hochzeitskleid anzuziehen?«

»Keine Ahnung ... vielleicht.«

»Er bezeichnet es als *Geschenk*. Ist das zu fassen?« Garcia zitierte: »›Aber ich beschloss, ihr ein Geschenk zu machen‹. Der Kerl ist doch vollkommen gestört. Er hat sie nach acht Monaten wieder ausgegraben, um ihr ein Hochzeitskleid anzuziehen ... wozu? Damit er sich für seine gute Tat auf die Schulter klopfen kann? Um seine Schuldgefühle zu lindern?«

Hunter gab keine Antwort.

Garcia war noch nicht fertig.

»Kannst du dir diese Geduld vorstellen? Dieses Durchhaltevermögen? Die Leiche kann zu dem Zeitpunkt nicht mehr in gutem Zustand gewesen sein. Die Verwesung war in vollem Gange, und trotzdem hat er sie exhumiert und umgezogen.« Er machte eine Pause und hob die Hand. »Ich gehe davon aus, dass er sie ursprünglich in ihren Kleidern begraben hat.« Garcia schüttelte fassungslos den Kopf. »Wahrscheinlich hat er bei der Gelegenheit auch noch das Innere des Sarges sauber gemacht. Er war blitzblank, weißt du noch?«

Hunter nickte.

»Wenn das nicht das Handeln eines gestörten Geistes ist, weiß ich es auch nicht.«

»Am besten, wir lesen einfach weiter«, meinte Hunter.

»Klar. Aber vorher brauche ich eine Pinkelpause.« Garcia stand auf und verließ das Büro.

Hunter machte derweil mit Seite007 und Seite008 weiter – dem zweiten Tagebucheintrag und somit dem zweiten »Subjekt«.

Das dazugehörige Polaroidfoto war das des blonden Jungen, das Dr. Slater ihnen bereits am Morgen geschickt hatte.

Hunter nippte noch einmal an seinem Kaffee, dann vertiefte er sich in den Text. Auch dieser Eintrag enthielt Zeichnungen und wies keinerlei Absätze oder andere Unterteilungen auf … nur ein Wort nach dem nächsten, Zeile um Zeile.

Die Stimmen waren wieder da, gestern spät in der Nacht. Ehrlich gesagt, habe ich nicht damit gerechnet, dass sie sich so bald wieder melden. Seit dem letzten Subjekt sind erst zweiundzwanzig Tage vergangen, aber irgendwie habe ich das Gefühl, als würden die Stimmen immer hungriger und gieriger werden … und ihre Lust auf Sadismus und Erniedrigung immer größer. Wieder einmal hatten sie eine sehr präzise Vorstellung von dem, was sie wollten. Alter: nicht älter als achtzehn und nicht jünger als fünfzehn. Mindestgröße: 1,68 m. Haare: naturblond (nicht gefärbt – sehr wichtig), Länge egal. Augen: blau, egal ob hell oder dunkel, aber ausschließlich blau, ohne grüne oder braune Anteile … auf jeden Fall BLAU. Körpergewicht: irrelevant. Hautfarbe: weiß. Anfangs dachte ich, es würde mir leichtfallen, die richtige Zielperson zu finden, schließlich lebe ich in Los Angeles, wo blonde Menschen gewissermaßen auf den Bäumen wachsen, aber wie sich herausstellt, liegen Schein und Sein oft weit auseinander. Eigentlich hätte ich das aus eigener Erfahrung wissen sollen. Wie auch immer. Offenbar ist in dieser Stadt nur jede fünfte blonde Frau und jeder dritte blonde Mann von Natur aus blond. Zunächst schaute ich mich auf den Straßen nach einem passenden Subjekt um, vorzugsweise einem, das niemand vermissen würde, aber damit hatte ich keinen Erfolg. Anscheinend gibt es keine jugendlichen Obdachlosen mit blonden Haaren und blauen Augen. Auch das Alter war schwierig – fünfzehn bis achtzehn, also noch schulpflichtig. Ich brauchte mehrere Tage, bis ich drei potenzielle Kandidaten ins Auge gefasst hatte. Dann kostete es mich noch einmal zwölf Tage (ich beobachtete jeden der drei jeweils vier Tage lang), um das eigentliche Subjekt auszuwählen. Meine Wahl fiel auf Cory Snyder, einen sechzehnjährigen Jungen aus Lakewood, Southeast L. A. Danach musste ich noch einmal vier Tage darauf verwenden, ihn rund um die Uhr zu beschatten, ehe sich endlich die perfekte Gelegenheit zum Zuschlagen ergab. Datum und Uhrzeit: 25. März 2018, gegen 0145 h. Ort: Centralia Street, Lakewood. Das Subjekt war gerade auf dem Heimweg von einer Party. Es war leicht angetrunken und high, weil es Gras geraucht hatte, somit hatte ich leichtes Spiel. Foto aufgenommen am darauffolgenden Nachmittag, nachdem das Subjekt ausgenüchtert war.

Garcia kam ins Büro zurück und setzte sich wieder hinter seinen Schreibtisch. Zur gleichen Zeit hielt Hunter im Lesen inne, um noch einmal einen Blick auf das Polaroid zu werfen. Das Herz wurde ihm unendlich schwer. Wenn das Opfer einen Namen hatte – wenn man wusste, was für ein Mensch es gewesen war und woher es kam –, war es besonders schlimm.

Hunter minimierte das Bild auf seinem Monitor und rief stattdessen die Vermisstendatenbank auf. In weniger als fünf Sekunden hatte er einen Treffer.

Cory Snyder war am 10. Juli 2001 in Los Angeles geboren worden. Wie der Tagebucheintrag verriet, hatte er in Lakewood gewohnt, einer multikulturellen Gegend im Südosten von L. A. Cory war Einzelkind gewesen und hatte bei seiner Mutter, einer gewissen Lindy Flynn, gelebt, die ihn am 25. März 2018 als vermisst gemeldet hatte, nachdem er nicht von einer Party im Haus eines knapp eine Meile entfernt wohnenden Freundes zurückgekehrt war. Corys Eltern hatten sich scheiden lassen, als er fünf gewesen war. Sein Vater Martin Snyder lebte in Palo Alto. Laut Protokoll der Vermisstenstelle lautete Corys Anschrift Elsa Street Nummer 5941. Er wurde nach wie vor als vermisst geführt. Offiziell liefen die Ermittlungen noch.

Rasch rief Hunter eine Karte auf und ließ sich die Adresse des Jungen anzeigen. Die Elsa Street war eine kurze Wohnstraße in der Nähe der Centralia Street, die der Verfasser des Tagebuchs als Ort der Entführung angegeben hatte. Wie es schien, war Cory Snyder nur noch wenige Minuten von zu Hause entfernt gewesen, als sein späterer Mörder zugeschlagen hatte.

Hunter vertiefte sich noch einmal in den Bericht der Vermisstenstelle und suchte nach dem Namen des ermittelnden Detectives – Winston Bradley. Er kannte Detective Bradley. Die UV-Einheit hatte schon mehrere Vermisstenfälle übernommen, nachdem sie zu Mordfällen geworden waren.

Dann las Hunter weiter.

Wie ich bereits sagte, der Hunger der Stimmen nach Sadismus und Erniedrigung ist ungebrochen. Ihre Anweisung lautete: Auspeitschen. »Der Junge soll nackt ausgezogen und festgebunden werden – die Arme über dem Kopf ausgestreckt, die Handgelenke zusammengekettet. Er soll jeden Tag 25 Peitschenhiebe auf den

Rücken und 25 Peitschenhiebe auf die Brust erhalten, so lange, bis der Tod eintritt. Die Hiebe sollen mit einer ledernen Peitsche ausgeführt werden. Ich will sehen, wie viele Tage so ein hübscher weißer Junge aushalten kann. Er soll einmal am Tag Wasser und Nahrung erhalten, nicht öfter. Er soll nicht vor Hunger oder aufgrund von Flüssigkeitsmangel das Bewusstsein verlieren. Er muss an den Peitschenhieben sterben. Die Wunden dürfen nicht versorgt und Blutungen dürfen nicht gestillt werden.« Ich befolgte die Anweisungen gewissenhaft. Abends bekam er Essen und Trinken. Anfangs ließ meine Genauigkeit bei den Peitschenhieben noch zu wünschen übrig. Mit der Zeit wurde es besser, aber obwohl ich ausschließlich auf Brust oder Rücken zielte, landeten einige Hiebe auch auf seinen Beinen, im Lendenbereich, am Hals oder im Gesicht. Schon nach sehr kurzer Zeit war klar, dass es eine sehr blutige und dreckige Angelegenheit werden würde. Das Ende einer Peitsche schneidet mit Leichtigkeit durch menschliche Haut und Muskeln. Trotz meiner anfänglichen Ungenauigkeit riss ihm jeder Hieb die Haut auf. Es waren tiefe Wunden, bei denen selbst jemand von der SanTruppe das kalte Grausen bekommen hätte. Mit jedem neuen Schlag spritzte das Blut aus der frischen Wunde. Es tränkte die Luft wie ein roter Nebel. Außerdem landeten viele Schläge unmittelbar in bereits existierenden Wunden und vertieften sie, bis sie fast auf den blanken Knochen reichten. Mitunter riss die Peitsche ihm ganze Stücke Fleisch aus dem Körper, die durch die Gegend flogen und mit einem Klatschen am Boden landeten. Verständlicherweise verlor das Subjekt während dieser Tortur mehrmals das Bewusstsein. Wenn dies eintrat, wartete ich immer, bis er von selbst wieder zu sich gekommen war, ehe ich fortfuhr. Als Antwort auf die Frage der Stimmen – und zu meinem eigenen Erstaunen – ertrug er insgesamt 241 Peitschenhiebe. An Tag 5 verstarb er.

26

»Du meine Güte«, entfuhr es Garcia, als hätten er und Hunter synchron gelesen. »Bist du schon mit dem zweiten Eintrag durch? Mit dem zweiten Opfer?«

»Ich bin gleich fertig«, antwortete Hunter und hob die Hand, um seinem Partner zu signalisieren, dass er nicht mehr lange brauchen würde. Erst in dem Moment bemerkte er, dass sich die Härchen auf seinen Armen aufgestellt hatten und sein Herz schneller schlug als zuvor.

Ich sah keinen Sinn darin, das Subjekt in einen Sarg zu legen. Die Verwesung schreitet schneller voran, wenn der Leichnam direkten Kontakt mit dem Erdboden hat. Möge die Erde sich nehmen, was noch von ihm übrig ist. 34°11'48,1" N/118°17'38,3" W.

Abermals rief Hunter die Karte auf. Die Koordinaten führten ihn nach Burbank, eine eingemeindete Ortschaft zwölf Meilen nordwestlich von Downtown Los Angeles, und dort zu einem abgelegenen Waldstück, das in der Nähe des Skyline Mountain Way unweit des Deer Canyon lag.

Hunters Hände zitterten von dem Adrenalin, das sein Körper beim Studieren der Karte ausgeschüttet hatte.

Garcia schob seinen Stuhl zurück und stand auf. »Er hat den Jungen ausgepeitscht, bis er daran gestorben ist?« Sein Tonfall schwankte zwischen Entsetzen und Zorn. »Wie unendlich krank kann man sein?« Er begann vor seinem Schreibtisch auf und ab zu marschieren. »Und all das, weil irgendwelche Stimmen in seinem Kopf es ihm befohlen haben?« Er schüttelte angewidert den Kopf. »Das ist so was von abartig ... und absolut wahnhaft.«

Hunter stieß sich mit seinem Stuhl vom Tisch ab, blieb

jedoch sitzen. Seine Miene war zugleich nachdenklich und bedrückt.

Garcia schaute auf seine Uhr – es war kurz vor sechs.

»Also, was willst du jetzt machen?«, fragte er seinen Partner, während er die Karte studierte, die auch er auf seinem Computer aufgerufen hatte. »Sollen wir nach Burbank rausfahren und noch ein Loch graben?«

Im Dezember ging die Sonne in L. A. gegen Viertel vor fünf unter.

Hunter schüttelte den Kopf. »Wenn wir jetzt anfangen, sind wir vor zehn nicht fertig. Vielleicht sogar erst gegen Mitternacht.«

Garcia atmete erleichtert auf. Er hatte keine große Lust, einen weiteren Abend lang die Schaufel zu schwingen.

»Außerdem ist das jetzt eine offizielle Ermittlung«, fügte Hunter hinzu.

Garcia lächelte. »Das bedeutet, wir können ein professionelles Grabungsteam beantragen, das gleich morgen früh loslegt. Diesmal müssen wir nicht selber ran.«

Hunter nickte zustimmend. »Das mache ich morgen früh als Erstes.«

Nach einigen Telefonaten rollte Hunter zurück an seinen Schreibtisch und widmete sich wieder den Tagebuchseiten.

Garcia fiel auf, dass er sich in die Unterlippe kniff, was er nur tat, wenn er angestrengt nachdachte.

»Stimmt was nicht?«

»Es ist bloß irgendwie ... seltsam«, murmelte Hunter, dessen Blick am Bildschirm klebte.

»*Seltsam* ist eine ziemliche Untertreibung, Robert. Der Kerl ist vollkommen verstrahlt.«

»Ich rede nicht vom Täter. Sondern von den Stimmen, die er hört.«

»Was? Wieso? Was ist mit denen?«

»Entgegen der gängigen Meinung«, sagte Hunter, »sind Schizophrene in der Regel nicht gewalttätig. Nur eine sehr kleine Anzahl der Menschen, die an Schizophrenie leiden, begehen Gewalttaten, und in acht von zehn Fällen richtet sich diese Gewalt gegen sie selbst, nicht gegen andere. Die Zahl der Fälle, in denen ein Schizophrener anderen Gewalt antut, weil die Stimmen in seinem Kopf es ihm befehlen, ist verschwindend gering.«

»Mag sein«, räumte Garcia ein. »Aber es gibt sie, und das hier ist offenbar einer von ihnen.«

»Oh, dagegen sage ich auch gar nichts. Worauf ich hinauswill, ist, dass die Stimmen, die Schizophrene hören, normalerweise nicht vollkommen abgekoppelt sind von ihrem realen Leben. In der Regel haben sie ihre Wurzeln in traumatischen Ereignissen, die die Betroffenen irgendwann einmal erlebt haben.«

Garcia kniff die Augen zusammen und rieb sich das Kinn. »Könntest du das vielleicht ein bisschen vereinfachen? Ich bin mir nicht ganz sicher, worauf du abzielst.«

Hunter unternahm einen neuen Erklärungsversuch. »Die Anweisungen, die er von den Stimmen erhält – diese unglaubliche Detailgenauigkeit, was Alter, Körpergröße, Haarfarbe, Augenfarbe, Hautfarbe und so weiter angeht ... Die Stimmen geben ihm alles vor, sogar die Art, wie er die Subjekte töten soll. Zum Beispiel erwähnen sie exakt die geforderte Anzahl von Peitschenhieben an Brust und Rücken.« Hunter hielt inne und sah seinen Partner an. »Und jetzt tu mal so, als wüsstest du nichts über den Täter ... tu so, als hätten wir dieses Tagebuch nicht ... Wenn wir an einen Tatort kämen und dort die Leiche eines weißen Jugendlichen vorfinden würden, sechzehn Jahre alt, blond, blaue Augen, nackt ausgezogen, die Hände über dem Kopf gefesselt, zu Tode gepeitscht ... Woran würdest du als Erstes denken?«

Garcia hörte auf, hin und her zu laufen, und sah Hunter an.

»Rein intuitiv«, sagte Hunter. »Was wäre dein erster Gedanke?«

Garcia ließ die Schultern kreisen. »Dass der Täter einen ziemlich heftigen Groll gegen das Opfer gehegt haben muss und es bestrafen wollte. Das würde die Folter erklären ... das Auspeitschen.«

»Okay«, sagte Hunter. »Und jetzt gehen wir einen Schritt weiter. Sagen wir, wir haben das Tagebuch gefunden und wissen jetzt, dass es keinerlei persönliche Beziehung zwischen Mörder und Opfer gab. Die Theorie mit dem Groll wäre damit also hinfällig.«

»Ja.«

»Aber es ist immer noch dasselbe Opfer, dasselbe Vorgehen, derselbe Tatort. Ein Jugendlicher wurde brutal ausgepeitscht, bis er daran gestorben ist.« Hunter lehnte sich auf seinem Stuhl zurück. »Nur, dass wir jetzt wissen, dass die Tat keinen persönlichen Hintergrund hatte. Welche neuen Schlussfolgerungen könnte man daraus ziehen?«

Garcia lehnte sich gegen die Kante seines Schreibtischs und ließ sich Hunters Frage durch den Kopf gehen. »Dass der Groll oder der Hass des Täters sich nicht gegen ein Individuum richtete«, antwortete er schließlich, »sondern gegen eine Gruppe oder einen bestimmten Typ von Mensch.«

Hunter zeigte mit dem Finger auf seinen Partner, wie um ihm zu signalisieren, dass er den Nagel auf den Kopf getroffen hatte. »Richtig. Und damit wären wir wieder bei dem, was ich vorhin gesagt habe – dass die Stimmen, die Schizophrene hören, ihren Ursprung normalerweise im realen Leben des Betroffenen haben, erst recht, wenn dabei Gewaltanwendung im Spiel ist.«

»Du willst also sagen«, schloss Garcia, »dass der Täter irgendwann in seinem Leben, vermutlich während seiner Kindheit oder Jugend, von einem blonden, blauäugigen Jungen misshandelt oder schikaniert oder in irgendeiner Art und Weise gequält wurde? Und dass dieses Trauma sich jetzt in Form von Stimmen in seinem Kopf manifestiert? Stimmen, die ihm befehlen, jemanden zu finden, der dem Jungen von damals ähnlich sieht, ihn zu foltern, zu verstümmeln und schließlich zu töten?«

»Das wäre eine Möglichkeit«, sagte Hunter. »Sogar eine relativ plausible.«

Garcia schaute verdutzt. »Eine relativ plausible? Welche gäbe es denn sonst noch?«

Mit dieser Frage hatte Hunter gerechnet. »Grundsätzlich hast du recht, was das traumatische Erlebnis mit einem blonden, blauäugigen, ungefähr sechzehnjährigen Jungen angeht. Allerdings muss unser Täter dieses Trauma nicht notwendigerweise selbst erlebt haben.«

Garcia hob seine Fäuste an die Stirn und spreizte die Finger, um eine Explosion anzudeuten.

»Mir platzt gleich der Kopf, Robert. Wie ist das jetzt wieder gemeint?«

»Traumata können auf verschiedene Weise entstehen, Carlos«, führte Hunter aus. »In erster Linie sind die Auslöser eigene Erlebnisse, aber sie können auch von etwas herrühren, was man nur gesehen, gelesen oder gehört hat.«

Garcia schaute nachdenklich.

»Vielleicht hat unser Täter die Misshandlungen nicht am eigenen Leib erfahren, sondern ihnen lediglich beigewohnt oder davon gehört. Vielleicht war das Opfer ein Familienmitglied oder ein enger Freund. Vielleicht war es auch ein Unbekannter – eine Geschichte, die er irgendwo gelesen hat und deren grausige Details sich in seinem Unterbewusstsein festgesetzt haben.« Hunter hob die Handflächen in Richtung Decke. »Momentan lässt sich unmöglich sagen, wie genau dieser blonde, blauäugige Junge mit dem erlebten Trauma zusammenhängt, aber nach dem derzeitigen Informationsstand ...« Er deutete auf den Computerbildschirm. »... wäre die Theorie mit dem Trauma eine naheliegende Deutung der psychologischen Tathintergründe.«

Garcia verschränkte die Arme vor der Brust und legte die Stirn in Falten. Er wirkte skeptisch.

»Aber Moment mal«, sagte er.

Sein Gesichtsausdruck verriet Hunter, was als Nächstes kommen würde.

»Wenn das auf das zweite Opfer im Tagebuch zutrifft, müsste es dann nicht auch für das erste gelten? Korrigier mich, wenn ich falschliege, aber dem Tagebuch zufolge ist doch der Grund, weshalb er die arme Elizabeth Gibbs lebendig begraben hat, dass die Stimmen es von ihm wollten.«

Hunter nickte. »Und genau deshalb kam mir das Ganze seltsam vor. Diese Stimmen, die er hört ... das passt alles nicht richtig zusammen.«

Gerade als Hunter sich wieder dem Bildschirm und den Tagebucheinträgen widmen wollte, klingelte Garcias Handy. Es war seine Frau Anna.

»Hey, Baby«, sagte Garcia. »Wie geht's?«

»Wo bleibst du denn?«, fragte Anna leicht genervt. »Wolltest du mich nicht abholen kommen?«

Es dauerte etwa eine halbe Sekunde, dann fiel es ihm siedend heiß ein.

»Ach du Scheiße!« Er riss die Augen auf und suchte Hunters Blick. Der sah ihn verständnislos an. »Der Weihnachtsball!«

Die beiden Worte waren genauso sehr an Hunter wie an Anna gerichtet.

»Sag mir bloß nicht, du hast es vergessen!« Diesmal hörte man sehr deutlich, wie verärgert sie war.

Hunter legte den Kopf in den Nacken und schlug sich die Hände vors Gesicht. Dann sah er auf die Uhr: neun Minuten nach sechs.

»Mist«, wisperte er halblaut.

Genau in dem Moment ging die Tür zu ihrem Büro auf, und Captain Blake im Abendkleid trat ein.

»Was machen Sie noch hier?« Ihr strenger Blick sprang zwischen den beiden Detectives hin und her. »Sie sollten längst im Globe sein.«

»Bin schon auf dem Weg, Baby. Warte noch kurz.« Garcia beendete das Telefonat mit seiner Frau und griff nach seiner Jacke. »Ich bin schon weg, ich bin schon weg«, murmelte er, während er sich an Captain Blake vorbeischob und im Laufschritt das Großraumbüro durchquerte.

Blake lehnte sich gegen den Türrahmen.

»Bitte sagen Sie mir, dass Sie wenigstens einen Anzug tragen werden, Robert. Wir sitzen am selben Tisch wie der Bürgermeister und der Gouverneur von Kalifornien.«

Hunter erhob sich. »Ja, natürlich. Ich werfe mich in meinen allerbesten Anzug.« Auch er drängte sich an Captain Blake vorbei. »Wir sehen uns dann im Globe.«

Hunter besaß nur einen einzigen Anzug.

27

Angela zog ein letztes Mal an ihrer Zigarette, ehe sie den erlöschenden Stummel in eine Pfütze schnippte. Sie war eigentlich keine Raucherin. In Wahrheit hasste sie den ekelhaften Geschmack von Zigaretten im Mund, aber einige Jahre zuvor hatte sie festgestellt, dass Nikotin bei ihr hervorragend gegen Stress wirkte. Es war fast wie Zauberei. Für Angela waren Zigaretten nichts weiter als eine unangenehme Medizin – etwas, das sie einnahm, wann immer ihre Nerven überreizt waren und sie zur Ruhe kommen wollte. Dies war ihre achte Zigarette, seit sie am Nachmittag das Police Administration Building verlassen hatte.

»Der Mann ist sehr vorsichtig«, hatte Hunter gesagt. Seine Worte hallten noch in ihren Ohren wider. *»Er ist gründlich, er geht methodisch vor. Es wäre ein fataler Fehler, jemanden wie ihn zu unterschätzen.«* Angela wickelte einen Streifen Kaugummi aus und steckte ihn in den Mund.

So hatte sie sich das alles nicht vorgestellt. Sie hatte diesem Arschloch bloß eins auswischen wollen, weil er so unhöflich gewesen war. Jetzt hatte sie einen Serienkiller am Hals. Wie konnte das sein? Wie verrückt war so was?

Angela steckte die Kaugummipackung zurück in ihre Tasche und betrat den Spirituosenladen, der genau gegenüber von ihrer Wohnung lag.

Vom PAB aus war sie direkt nach Hause zurückgekehrt, aber dort angekommen, wusste sie nicht, was sie mit sich anfangen sollte. Erst war sie über eine Stunde lang im Wohnzimmer hin und her getigert. Ihr gingen eine Million Gedanken durch den Kopf. Als es ihr in ihren vier Wänden zu eng und die Sehnsucht nach einer Zigarette zu stark wurde, nahm sie ihre Jacke, ein bisschen Kleingeld, überlegte sich eine Methode, um ihre Tür notdürftig zu verriegeln, und ging nach draußen. Zunächst lief sie etwa zwanzig Minuten lang ziellos durch die Straßen und rauchte zwei Zigaretten, bis sie zu einer kleinen Grünfläche mehrere Blocks westlich von ihrer Wohnung kam. Es war früher Dienstagabend, und es waren nicht viele Menschen unterwegs. Angela suchte sich eine Bank bei einem kleinen Teich, zündete sich eine weitere Zigarette an und ließ ihren Gedanken freien Lauf.

Völlig ausgeschlossen, dass der Typ mich findet, dachte sie. Die beruhigende Wirkung des Nikotins machte sich allmählich bemerkbar. *Wie soll er mich in einer Stadt wie L. A. finden, wenn er nichts weiter hat außer ein Foto? Außerdem* wissen *wir ja nicht mal, ob er ein Foto von mir hat. Ich kann mich nicht daran erinnern, irgendwann mal aufgeschaut zu haben, als ich im Rendition Room war. Vielleicht ist mein Gesicht auf den Aufnahmen überhaupt nicht zu erkennen – und selbst wenn, was will er mit dem Bild machen? Rumlaufen und die Leute fragen, ob sie mich schon mal gesehen haben?*

Angela lachte. Das Leben einer Taschendiebin war einsam – keine echten Freunde, keine Beziehungen. Der Mann würde wenig Glück haben, wenn er sich nach ihr erkundigte.

Was das anging, brauchte sie sich keine Sorgen zu machen. Bisher war sie nur ein einziges Mal jemandem nahe gewesen, kurz nachdem sie nach L. A. gekommen war, vor vier Jahren ... Das war lange her ...

Als Angela ihre Zigarette fast aufgeraucht hatte, kam ihr ein neuer Gedanke, der sie erschauern ließ. Vielleicht gab es doch einen Weg, wie der Mann sie aufspüren konnte. Dizzy K.

Jeder professionelle Taschendieb in jeder großen Stadt auf der Welt hat einen Hehler – eine Art Zwischenhändler, der den Dieben ihre gestohlene Ware abkaufte und sie weitergab, in der Regel an eine kriminelle Bande. Angela behielt immer das Bargeld aus den Brieftaschen, aber mit den Kreditkarten und Handys konnte sie nichts anfangen. Statt sie wegzuwerfen, verkaufte sie sie an einen großflächig tätowierten Mann Anfang dreißig, der sich Dizzy K nannte.

Dizzy K hatte seine Basis in Vermont Knolls, einer rauen, gefährlichen Ecke von South L. A.

»Er ist gründlich, er geht methodisch vor, und er scheint überaus findig zu sein.« Wieder hörte sie Hunters warnende Worte in ihrem Kopf.

Wenn dieser Kerl wirklich so clever und einfallsreich war, wie der Detective behauptet hatte, wusste er bestimmt von den Hehlern. Und wenn er von den Hehlern wusste, würde er nicht lange brauchen, um ihr auf die Spur zu kommen. Was, wenn es ihm gelang, Dizzy K zu finden, und er mit einem Foto von ihr bei ihm aufkreuzte?

Angie, hör auf, dich verrückt zu machen. Wir sind hier in Los Angeles. Was denkst du, wie viele Hehler es in dieser Stadt gibt? ... Wahrscheinlich Tausende. Glaubst du ernsthaft, dass dieser Typ, clever hin oder her, einfallsreich oder nicht, es schafft, jeden einzelnen Hehler nach dir zu fragen? Ganz abgesehen davon, dass es wahrscheinlich bei gewissen Elementen in der Unterwelt gar nicht gut ankommt, wenn jemand durch die Gegend läuft und neugierige Fragen stellt ...

Angela rauchte noch mehrere Zigaretten, ehe sie beschloss, dass sie etwas zu trinken brauchte. Am besten eine ganze Flasche. Zu Hause hatte sie nur noch einen Weißwein, und das reichte nicht. Heute Abend brauchte sie etwas mit deutlich mehr Umdrehungen.

Im Spirituosenladen entschied sie sich für eine Flasche Bulleit Bourbon. Außerdem kaufte sie noch eine große Flasche Cola, nur für den Fall. Sie rauchte eine letzte Zigarette, ehe sie sich zurück auf den Weg zu ihrer Wohnung machte. Unten in der Eingangshalle warf sie einen Blick in ihren Briefkasten – nur ein Werbeflyer für einen neuen Pizzaladen in der Parallelstraße mit Namen PIZZA 2 YOUR DOOR.

»Na ja«, sagte sie sich, als sie in den dritten Stock hinaufstieg. »Eine Pizza wäre jetzt nicht das Schlechteste.«

Sie überflog die Speisekarte. Es gab verschiedene traditionelle Pizzavarianten und daneben noch einige sehr ungewöhnliche Kombinationen.

»Banane, Käse, Zucker und Zimt?«, las Angela laut. »Käse, Schinken, Ananas, Pfirsich? Welchem Kreis der Hölle ist das denn entsprungen?«

Als sie den letzten Treppenabsatz hinaufstieg, spürte sie auf einmal ein seltsames Kribbeln tief in der Magengrube. Irgendetwas kam ihr komisch vor. Auf der letzten Treppenstufe blieb sie stehen und spähte den Flur hinunter ... Vor ihrer Wohnung stand eine große, kräftig gebaute Gestalt in einem langen schwarzen Parka. Er hatte sich die Kapuze tief ins Gesicht gezogen und schien den Schaden an ihrer Tür zu begutachten.

Der erste Gedanke, der Angela in den Kopf kam, war: *Ah, das LAPD hat doch noch jemanden geschickt, der die Tür repariert.*

Aber dieser Gedanke hielt sich nicht mal einen Atemzug lang. Schon im nächsten Moment trat ein anderer an seine Stelle, und der war ungleich beängstigender.

Wie erstarrt stand sie da, unfähig, sich zu rühren.

Sie wusste nicht, ob sie ein Geräusch gemacht hatte, doch aus irgendeinem Grund wandte der Mann den Kopf, und ihre Blicke trafen sich.

Der Mann richtete sich auf.

Angela ließ den Flyer des Pizzaladens, die Cola und die Whiskeyflasche fallen, die auf dem Boden zersprang, wirbelte herum und rannte los.

Gleich darauf hörte sie das Poltern von Schritten hinter sich.

28

Genau wie Garcia am Morgen nahm Angela die Stufen nicht einzeln, sondern sprang sie mit Riesensätzen hinunter wie ein zu Tode verängstigter Frosch. Ihr Mund war knochentrocken, ihre Handflächen schweißfeucht. Als sie den Absatz zwischen dem zweiten und ersten Stockwerk erreicht hatte, hörte sie den schweren Aufprall von Stiefeln weiter oben. Der Mann musste sich ein Beispiel an ihr genommen haben und sprang ebenfalls die Stufen hinunter.

Angelas Vorsprung betrug höchstens drei bis vier Sekunden, aber der Mann war wesentlich größer als sie, hatte also auch längere Beine und machte folglich größere Schritte. Wenn ihr nicht ganz schnell etwas einfiel, hätte er sie jeden Moment eingeholt.

Sie jagte die nächsten drei Treppenabsätze nach unten wie eine olympische Hürdenläuferin. Adrenalin pumpte durch jede Faser ihres Körpers. Im Erdgeschoss angekommen, stürzte sie durch die Lobby zur Tür. Sie hatte keine Ahnung, wieso sie ausgerechnet jetzt darauf kam, aber das Schloss an der Eingangstür ließ sich von innen verriegeln. Wenn ein kleiner Hebel umgelegt wurde, blockierte der Zylinder, und der Schlüssel ließ sich nicht im Schloss herumdrehen, sodass man von draußen nicht mehr hereinkam. Wenn man drinnen war und hinauswollte, musste man den Hebel lediglich in seine ursprüngliche Position zurückschieben.

Als Angela die Tür aufriss, legte sie hastig den Hebel um. Sie wusste, dass sie den Mann damit nicht im Gebäude einsperrte, aber immerhin konnte sie ein paar wertvolle Sekunden gutmachen.

Sie zog die Tür hinter sich zu und rannte die Colfax Avenue entlang. Ihr Herz hämmerte wie ein Presslufthammer gegen ihre Rippen. Zwei Sekunden später hörte sie, wie jemand hinter ihr versuchte, die Tür aufzuziehen. Sie widerstand der Versuchung, sich umzudrehen und einen Blick zurückzuwerfen. Das würde bloß Zeit kosten. Zeit, die sie nicht hatte. Als sie weiterlief, hörte sie den Mann verzweifelt an der Tür rütteln, als wolle er sie mit roher Gewalt aus den Angeln reißen.

Ihr kleiner Trick kostete ihren Verfolger zehn Sekunden – mehr als genug Zeit, um zum Ende der Colfax Avenue zu gelangen und die Straße zu überqueren. Aber was nun? Sollte sie weiterrennen? Sich in den Spirituosenladen flüchten und um Hilfe bitten? Sich irgendwo verstecken? Was?

Denk nach, Angie, denk nach.

Doch ihr Glück schien sie nicht komplett verlassen zu haben. In der Colfax Avenue hatte wenige Meter voraus gerade ein Taxi am Straßenrand gehalten, um einen Fahrgast aussteigen zu lassen. Der Gast bezahlte den Fahrer, öffnete die Tür und trat auf den Gehsteig. Angela erreichte das Taxi, gerade als er die hintere Tür zuwerfen wollte.

»Ich übernehme, danke!«, stieß sie hastig hervor, ehe sie sich auf die Rückbank des gelb-blauen Crown Vics warf und die Tür zuknallte, was den Taxifahrer nicht nur erschreckte, sondern auch empörte.

»Was machen Sie da, sind Sie wahnsinnig?«, rief er und drehte sich mit weit aufgerissenen Augen zu ihr um.

»Bitte, Sir«, flehte sie mit zitternder Stimme, bevor sie sich ebenfalls nach hinten drehte, um nach ihrem Verfolger Ausschau zu halten. Er hatte gerade die Colfax Avenue überquert. »Mein Ex-Mann will mich verprügeln, er macht das nicht zum ersten Mal. Bitte, fahren Sie einfach los ... ich bitte Sie! Letztes Mal hat er mir beide Arme gebrochen.«

Das Zittern in ihrer Stimme war ein klares Anzeichen dafür, dass sie mit den Tränen kämpfte.

»Was?«, fragte der Fahrer völlig überfordert. Er warf einen Blick in den Rückspiegel und sah, wie sich ein großer breitschultriger Mann im langen schwarzen Parka dem Taxi näherte.

»Bitte, fahren Sie einfach los«, drängte Angela und drehte sich wieder nach vorn. Das Herz schlug ihr bis zum Hals.

Der Fahrer sah ihr in die Augen. Darin stand die nackte Panik.

Der Mann war nur noch einen Meter vom Taxi entfernt.

Entschlossen drehte sich der Fahrer nach vorn und legte den Gang ein.

Der Mann streckte die Hand aus.

Der Fahrer trat das Gaspedal durch. Die Reifen drehten quietschend durch, ehe der Wagen ruckartig nach vorn schoss.

Die Fingerspitzen des Mannes streiften noch den Türgriff, doch es gelang ihm nicht mehr, ihn festzuhalten. In seiner Wut trat er heftig gegen das Heck des Wagens. Die Stahlkappe seines Stiefels verfehlte das Rücklicht um Haaresbreite.

Angela drehte sich noch einmal um und spähte durch das Rückfenster. Der Mann stand auf dem Gehweg und blickte dem davonfahrenden Taxi nach.

29

»Was ist denn in den gefahren?«, fragte der Taxifahrer und warf Angela im Rückspiegel einen teils verstörten, teils zornigen Blick zu.

Angela atmete erleichtert auf. Erst jetzt stellte sie fest, dass sie am ganzen Leib zitterte.

»Er ist ein sehr gewalttätiger Mensch«, antwortete sie, ehe sie sich in die Polster sinken ließ.

»Und ein sehr großer«, fügte der Taxifahrer hinzu. »Sie sollten zur Polizei gehen.«

Doch Angela hörte schon gar nicht mehr hin. Ihre Gedanken waren das reinste Chaos.

Wie kann das überhaupt sein? Wie ist es möglich, dass er mich so schnell gefunden hat? Er wusste, wo ich wohne!

Ihr Zittern verstärkte sich.

»Hey, Lady?«, rief der Fahrer. Diesmal winkte er ihr sogar im Rückspiegel.

Angela blickte auf. Sie war so mit ihren Gedanken beschäftigt gewesen, dass sie nicht gemerkt hatte, dass er ihr schon dreimal dieselbe Frage gestellt hatte.

»Entschuldigung?«, sagte sie kopfschüttelnd. »Was haben Sie gesagt?«

»Wo soll's denn jetzt eigentlich hingehen? Wo soll ich Sie absetzen? Wollen Sie zur Polizei?«

Angela drehte sich ein letztes Mal nach hinten. Sie waren schon zu weit weg, der Mann war nicht mehr zu sehen. »Ich weiß es nicht genau«, sagte sie unsicher.

Der Fahrer nahm die Unterführung am Ventura Freeway und blieb auf der Colfax Avenue. »Tja, irgendein Fahrtziel müssten Sie mir aber nennen – es sei denn, Sie wollen, dass ich einfach ein bisschen durch die Gegend fahre.« Er zuckte die Achseln und deutete auf das Taxameter. »Ist ja Ihr Geld.

Aber wenn Sie zur Polizei wollen – die Wache in North Hollywood ist nicht weit von hier.«

Langsam lichtete sich der Nebel in Angelas Kopf.

»Auf der Rückseite steht meine Nummer«, hatte der Detective gesagt, als er ihr seine Karte angeboten hatte. *»Für den Fall, dass Sie mich erreichen wollen.«*

»Warten Sie kurz«, bat sie den Fahrer. Dann griff sie in ihre rechte vordere Jeanstasche. Alles, was sie darin fand, war das Geld, das sie eingesteckt hatte, bevor sie aus dem Haus gegangen war – etwa fünfzig Dollar. In der linken Tasche waren die Kaugummis. Die linke hintere Tasche war leer, in der rechten steckte nur ihr Handy. Sie durchsuchte auch die Taschen ihres Hoodies – Zigaretten und Feuerzeug. Keine Visitenkarte. »Scheiße«, fluchte sie halblaut, als ihr wieder einfiel, dass sie Hunters Karte in ihrer Wohnung auf dem Küchentresen hatte liegen lassen. »Verfickte Scheiße noch mal.«

Der Fahrer wartete geduldig.

Sie konnte ihn bitten, sie beim PAB abzusetzen, aber bestimmt waren die beiden Detectives, mit denen sie am Nachmittag gesprochen hatte, längst nach Hause gefahren. Sie würde sich an den diensthabenden Polizisten am Empfang wenden müssen. Sie würde ihm erklären, dass sie die Visitenkarte verloren hatte, und er würde sie bitten zu warten. Da er ihr Detective Hunters Handynummer nicht geben durfte, würde er versuchen, ihn zu kontaktieren. Es war Abend. Wenn sie Pech hatte, würde sie stundenlang im PAB herumsitzen.

»Scheiße!« Sie versuchte nachzudenken.

Vielleicht konnte sie Matteo anrufen? Mit dem war sie vor ein paar Monaten auf zwei Dates gewesen. Er wohnte in Toluca Terrace, nicht weit von ihrem jetzigen Standort entfernt. Sie hatte seine Nummer noch in ihrem Telefon gespeichert.

Bist du bescheuert?, schalt sie sich gleich darauf. *Hast du vergessen, was für ein Typ der ist? Soll ich deine Erinnerung auf-*

frischen? Er ist ein totaler Dreckskerl, der dich die ganze Zeit nur schikaniert hat. Willst du so jemandem einen Gefallen schuldig sein?

Außerdem ist er eine Katastrophe im Bett, und wenn du zu ihm gehst, weißt du genau, dass du mit ihm schlafen musst. Bist du wirklich bereit für seinen Mikropenis?

Angela schüttelte sich, um den Gedanken aus ihrem Kopf zu verbannen.

»Also, was ist nun, Lady?«, hakte der Taxifahrer nach. »Soll ich Sie bei der nächsten Polizeidienststelle absetzen?«

»Hmm ...« Angela schaute aus dem Fenster, um zu sehen, ob sie die Gegend wiedererkannte. Kurz zuvor waren sie nach rechts in den West Magnolia Boulevard abgebogen.

»Nein«, sagte sie. »Da war ich schon mal, die können nicht viel tun.« Sie warf einen Blick auf das Taxameter – 21,25 $. »Aber ich habe eine Freundin, die wohnt gleich um die Ecke«, log sie. »Sie können mich einfach hier rauslassen, wenn das okay ist.«

»Sie sind der Boss.« Der Fahrer fuhr neben einem Target-Markt rechts ran. »Sind Sie sicher, dass Sie alleine zurechtkommen, Lady?«

Angela bezahlte ihn. »Ja, es geht schon. Danke.«

Als das Taxi anfuhr, zog Angela den Reißverschluss ihres Hoodies zu, um sich gegen den kalten Wind zu schützen, und schaute sich um.

»Und was jetzt?«, sagte sie laut.

Während sie noch überlegte, klingelte das Handy in ihrer hinteren Hosentasche. Sie fischte es heraus und warf einen Blick auf das Display. Unbekannte Nummer.

Sie nahm das Gespräch an.

»Hallo?«

»Angela?«, kam eine raue Männerstimme aus der Leitung. Angela hatte keine Ahnung, wer es war.

»Ja?«

»Du hast etwas, das mir gehört.«

Angela stockte der Atem, und sie hatte das Gefühl, als würde sich ihr Herzschlag innerhalb eines Augenblicks bis auf Überschallgeschwindigkeit beschleunigen.

»Ich will es wiederhaben.« Die Stimme des Mannes klang ruhig und gefasst und kein bisschen wütend.

Wie kann das sein? Woher kennt er meinen Namen? Wie ist er an meine Nummer gekommen?

»Hast du gehört, was ich gesagt habe?«

Keine Antwort.

»Ich weiß, dass du noch dran bist, Angela. Ich höre dich atmen.« Er wartete einen Moment. »Wenn du das auch weiterhin tun willst – atmen, meine ich –, dann schlage ich vor, dass du mir antwortest. Wo ist mein Tagebuch?«

Angela spürte, wie die Knie unter ihr nachzugeben drohten.

»Ist es in deiner Wohnung?«

Sie wollte antworten, aber ihre Angst war so groß, dass ihre Stimmbänder nicht mal ein winziges »Nein« hervorbrachten.

»Ich mache es dir etwas leichter, Angela. Ich stehe jetzt gerade in deinem Wohnzimmer und schaue auf das Sofa mit der hässlichen Leopardendecke.«

Angelas Herz setzte mehrere Schläge aus. Sie konnte nicht glauben, dass der Mann in ihre Wohnung eingebrochen war.

»Sag mir, wo das Buch ist, dann richte ich keine Unordnung an. Ich nehme es einfach mit, und danach hörst du nie wieder von mir.«

Angela hatte keine Ahnung, was sie tun sollte. Sollte sie die Polizei rufen und einen Einbruch in ihrem Apartment melden? Aber sie bezweifelte, dass der Mann einfach geduldig dort warten würde. Die Cops würden mindestens acht bis zehn Minuten brauchen, bis sie auf ihren Notruf reagierten, außerdem rechnete der Mann höchstwahrscheinlich damit, dass sie die Polizei verständigte. Sie nahm all ihren Mut zusammen, und endlich gelang es ihr zu sprechen.

»Es ist nicht in meiner Wohnung.« Ihre Stimme war kaum hörbar.

Der Mann schwieg.

»Wo ist es dann? Hast du es bei dir?«

»Nein ...«

Der Mann wartete.

»Ich habe es nicht. Nicht mehr.« Angela ging zum Eingang eines Target-Marktes und lehnte sich dort gegen die Wand.

Eine lange Pause trat ein, als warte der Mann darauf, dass Angela ihre Antwort näher ausführte.

»Ich ...« Wieder drohte ihre Stimme zu versagen. »Ich habe es an die Polizei geschickt.«

»Ich rate dir, mich nicht anzulügen.« Der Ton des Mannes war nach wie vor beherrscht. Dass sie die Polizei erwähnt hatte, schien ihn nicht im Mindesten aus der Ruhe zu bringen.

»Tue ich nicht.« Angelas Stimme hingegen war tränenerstickt. »Ich ... es hat mir Angst eingejagt, deshalb hab ich's der Polizei geschickt.«

»Kannst du es zurückholen?«

Diese Frage überraschte Angela. Der Mann schien kein bisschen beunruhigt darüber, dass das LAPD im Besitz seines Tagebuchs war. »Es zurückholen?« Sie schüttelte den Kopf. »Nein, ich glaube nicht.«

»Glaubst du es oder weißt du es?«

Angela ließ sich langsam an der Wand zu Boden sinken und zog die Knie an.

»Ich weiß es. Ich kann es nicht zurückholen. Das geht nicht.«

Mehrere Sekunden verstrichen.

»In dem Fall«, sagte der Mann schließlich, »möchte ich dir vorschlagen, die Zeit, die dir noch auf dieser Erde bleibt, zu genießen, Angela. Denn glaub mir – viel wird es nicht sein.«

Gleich darauf war die Leitung tot.

30

Mittwoch, 9. Dezember

Es war schon fast ein Uhr, als Hunter endlich den Ball verließ. Hätte er die Wahl gehabt, wäre er schon viel früher gegangen. Er brannte darauf, sich das Tagebuch des Mörders vorzunehmen und die restlichen Einträge zu lesen, aber Captain Blake hatte darauf bestanden, dass er erst ging, nachdem Gouverneur Gordon seine Rede gehalten hatte, die für Mitternacht angesetzt war. Danach musste Hunter noch weitere zwanzig Minuten ausharren, ehe Blake ihm endlich die Erlaubnis gab zu verschwinden.

Nächstes Jahr, dachte er, als er ins Auto stieg und den Motor anließ, *mache ich definitiv bei den Weihnachtsmännern mit.*

Die Weihnachtsmänner waren eine Gruppe von zehn Polizisten und Detectives, die sich passend zum Fest verkleidet hatten und auf dem Ball lustige Geschenke und Karten verteilten oder den Gästen Streiche spielten. Auch Garcia war in diesem Jahr ein Teil der Gruppe, und sein Zombie-Weihnachtsmannkostüm war Gesprächsthema Nummer eins. Ohne ihn wäre Hunter vor Langeweile gestorben.

Um diese Uhrzeit dauerte die Fahrt vom Globe Theatre in Downtown L. A. nach Huntington Park nur knapp dreißig Minuten. Zu Hause zog sich Hunter als Erstes etwas Bequemeres an, dann schenkte er sich einen doppelten Kilchoman Sanaig Single Malt Scotch ein und setzte sich an den kleinen Esstisch im Wohnzimmer, der ihm zugleich als Schreibtisch diente. Er schaltete seinen Laptop ein und rief sein Mailprogramm auf. Er konnte es nicht erwarten, das Tagebuch weiterzulesen, doch schon nach kurzer Zeit merkte er, wie ihm die Lider immer schwerer wurden und seine Aufmerksamkeit nachließ.

Hunter litt schon fast sein ganzes Leben lang an Hyposomnie, und bei Verlassen des Balls hatte er fest mit einer schlaflosen Nacht gerechnet. Alle Anzeichen waren vorhanden: die kreisenden Gedanken, der Frust, die Flut von Fragen, auf die er keine Antworten wusste. Normalerweise genügte das, um sein Gehirn die ganze Nacht auf Hochtouren laufen zu lassen, ohne auch nur den Hauch einer Chance auf Ruhe. Er war an solche Nächte gewöhnt und darauf vorbereitet, aber er hatte auch gelernt, dass ihn seine Schlaflosigkeit manchmal – wenn auch sehr selten – aus unerfindlichen Gründen verschonte.

Er hatte seinen Whisky kaum angerührt, die Müdigkeit konnte also nicht vom Alkohol kommen. Er lehnte sich auf seinem Stuhl zurück, schloss die Augen und entspannte sich. Innerhalb von wenigen Sekunden hatte er die Ursache des Gefühls identifiziert: Er war zu Tode erschöpft, ganz einfach. Sein Körper wollte schlafen.

Das Leben mit Hyposomnie hatte Hunter vieles gelehrt. Die wichtigste Lektion war, dass man eine solche Gelegenheit niemals ungenutzt verstreichen lassen durfte. Wenn sich die Möglichkeit auf Schlaf bot, tat man gut daran, sie zu ergreifen.

Er schaltete den Rechner aus, leerte sein Whiskyglas und ging ins Bett.

31

Die Koordinaten für das zweite Grab lagen an einer weit abgelegenen Schotterpiste, die zum Deer Canyon in den Verdura Mountains führte.

Die Grabungen sollten um Punkt sieben Uhr dreißig beginnen, aber weil die Stelle vom Skyline Mountain Way aus schwer zu erreichen war, hatte sich die ganze Operation verspätet ... und zwar erheblich.

Garcia sprach gerade mit einem Kriminaltechniker, als er sah, wie Hunter neben einem der beiden FSD-Vans am Straßenrand parkte.

»Sie brauchen noch mindestens eine Stunde, um die ganze Ausrüstung von den Wagen zur Grabungsstelle zu transportieren«, teilte Garcia ihm mit, als der aus seinem alten Buick LeSabre stieg.

Hunter nickte. »Seit wann bist du schon hier?«

»Seit ein paar Minuten«, antwortete Garcia. »Bevor du kamst, habe ich gerade den Kriminaltechniker gefragt, ob sie schon angefangen haben.«

»Wann bist du denn gestern Abend gegangen?«

Garcia lachte leise. »Du meinst wohl heute Morgen?« Er schüttelte den Kopf. »Nicht lange nach dir. So gegen halb zwei, würde ich sagen.« In dem Moment fiel ihm etwas Ungewöhnliches an seinem Partner auf. »Du siehst irgendwie ... ausgeruht aus«, sagte er leicht verunsichert.

»Bin ich auch«, sagte Hunter und beließ es dabei. Er sah sich um. Der Kriminaltechniker, mit dem Garcia sich zuvor unterhalten hatte, verschwand gerade hinter einigen dichten Sträuchern rechts der Piste. Er schaute auf sein Smartphone. Der Karte zufolge musste die Grabstelle etwa hundert Meter jenseits der Piste im offenen Gelände liegen. Hunter deutete mit dem Kinn auf einen der Vans. »Komm, wir helfen ihnen mit der Ausrüstung.«

Während er und Garcia Sachen aus dem Laderaum holten, klingelte Hunters Handy. Der Anruf kam aus dem Police Administration Building. Hunter nahm ab und lauschte etwa zehn Sekunden lang.

»Was?«, sagte er. »Sie ist da?«

Garcia beäugte seinen Partner neugierig. »Robert, was ist los?«

Hunter bat Garcia, sich einen Moment zu gedulden. »Ja,

klar«, sagte er. »Richten Sie ihr aus, dass ich sie sofort zurückrufe.« Er legte auf.

Garcia stellte ihm noch einmal dieselbe Frage, diesmal allerdings nur mit seinen Blicken.

»Angela ist im PAB«, sagte Hunter und suchte in der Kontaktliste seines Telefons nach ihrer Nummer.

»Jetzt?«

Hunter nickte.

»Warum? Was ist denn los?«

»Das werden wir gleich erfahren.«

Hunter hatte ihre Nummer gefunden und stellte die Verbindung her. Angela nahm den Anruf sofort entgegen.

»Angela, hier ist Detective Robert Hunter. Ich habe gerade einen Anruf bekommen, dass Sie im PA ...« Er hörte kurz zu. »Moment, Moment ... Atmen Sie mal tief durch, und dann erzählen Sie mir alles von vorn. Was ist passiert?«

...

»Und dann?«

...

»Warum sind Sie nicht ...?« Hunter brach ab. Er wusste, dass das Warum und das Wenn im Moment keine Rolle spielten. »Okay, bleiben Sie, wo Sie sind. Ich mache mich sofort auf den Weg. Gehen Sie nirgendwohin, hören Sie? Ich bin in etwa einer halben Stunde bei Ihnen. Halten Sie noch kurz aus.« Er legte auf.

»Was zum Teufel ist da los?«, fragte Garcia.

Hastig berichtete Hunter, was Angela ihm erzählt hatte.

»Dieser Freak war in ihrer Wohnung?« Garcia machte große Augen. »Wie um alles in der Welt hat er ...«

»Carlos«, fiel Hunter ihm ins Wort. »Alles, was ich weiß, ist das, was sie mir eben gesagt hat, und das war nicht viel. Aber ich fahre jetzt los und hole sie ab. Du bleibst hier beim Grabungsteam. So können wir uns gegenseitig immer auf dem Laufenden halten.« Garcia nickte und sah zu, wie Hunter wieder in seinen Wagen sprang und losfuhr.

32

Hunter lag mit seiner Zeitangabe nicht sehr weit daneben, denn er brauchte knapp unter neunundzwanzig Minuten für die Fahrt zum Police Administration Building. In der Tiefgarage parkte er seinen Wagen auf einem der reservierten Stellplätze und rannte dann die Treppen in die Eingangshalle hinauf. Dort sah er Angela sofort. Sie saß in dem großen Wartebereich rechts vom Empfang. Sie trug dieselben Sachen wie am Tag zuvor und hatte abwehrend die Arme verschränkt. Ihre Augen waren halb geschlossen, und ihr Kopf lehnte an der Rückenlehne des Sessels. Sie hatte sichtlich Mühe, wach zu bleiben.

»Angela«, rief Hunter, als er zu der jungen Frau trat.

Der Klang seiner Stimme ließ sie zusammenzucken. Sie schaute zu ihm hoch und blinzelte mehrmals, um ihre Benommenheit abzuschütteln. Aus der Nähe erkannte Hunter, wie erschöpft sie war. Ihre Augen waren gerötet, und die dunklen Ringe darunter sahen aus wie nach einem schweren Make-up-Unfall.

»Geht es Ihnen gut?«, fragte er.

Sie blinzelte weiterhin, bis sich der Schleier der Müdigkeit vor ihren Augen gelichtet hatte. Sie nickte – wenngleich ohne viel Überzeugungskraft.

»Körperlich geht es mir gut, ja«, sagte sie. »Ich bin einfach nur todmüde, weil ich die ganze Nacht nicht geschlafen habe.« Sie streckte sich. »Aber nervlich bin ich ziemlich am Ende.«

»Sitzen Sie schon die ganze Nacht hier?«

Angela schüttelte den Kopf, während sie sich den Schlaf aus den Augen rieb. »Ich konnte nicht zurück in meine Wohnung, und ich wusste nicht, wo ich sonst hin sollte, also habe ich seit etwa ein Uhr in einem Denny's in North Hollywood gesessen. Die haben vierundzwanzig Stunden geöffnet.«

»Wieso haben Sie mich nicht angerufen?«, wollte Hunter wissen.

Angela erklärte ihm, dass sie seine Karte in ihrer Wohnung vergessen hatte.

»Und warum sind Sie dann nicht gleich hergekommen und haben den Kollegen am Empfang gebeten, mich zu kontaktieren? Warum haben Sie damit bis heute Morgen gewartet?«

Angela zuckte wegwerfend mit den Achseln. Sie war viel zu müde, um sich mit solchen Details aufzuhalten.

Hunter bedrängte sie nicht weiter. »Möchten Sie einen Kaffee?«

»Nein danke. Das war alles, was ich mir im Denny's leisten konnte – Kaffee und Wasser. Für heute reicht's mir mit dem Koffein.«

»Haben Sie Hunger? Soll ich Ihnen was zum Frühstück besorgen?«

»Nein, es geht schon. Ich habe mir noch ein paar Pancakes bestellt, ehe ich hergekommen bin.«

»Okay«, sagte Hunter und streckte die Hand aus, um Angela aufzuhelfen. »Warum gehen wir nicht hoch, dann können Sie mir erzählen, was genau gestern Abend passiert ist.«

»Nett«, sagte Angela sarkastisch, kaum dass sie und Hunter das kleine Büro betreten hatten. »Sie beide arbeiten in einem Schuhkarton.«

Wahrscheinlich lag es an ihrer Erschöpfung, dass ihr als Erstes die Größe des Raumes auffiel, nicht die Pinnwand mit den Fotos.

Hunter drehte sie rasch herum, ehe er Garcias Stuhl hinter dessen Schreibtisch hervorholte, damit Angela sich setzen konnte.

»Ganz schön vollgestopft«, sagte sie, um noch einen draufzusetzen. »Wenn Sie einen neuen Gedanken haben wollen, müssen Sie wahrscheinlich raus auf den Flur, weil hier drinnen kein Platz ist.«

»Wir können auch gerne woanders hingehen, wenn Ihnen das lieber ist. Wir können den gleichen Raum benutzen wie gestern.«

»Schon gut.« Angela hob kapitulierend die Hände. »Man wird ja wohl noch einen Witz machen dürfen.« Sie nahm Platz.

»Also, was genau ist gestern Abend vorgefallen?«, fragte Hunter und lehnte sich gegen seine Schreibtischkante. »Fangen Sie am Anfang an.«

Angela rieb sich abermals die Augen, ehe sie Hunter berichtete, was sich zugetragen hatte, angefangen von dem Moment, als sie zum Rauchen nach draußen gegangen war.

Hunter hörte zu, ohne sie zu unterbrechen.

»Wie?«, fragte sie, als sie am Ende ihres Berichts angelangt war. »Wie um alles in der Welt hat dieser Psycho rausgefunden, wo ich wohne? Und wie ist er an meine Handynummer gekommen?«

Diese Fragen ließen auch Hunter keine Ruhe, denn sie bewiesen, dass der Täter noch deutlich erfinderischer war – und über weit mehr Ressourcen verfügte –, als sie ihm bisher zugetraut hatten. Er konnte nur ratlos den Kopf schütteln.

»Ich weiß es nicht, aber haben Sie ihn diesmal besser gesehen?«

»Nur einen winzigen Moment lang«, antwortete Angela. »Er stand an einem Ende vom Flur und ich am anderen ... Im nächsten Moment bin ich schon losgerannt. Wenn Sie eine Personenbeschreibung wollen, vergessen Sie's. Ich kann Ihnen nur sagen, dass er schnell ist. Und groß.«

»Was ist mit dem Anruf? Sie sagten, die Nummer war unterdrückt, richtig?«

»Ja, stimmt.«

»Hätten Sie was dagegen, wenn ich kurz einen Blick auf Ihr Handy werfe?«

Angela entsperrte ihr Smartphone und reichte es an Hunter weiter.

»War das der letzte Anruf, den Sie erhalten haben – bis zu meinem?«

»M-hm.«

Hunter checkte die Anrufliste. Der Anruf von der unbekannten Nummer war um einundzwanzig Uhr neununddreißig eingegangen.

»Warten Sie kurz.« Er griff nach seinem Festnetztelefon und rief Shannon Hatcher, die Leiterin des Rechercheteams der UV-Einheit, an. Er machte sich keine großen Hoffnungen, gab ihr aber trotzdem Angelas Telefonnummer und bat sie, alles über den unbekannten Anrufer herauszufinden.

»Und während des Gesprächs hat er gesagt, dass er sich gerade in Ihrer Wohnung aufhält?«, sagte Hunter, nachdem er Angela ihr Handy zurückgegeben hatte.

»Überrascht Sie das? Meine Wohnungstür hat kein Schloss mehr. Dank Ihnen.«

»Dafür entschuldige ich mich nochmals. Ich nehme an, Sie waren seitdem nicht mehr dort.«

Angela schnaubte. »Tut mir leid, so mutig bin ich nicht.«

»Mit Mut hat das nichts zu tun, Angela, nur mit Klugheit beziehungsweise Dummheit. Nicht zurückzugehen war definitiv klug.«

Abermals griff Hunter nach dem Telefon auf seinem Schreibtisch. Diesmal wählte er die Nummer der Kriminaltechnik und bat darum, ein Team in Angelas Wohnung zu schicken. Wenn der Täter dort nach seinem Tagebuch gesucht hatte, bestand die Möglichkeit, dass er Spuren hinterlassen hatte. Das war die Magie der Forensik. Jeder Mensch hinterließ Spuren, wo auch immer er sich aufhielt. In der Regel merkte er bloß nichts davon.

Obwohl den Fällen der UV-Einheit inoffiziell Vorrang eingeräumt wurde, teilte man Hunter mit, dass zum gegenwärtigen Zeitpunkt keine freien Mitarbeiter zur Verfügung stünden. Sämtliche Kriminaltechniker seien derzeit unterwegs. Wann wieder jemand frei werde, hänge davon ab, wann sie von ihren jeweiligen Tatorten zurückkehrten.

Hunter wusste, dass er nichts tun konnte, um den Vorgang zu beschleunigen. In allen Strafverfolgungsbehörden in den USA war Personalknappheit aufgrund von Etatkürzungen ein großes Problem.

»Ich fahre in Ihre Wohnung und schaue mich dort mal um«, teilte er Angela mit. »Wenn Sie wollen, können Sie mitkommen. Sie dürfen aber auch gerne hierbleiben, wenn Ihnen das lieber ist.«

»Auf keinen Fall sitze ich noch länger hier rum«, verkündete Angela und stand auf. »Ich komme auf alle Fälle mit.«

33

»Wow«, sagte Angela, als Hunter ihr die Beifahrertür seines Wagens aufhielt. »Was für eine alte Rostlaube.«

Hunter war solche Kommentare gewohnt. Sein Buick LeSabre hatte deutlich über zwanzig Jahre auf dem Buckel. Die einstmals silberne Lackierung war schon vor langer Zeit zu einer Art psychedelischem Batikmuster verwittert, und innen roch es nach altem, sonnengegerbtem Leder von den einstmals rabenschwarzen Ledersitzen. Aber Hunter hielt den Innenraum sauber – keine Einwickelpapiere auf dem Boden oder den Sitzen, keine alten To-go-Becher auf dem Armaturenbrett, keine halb aufgegessenen Donuts.

Als sie in nördliche Richtung auf den Santa Ana Freeway auffuhren, rief Hunter Garcia an.

»Carlos, wie läuft es bei euch?«

»Schleppend«, gab Garcia zurück. »Aber die Gerätschaften sind jetzt alle da, wo sie sein sollen. Sie wollen gleich mit dem Graben anfangen. Und bei euch? Wie geht es Angela?«

Hunter gab ihm einen kurzen Bericht. »Ich bin gerade auf dem Weg zu ihrer Wohnung. Leider kommt die Spurensicherung wohl erst deutlich später – falls sie es heute überhaupt noch schafft.«

»In Ordnung. Halt mich auf dem Laufenden.«

Fünf Sekunden nachdem Hunter aufgelegt hatte, klingelte sein Telefon. Es war Dr. Carolyn Hove, die leitende Rechtsmedizinerin von Los Angeles County.

Hunter nahm das Gespräch an, allerdings benutzte er diesmal seine Bluetooth-Kopfhörer statt der Freisprechanlage. »Morgen, Doc.«

»Robert, ich wollte Ihnen nur schnell Bescheid geben, dass ich gerade mit der weiblichen Leiche fertig geworden bin, die wir gestern reinbekommen haben. Die im Zusammenhang mit Ihrer Ermittlung. Aktennummer ...« Hove nannte das fünfzehnstellige Aktenzeichen.

Hunter wusste, dass es um Elizabeth Gibbs' Leichnam ging. Unter denjenigen, die beruflich mit Mordopfern zu tun hatten – erst recht bei Leuten, die so oft und intensiv mit ihnen in Kontakt kamen wie Dr. Hove –, war es gängige Praxis, Aktenzeichen statt Namen zu verwenden. Je größer die persönliche Distanz, desto weniger kamen einem bei der Arbeit die Emotionen in die Quere.

»Obwohl sie über zwei Jahre lang in der Erde lag«, sagte Dr. Hove, »war ein Großteil der inneren Organe noch in recht gutem Zustand, sodass ich wenigstens in Ansätzen eine normale Sektion durchführen konnte.«

»Okay. Und haben Sie irgendwas Ungewöhnliches festgestellt?«

»Nicht wirklich. Nichts, womit Sie nicht schon gerechnet hätten.«

Hunter hörte Seiten rascheln.

»Der Tod erfolgte aufgrund von Sauerstoffmangel – zerebrale Hypoxie durch Ersticken. Ich konnte zwar die inneren Organe des Opfers untersuchen, aber Epidermis und Muskelgewebe waren leider so stark verwest, dass sich nicht mit absoluter Sicherheit feststellen ließ, ob sie gefoltert wurde. Aber es sieht nicht danach aus.«

Hunter schwieg. Er war überzeugt davon, dass Dr. Hove mit dieser Vermutung richtiglag. Elizabeth Gibbs war nicht gefoltert worden. Ansonsten hätte der Täter es in seinen Aufzeichnungen erwähnt, so wie bei Cory Snyder.

»Sexuelle Gewalt?«, fragte er. Aus dem Augenwinkel sah er, wie Angela sich zu ihm umdrehte.

»Nach zwei Jahren in einer Holzkiste ist das unmöglich zu sagen«, lautete Dr. Hoves Antwort. »Trotz des fest verschlossenen Sargs, wie er in Ihrem Bericht beschrieben wird. Wie gesagt, aufgrund des Verwesungsgrades der Epidermis haben sich keine Hämatome erhalten. Innerlich weist der Körper keinerlei Anzeichen gewaltsamer Penetration auf, aber das muss nicht unbedingt etwas heißen. Das ist meistens so, es sei denn, der Täter benutzt einen Gegenstand, der zu inneren Verletzungen und Vernarbungen führt.«

»Okay«, sagte Hunter und nickte.

Wieder Seitenrascheln.

»Viel mehr habe ich nicht zu bieten, Robert.«

»Danke, Doc.« Hunter bog rechts auf den El Camino Real ab. »Leider sieht es ganz danach aus, als würden Sie in dem Fall bald noch einiges an Arbeit mehr bekommen. Carlos und Dr. Slater sind gerade mit einem Team draußen und graben eine zweite Leiche aus. Leider deutet alles darauf hin, dass jeder Fall absolut einzigartig ist.«

»Das sind sie doch immer, Robert.«

»Nein, so meinte ich das nicht, Doc«, ruderte Hunter zurück. »Wir haben es zwar mit einem einzigen Täter zu tun, aber seine Vorgehensweise scheint bei jeder Tat eine andere zu sein. Die Leiche, die die Kriminaltechnik jetzt gerade exhumiert, wurde nicht lebendig begraben.«

»Tja«, meinte Dr. Hove. »Was auch immer Sie finden, ich harre der Dinge, die da kommen.«

Hunter bedankte sich bei ihr und legte auf. Fünfundzwanzig Minuten später hatten sie Angelas Haus in der Colfax Avenue erreicht.

»Sie warten hier«, sagte Hunter, als sie im dritten Stock angekommen waren. »Ich gehe zuerst rein.« Er zog seine Waffe.

Angela zuckte zurück.

»Ist das Ihr Ernst? Glauben Sie, der Psycho sitzt noch in meiner Wohnung und wartet darauf, dass ich zurückkomme?«

»Nein, aber es kann nicht schaden, vorsichtig zu sein.«

Angela sah zu, wie Hunter den Flur entlangging und vor ihrer Wohnungstür stehen blieb, ehe er sie behutsam aufschob.

Drinnen brannte kein Licht, aber die Vorhänge an beiden Wohnzimmerfenstern waren geöffnet, sodass ausreichend Tageslicht in den Raum fiel.

Die Waffe im Anschlag, betrat Hunter die Wohnung.

Er hatte erwartet, sie verwüstet vorzufinden, hatte mit umgestürzten Möbeln, einem Boden voller Trümmer und achtlos weggeworfener Sachen gerechnet.

Doch im Wohnzimmer erwartete ihn nichts dergleichen.

Zu seiner Rechten stand ein altes blaues Sofa. Ein stark abgewetzter Überwurf mit Leoparden-Print lag sauber gefaltet an einem Ende. Hinter dem Sofa befand sich ein hohes Regal, angefüllt mit bunten Gläsern und Schachteln, Topfpflanzen, mehreren Taschenbüchern und vier gerahmten Bildern. Falls der Täter irgendetwas angerührt hatte, konnte man es nicht erkennen.

Auf dem quadratischen Couchtisch aus Glas standen zwei Duftkerzen, daneben lag eine Fernbedienung. Der Fernseher stand auf einer kleinen, zum Bücherregal passenden Konsole auf der anderen Seite des Zimmers.

Hunter machte zwei Schritte nach rechts und beugte den Oberkörper zur Seite, um hinter das Sofa zu schauen – auch dort war alles in Ordnung. Im Zimmer gab es keinen Ort, an dem sich jemand hätte verstecken können, also ging er durch die Tür rechts vom Fernseher weiter in die Küche. Auch dort herrschte, abgesehen vom schmutzigen Geschirr in der Spüle und einigen Töpfen auf dem Herd, keinerlei Unordnung. Die Schränke unter der Spüle waren zu klein, als dass sich jemand darin hätte verkriechen können. Trotzdem schaute Hunter in jeden einzelnen hinein.

Nach Verlassen der Küche durchquerte er abermals das Wohnzimmer und betrat durch die Tür auf der anderen Seite Angelas Schlafzimmer. Im Gegensatz zum Rest der Wohnung war dieser Raum recht unordentlich. Das Bett war nicht gemacht, am Boden und auf dem Bett lagen diverse Kleidungsstücke verstreut. Weitere hingen an einem mannshohen Spiegel, der neben einem begehbaren Kleiderschrank mit zwei hölzernen Türen an der Wand lehnte. Beide Schranktüren standen offen. Im Schrank fand Hunter einige T-Shirts, Blusen, Hoodies und Hosen, größtenteils in Schwarz. Auf dem obersten Regal des Schranks entdeckte er einen durchsichtigen Plastikbeutel mit verschiedenen Perücken. Er musste die Kleider auf den Bügeln nicht beiseiteschieben, um zu wissen, dass sich niemand dahinter verbarg. Am Boden zwischen Spiegel und Wand lagen vier Paar Schuhe auf einem Haufen. Rechts vom Kleiderschrank stand eine kleine Kommode mit einem beweglichen Dreifachspiegel, auf der zahlreiche Schminkartikel und Armbänder lagen.

Er bückte sich, um einen Blick unter das Bett zu werfen. Dort war nichts als ein großer roter Koffer.

Angelas Schlafzimmer verfügte über ein angeschlossenes Bad, das über eine Tür rechts neben dem Bett zugänglich war. Die Tür war angelehnt und versperrte den Blick hinein.

In fünf geräuschlosen Schritten war Hunter dort. Er presste sich mit dem Rücken an die Wand und versetzte der

Tür mit der linken Hand einen kleinen Schubs. Die Angeln waren alt, aber nicht rostig. Die Tür schwang ohne Quietschen auf.

Hunter holte tief Luft, dann machte er mit schussbereiter Waffe eine schnelle Drehung ins Badezimmer hinein.

Ein leichter Geruch von Schimmel und Mehltau stieg ihm in die Nase.

Er schaute nach links – nichts.

Nach rechts – auch nichts.

In dem Moment nahm er aus dem Augenwinkel eine Bewegung wahr, die im Spiegel über dem Waschbecken reflektiert wurde.

Ihm blieb das Herz stehen.

Einen Sekundenbruchteil später hörte er hinter sich ein Geräusch.

34

Alles spielte sich innerhalb eines Sekundenbruchteils ab.

Hunter nahm den Schatten einer Bewegung zu seiner Linken wahr, aber er wusste, dass sie nicht aus dem Innern des Badezimmers kommen konnte. Zwischen Hunter und dem Waschbecken war schlichtweg nicht genug Platz für eine weitere Person. Der Schatten war eine Spiegelung aus dem Schlafzimmer.

Seine Herzrate schoss jäh in die Höhe. Alle seine Sinne waren aufs Äußerste geschärft, während mehr und mehr Blut durch seinen Körper gepumpt wurde.

Sein Überlebensinstinkt übernahm die Führung. Einen Wimpernschlag später hatte er sein Ziel gefunden, und sein Finger krümmte sich um den Abzug.

»Um Gottes willen!«, schrie Angela und machte einen Satz rückwärts. Alle Farbe wich ihr aus dem Gesicht.

Hunter riss die Augen auf und ließ unverzüglich den Abzug los. Im ersten Moment brachte keiner von beiden ein Wort heraus. Schwer atmend starrten sie einander an.

»Haben Sie den Verstand verloren?«, presste Hunter schließlich hervor, ehe er seine Waffe sinken ließ. »Sind Sie lebensmüde?«

»Ich?«, fragte Angela zurück.

»Ja, Sie. Habe ich Ihnen nicht gesagt, Sie sollen draußen warten, bis ich Ihnen sage, dass Sie nachkommen können?«

»Na ja.« Angela tat Hunters Wut mit einem Schulterzucken ab. »Sie haben ziemlich lange gebraucht.«

Hunter atmete aus und wartete, bis seine bis zum Zerreißen gespannten Nerven sich halbwegs wieder beruhigt hatten. »Sie wussten, dass sich ein bewaffneter Polizist in Ihrer Wohnung befindet und nach einem Mörder sucht, der sich irgendwo hier versteckt halten könnte. Und trotzdem hielten Sie es für eine gute Idee, sich anzuschleichen?«

»Ich habe mich nicht angeschlichen. Ich bin einfach nur reingekommen, um zu gucken, weshalb das so lange dauert. Die Wohnung ist nicht besonders groß, falls es Ihnen aufgefallen ist.«

Hunter schüttelte den Kopf. »Ich hätte Ihnen um ein Haar eine Kugel in den Kopf gejagt.«

»Ja«, sagte Angela, noch immer unbekümmert angesichts dessen, was gerade passiert war. »Haben Sie aber nicht. Also können wir vielleicht einfach ...« Sie hielt mitten im Satz inne. Ihr Blick ging an Hunter vorbei zum Duschvorhang hinter der geöffneten Badezimmertür. Ihre Augen wurden schmal, und sie runzelte die Stirn, während sie sich ein kleines Stückchen nach rechts lehnte.

Hunter sah den Ausdruck in ihren Augen, und seine Muskeln spannten sich an. Er wirbelte herum, die Waffe erneut im Anschlag, den Finger am Abzug. Doch Angela hatte keinen Eindringling entdeckt. Sie starrte auf etwas, das durch die Ritze im Duschvorhang zu sehen war.

Hunter lehnte sich ebenfalls leicht zur Seite. Jetzt sah er es auch.

35

Das Grabungsteam der Kriminaltechnik in Burbank benötigte fast vier Stunden, ehe es endlich fündig wurde. Cory Snyders Leichnam war tiefer vergraben worden als der von Elizabeth Gibbs, den Hunter und Garcia zwei Tage zuvor im Deukmejian Wilderness Park exhumiert hatten.

»Doc«, rief Miguel Rodriguez, einer der vier Mitarbeiter, und winkte. »Ich glaube, wir haben hier was.«

Dr. Slater und Garcia traten näher.

Miguel ließ seine Schaufel fallen und schnappte sich stattdessen einen Pinsel, ehe er sich auf die Knie niederließ, um in der Grube vorsichtig ein etwa vierzig mal vierzig Zentimeter großes Stück von Staub zu befreien. Wenige Sekunden später kam eine dicke, schwarze Plastikplane zum Vorschein.

»Ich glaube, da ist was drin eingewickelt.« Er holte ein Skalpell aus seiner Instrumententasche und schnitt vorsichtig ein Loch ins Plastik. Darunter konnte man das untere Ende eines Schienbeinknochens erkennen, dem noch ein wenig Weichteilgewebe anhaftete.

»Definitiv ein Mensch«, sagte Miguel und schnitt mit dem Skalpell eine größere Öffnung in die Plane. Jetzt kam auch der Fußknöchel zum Vorschein, der noch mit dem Schienbeinknochen verbunden war.

Garcia blieb bei der Grabung, bis Cory Snyders Leichnam ausgegraben und zum Abtransport in einen der Vans verladen worden war. Die ganze Aktion dauerte länger als geplant, weil die Leiche im Ganzen vergraben worden war und Dr. Slater Wert darauf legte, dass sie für die kriminaltechnische Untersuchung intakt blieb. Das bedeutete, dass der Leichnam zunächst vollständig freigelegt werden musste, ehe man ihn bergen konnte.

»Ich weiß nicht, ob wir im Labor viel Neues feststellen werden«, teilte sie Garcia mit, während der in sein Auto stieg. »Die Todesursache kennen wir ja bereits, und schon ein Blick auf das Knochenwachstum sagt mir, dass das Opfer noch nicht ausgewachsen war. Das passt zu den Informationen aus dem Tagebuch.«

»Was auch immer Sie rausfinden, wir sind für jede Erkenntnis dankbar, Doc«, erwiderte Garcia.

Während der Rückfahrt ins Police Administration Building rief er Hunter an und nahm mit einigem Erstaunen zur Kenntnis, dass dieser sich immer noch in Angela Woods Wohnung aufhielt.

Statt nach weiteren Einzelheiten zu fragen, beschloss Garcia kurzerhand, selbst einen Abstecher in die Colfax Avenue zu machen.

36

Am Nachmittag war endlich ein zweiköpfiges Team der Spurensicherung verfügbar, das sich Angela Woods Wohnung ansehen konnte. Da es sich nicht um den Tatort eines Mordes handelte, bestand kein Anlass, einen Mediziner mitzuschicken oder eine strenge Tatortsicherung durchzuführen.

Garcia traf kurz nach den Kriminaltechnikern am Ort des Geschehens ein. Im Wohnzimmer war einer der beiden gerade dabei, Fingerabdrücke sicherzustellen. Garcia grüßte ihn mit einem Nicken und warf einen schnellen Blick in die Küche, ehe er zum Schlafzimmer weiterging, wo er Angela mit dem Rücken ans Kopfteil gelehnt auf dem Bett sitzen sah. Sie hatte die Knie angezogen und das Gesicht in den Armen vergraben.

»Alles in Ordnung?«, fragte Garcia besorgt vom Türrahmen her.

Angela hob langsam den Kopf und sah ihn an. Ihre Augen waren gerötet. Garcia konnte nicht sagen, ob das am Weinen lag oder daran, dass sie in der Nacht kaum geschlafen hatte, aber eins erkannte er auf Anhieb: Sie hatte Angst.

»Carlos«, rief Hunter aus dem Badezimmer. »Ich bin hier drin.«

Ohne ein Wort zu sagen, ließ Angela das Gesicht wieder auf ihre Arme sinken.

Garcia richtete seinen Pferdeschwanz und betrat das Bad. Kurz hinter der Schwelle blieb er stehen. »Was ist das denn?«

Hunter stand links von ihm neben dem Waschbecken. Die Toilette befand sich zu seiner Rechten, und direkt vor ihm war die kleine Duschkabine, deren Vorhang vollständig zur Seite gezogen war. In der Kabine stand der zweite Kriminaltechniker und untersuchte behutsam die weißen Fliesen an der Rückwand.

Garcia tauschte einen unbehaglichen Blick mit seinem Partner.

»Das ist von ihm«, sagte der mit einem Nicken. »Als ich ankam, dachte ich erst, dass die Wohnung bestimmt total verwüstet ist, er hat ja nach seinem Tagebuch gesucht ... Aber anscheinend hat er nichts angerührt außer einem Lippenstift von ihrer Kommode.

Garcia wandte sich der weiß gekachelten Duschwand zu.

Der Kriminaltechniker trat zur Seite, sodass er lesen konnte, was darauf geschrieben stand.

Selbst er, der weiß Gott kein Grafologe war, konnte erkennen, dass es sich um dieselbe Handschrift handelte wie im Tagebuch.

Das Mädchen ist schon so gut wie tot. Sie können sie nicht vor mir beschützen. Sie wird für das, was sie getan hat, bezahlen. Sie haben nur noch die Möglichkeit, sich selbst zu retten. Geben Sie mir mein Buch zurück. Lassen Sie mich in Ruhe, dann vergesse ich die ganze Sache. Wenn Sie es nicht tun, wird Ihr Schicksal schlimmer sein als ihres.

Garcia las die Botschaft zweimal, ehe er sich zu Hunter umdrehte.

»Droht dieser Wahnsinnige uns etwa?«

»Sieht ganz danach aus«, gab Hunter zurück.

Garcia schüttelte den Kopf und versuchte, sich einen Reim auf die Situation zu machen. Jetzt verstand er auch, weshalb Angela so verzweifelt und durcheinander aussah.

»Ich nehme an, sie hat das auch gelesen?«

Hunter nickte. »Sie ist einfach in die Wohnung gekommen, ohne auf mein Okay zu warten.« Er hätte ihr niemals erlaubt, die Botschaft zu lesen.

»Und was jetzt?«, wollte Garcia wissen, während er die Botschaft ein drittes Mal las.

»Wir müssen Angela in ein Safehouse bringen. Ich habe bereits bei Captain Blake den entsprechenden Antrag gestellt.«

Das LAPD unterhielt mehrere Schutzwohnungen in und um Los Angeles, die hauptsächlich für Mitglieder des Zeugenschutzprogramms genutzt wurden.

»Für so was ...« Garcia zeigte auf die Botschaft. »... braucht man ganz schön Mumm. Er droht nicht nur Angela, sondern auch den Detectives, die gegen ihn ermitteln.« Wieder schüttelte er den Kopf. »Wer ist der Kerl? Don Corleone?«

»Jemand mit enormer Selbstkontrolle.«

»Selbstkontrolle?« Der Kriminaltechniker in der Dusche hob neugierig den Kopf.

»Ich glaube, der Täter war hier in der Wohnung, als er Angela angerufen hat«, sagte Hunter.

»Und Angela hat ihm gesagt, dass das Tagebuch nicht hier ist«, gab Garcia zurück. »Ich weiß, das hast du mir doch alles erzählt.«

»Richtig. Sie hat ihm gesagt, dass sie es der Polizei übergeben hat. So. Und jetzt stelle ich dir ein paar Fragen.« Hunter hob seinen rechten Zeigefinger. »Wenn du an seiner Stelle wärst und das Risiko auf dich genommen hättest, hierher zu kommen ... Wenn du dich aus der Deckung gewagt hättest, um dein Tagebuch zurückzuholen, und dann erfahren würdest, dass du dich völlig umsonst in Gefahr begeben hast, weil es längst der Polizei übergeben wurde – würdest du das glauben?«

Garcia verzog das Gesicht. »Nein, vermutlich nicht.«

Der Kriminaltechniker stimmte Garcia zu, indem er den Kopf schüttelte.

»Ich auch nicht«, sagte Hunter. »Also wäre mein nächster Schritt ...«

»Die Wohnung zu durchsuchen.«

»Richtig. Und wir haben schon viele Wohnungen gesehen, die auf den Kopf gestellt wurden, weil jemand darin nach etwas gesucht hat. Aber diese hier?«

Garcia nickte. »Es wurde nichts zerstört oder umgeräumt.«

»Was darauf hindeutet, dass er entweder peinlich genau darauf geachtet hat, dass alles genauso bleibt, wie es ist ... Oder aber er hat Angela geglaubt und beschlossen, die Wohnung gar nicht zu durchsuchen.«

Jetzt hatte Garcia verstanden, worauf Hunter mit seiner Argumentation hinauswollte.

»Und das ist noch nicht alles«, fuhr Hunter fort. »Nehmen wir also an, dass er Angela geglaubt hat, als sie behauptete, dass sich das Tagebuch nicht in der Wohnung befindet, weil sie es längst der Polizei übergeben hat. Wie würdest du an seiner Stelle auf so eine Nachricht reagieren?«

»Ich wäre ganz schön wütend.« Die Antwort kam nicht von Garcia, sondern vom Kriminaltechniker.

»Ich auch«, sagte Hunter.

»Ich kenne die Details des Falls ja nicht, aber wenn es so ist, wie Sie gerade beschrieben haben«, der Mann nickte Hunter zu, »dann hätten die meisten Leute die Wohnung wohl trotzdem zerlegt, einfach nur, um ihren Frust loszuwerden.«

»Und doch«, sagte Hunter, »herrscht hier keinerlei Unordnung ... Nichts ist kaputt. Er musste erfahren, dass sich sein Tagebuch in den Händen der Polizei befindet. Sein großes Geheimnis, das er seit Jahren hütet, ist in fremde Hände gelangt. Einfach so.« Hunter schnippte mit den Fingern. »Er war ein Geist – ein sehr aktiver und vorsichtiger Serienkiller, von dessen Existenz bisher niemand etwas ahnte. Und jetzt wird er auf einmal von der Polizei gejagt. Über wie viel Selbstdisziplin muss jemand verfügen, um in so einer Situation nicht durchzudrehen ... um eine derartige Katastrophe mit einer eiskalten Drohbotschaft in Lippenstift abzutun? Das beweist eine unglaubliche Disziplin und Selbstsicherheit. Es ist, wie du gesagt hast ...« Er wandte sich mit einem Nicken an Garcia, ehe er abermals auf die Botschaft an der Wand zeigte. »Er stellt dem LAPD ein Ultimatum. So was sieht man nicht allzu oft.«

In dem Moment klingelte sein Handy. Es war Captain Blake. Sie gab ihm die Adresse vom Safehouse durch, das er angefragt hatte, und erklärte ihm, dass zwei Officer Angela im Wechsel rund um die Uhr bewachen würden.

Nachdem er aufgelegt hatte, wandte er sich an den Kriminaltechniker.

»Die Botschaft wurde bereits fotografiert, richtig?«

»Ja.«

»Könnten Sie mir einen Gefallen tun, und das Ganze abwischen, wenn Sie hier fertig sind?«

»Klar, kein Problem.«

»Ich sage Angela, sie soll eine Tasche packen«, teilte Hunter seinem Partner mit. »Dann bringe ich sie ins Safehouse.«

»Okay.« Garcia nickte. »Ich fahre zurück ins PAB, um den Papierkram für die Grabung fertig zu machen. Es wird sicher spät. Wenn du noch was brauchst, sag einfach Bescheid.«

Als Garcia das Gebäude verließ, bemerkte er den großen Mann nicht, der Zigarette rauchend auf der anderen Straßenseite stand. Der Mann beobachtete, wie Garcia in seinen Honda Civic stieg und wegfuhr. Mit dem Handy machte er ein Foto vom Auto, wobei er darauf achtete, dass das Nummernschild gut zu erkennen war. Etwa vierzig Minuten später sah er auch Hunter und Angela aus dem Gebäude kommen und in Hunters Buick steigen. Die junge Frau hatte eine Tasche dabei.

»Na, willst du verreisen, Angela?«, murmelte der Mann, während er wiederum unauffällig fotografierte. »Und Sie sind bestimmt der, der mein Tagebuch hat. Detective ... Hunter«, sagte er nach einem Blick auf die Visitenkarte, die er aus Angelas Wohnung mitgenommen hatte. »Robert Hunter. Freut mich sehr, Ihre Bekanntschaft zu machen.«

37

Das Safehouse, dessen Adresse Captain Blake Hunter telefonisch durchgegeben hatte, lag in Calabasas einige Meilen nördlich von Malibu. Das Städtchen war bekannt als Tor zu dem beliebten Naherholungsgebiet der Santa Monica Mountains.

Als sie am Golfplatz von Encino vorbeifuhren, griff Angela in ihren Rucksack und holte Handy und Kopfhörer heraus.

»Streamen Sie Musik aus dem Internet, oder haben Sie sie auf Ihrem Handy gespeichert?«, wollte Hunter wissen, als Angela sich den ersten Stöpsel ins Ohr steckte.

»Ich streame.«

»Tut mir leid.« Hunter legte Angela eine Hand auf den Arm, um sie davon abzuhalten, sich auch den zweiten Ohrstöpsel ins Ohr zu stecken. »Das dürfen Sie nicht mehr.«

Angela verzog missmutig das Gesicht. »Was? Warum nicht?«

»Weil wir im Moment noch nicht sagen können, über welche Ressourcen der Mann verfügt. Wir wissen nur, dass er sehr intelligent und findig ist. Außerdem kennt er Ihre Telefonnummer. Es wäre durchaus denkbar, dass er Zugriff auf einen GPS-Tracker oder Ähnliches hat.«

Angela dachte über Hunters Erklärung nach. »GPS-Tracking kann doch nicht so einfach sein – jedenfalls nicht, wenn es um ein fremdes Handy geht. Sonst würde doch jeder eifersüchtige Ehemann ... oder jede eifersüchtige Ehefrau ... oder was auch immer ... Ich meine nur, dann würden es doch *alle* machen. Die ganze Welt würde im Chaos versinken.«

»Sie haben recht. So einfach ist es auch nicht«, räumte Hunter ein. »Man braucht einiges an Technik dafür, aber ich will lieber kein Risiko eingehen.«

»Heißt das jetzt, dass ich mein Handy gar nicht mehr benutzen darf? So lange, bis das alles hier vorbei ist?«

»Das Handy können Sie schon benutzen«, sagte Hunter, dem Angelas Frust nicht entgangen war. »Bloß die SIM-Karte nicht. Eigentlich wäre es das Beste, wenn Sie es ausschalten.«

»Sie wollen mich verarschen, oder?«

Hunter legte den Kopf schief. »Leider nicht.«

»Na, super.« Angela zog sich die Ohrstöpsel aus den Ohren und ließ sich tiefer in ihren Sitz sinken. Nichtsdestotrotz gehorchte sie und zeigte Hunter danach ihr ausgeschaltetes Handy. »So, bitte sehr. Es ist aus, sehen Sie?«

Hunter nickte, aber leider war das noch nicht genug. »Jetzt müssen Sie mir noch Ihre SIM-Karte geben.«

»Auf gar keinen Fall.« Angela verzog den Mund zu einem schiefen Lächeln. »*Jetzt* verarschen Sie mich aber.«

»Es dient zu Ihrem Schutz, Angela. Wenn Sie wirklich nur Musik hören wollen, kann ich Ihnen morgen ein Tablet besorgen.«

»Gibt es da, wo wir hinfahren, denn Wlan?«

»Bestimmt.«

Angela schüttelte sichtlich verärgert den Kopf. »Das Ganze geht mir schon jetzt total auf die Nerven.« Sie öffnete das Handschuhfach und kramte darin herum auf der Suche nach etwas, womit sie ihre SIM-Karte aus dem Handy entfernen konnte. Nach einer Weile fand sie eine Büroklammer, die sie aufbog und in die Öffnung des Entriegelungsmechanismus steckte. »Hier«, sagte sie wenig später und reichte Hunter das winzige Stückchen Plastik. »Sind Sie jetzt zufrieden?«

Hunter versuchte ihre patzige Art zu ignorieren und ließ die SIM-Karte in seiner Jackentasche verschwinden. »Soll ich Ihnen dann ein Tablet besorgen oder nicht?«

»Kann ich heute schon eins kriegen?«

»Dürfte schwierig werden, aber ich kann es versuchen. Falls es nicht klappt, habe ich auf jeden Fall morgen eins für Sie.«

Angela schürzte die Lippen und vergrub sich wieder in ihrem Sitz. Die nächste Stunde starrte sie mit finsterer Miene aus dem Fenster.

»Moment mal«, sagte sie irgendwann und warf Hunter einen fragenden Blick zu. »Hier waren wir doch schon mal. Ich erkenne das Haus da wieder.« Sie deutete auf ein kantiges Architektenhaus, an dem sie soeben vorbeigefahren waren.

»Ja, Sie haben recht.«

»Haben Sie sich verfahren?«

»Nein, ich befolge nur das Protokoll.«

»Für den Fall, dass uns jemand folgt?«, fragte Angela halb erstaunt, halb furchtsam. Hastig drehte sie sich in ihrem Sitz herum und spähte durch die Heckscheibe auf die Straße.

»Genau«, sagte Hunter. »Für den Fall, dass uns jemand folgt. Aber Sie können beruhigt sein. Uns folgt niemand.«

»Und woher wissen Sie das so genau?«

»Weil ich nach Verfolgern Ausschau halte, seit wir losgefahren sind. Wir sind schon seit über einer Stunde unterwegs. Wenn uns jemand folgen würde, hätte ich es bemerkt.«

»Sie sind ja ganz schön von sich überzeugt. Was, wenn Sie einen Fehler gemacht oder was übersehen haben?«

»Habe ich nicht, vertrauen Sie mir. Ich mache das nicht zum ersten Mal.«

Hunter sagte dies in derart energischem Ton, dass Angela das Thema fallen ließ. Allerdings schaute sie von da an jede Minute in den Seitenspiegel oder drehte sich nach hinten, um Ausschau zu halten.

Knapp zwei Stunden nachdem sie in Studio City losgefahren waren, hielt Hunter endlich in der Einfahrt eines kleinen, aber sehr geschmackvollen, im mexikanischen Stil erbauten grünen Hauses, das ganz am Ende einer kleinen Wohnstraße in einer Sackgasse lag.

»So, da wären wir«, verkündete er, als er den Motor ausschaltete.

Mit kritischem Blick musterte Angela das Haus.

Es hatte einen gepflegten Vorgarten, in dem mehrere Zitronenbäume standen. Die leuchtend rote Haustür bildete einen hübschen Kontrast zur avocadogrün gestrichenen Fassade und zu dem Dach aus Terrakotta-Ziegeln. Insgesamt machte das Haus einen einladenden und behaglichen Eindruck.

»Wie lange muss ich hierbleiben?«, wollte Angela wissen.

»Ich will ehrlich zu Ihnen sein, Angela«, sagte Hunter. »Ich habe keine Ahnung. Hoffentlich nicht allzu lange, aber im Moment kann ich Ihnen noch keinen Zeitrahmen nennen.«

»Na toll«, brummte sie und machte Anstalten, die Beifahrertür zu öffnen.

»Warten Sie kurz.« Hunter hielt sie zurück und deutete auf zwei Männer, die auf der anderen Straßenseite in einem schwarzen Cadillac ATS saßen.

Angelas Blick folgte Hunters ausgestrecktem Arm.

»Wer sind die?«, fragte sie unruhig.

»Die Kollegen von der SIS. Sie werden für Ihren Schutz sorgen. Sie sind die Besten der Besten, bei denen sind Sie in guten Händen. Aber bevor ich mit Ihnen reingehe, müssen wir erst mal das Haus überprüfen.«

Die Special Investigation Section, kurz SIS, war eine taktische Eliteeinheit des LAPD, die in erster Linie für verdeckte Überwachung und Observierungen eingesetzt wurde. Jedes Mitglied der Einheit hatte eine spezielle Nahkampfausbildung absolviert und war darüber hinaus ein exzellenter Schütze.

»Das Haus überprüfen?« Angela legte die Stirn in Falten. »Ich dachte, es ist ein Safehouse.«

»Ist es auch«, gab Hunter zurück. »Aber es gibt ein Sicherheitsprotokoll, das müssen wir befolgen. Es dauert auch nicht lange.«

Als Hunter ausstieg, folgten die beiden SIS-Officer seinem Beispiel. Sie zeigten ihm ihre Dienstausweise und stellten sich als James Martin und Darnel Jordan vor.

Martin war ungefähr eins fünfundachtzig groß, mit kurzen schwarzen Haaren und Dreitagebart. Seine Lider schienen permanent auf halbmast zu hängen, was seinem Blick etwas latent Bedrohliches verlieh, auch wenn sein längliches Gesicht, das Grübchen am Kinn und die braunen Augen durchaus sympathisch wirkten.

Jordan war etwas größer als sein Kollege, ein Afroamerikaner mit der Statur eines Schwergewichtsboxers. Seine Arme waren so dick wie bei anderen Menschen die Beine, und seine Oberschenkel sahen aus wie Baumstämme. Er hatte eine tiefe, samtene Stimme. Falls er jemals beschließen sollte, dem Polizeidienst den Rücken zu kehren, konnte er als Sprecher für Dokumentationen oder Animationsfilme anfangen.

Jordan blieb draußen beim Wagen, während Hunter und Martin ins Haus gingen.

Das Wohnzimmer war groß und hell, mit alten Deckenbalken und unverputzten Ziegelwänden. Neben einem halb leeren Bücherregal stand ein großes rotes Ecksofa mit zwei dazu passenden Sesseln. Gegenüber der Sitzgruppe hing ein Fernseher an der Wand. Die Küche war modern gehalten, eine Mischung aus Chrom und Glas, dazu gab es noch einen Esstisch aus Holz für vier Personen. Von der Küche aus führte eine große Glastür in einen idyllischen Garten, der durch hohe Bäume vor neugierigen Blicken geschützt war. Das Haus verfügte über zwei Schlafzimmer, beide recht geräumig, zu denen man über einen kurzen Flur am nördlichen Ende des Wohnzimmers gelangte. Im größeren der beiden Schlafzimmer standen ein Doppelbett, ein großer Kleiderschrank sowie ein alter Sessel. Das andere Schlafzimmer war mit zwei Einzelbetten und einem Schrank möbliert. Das ebenfalls sehr geräumige und weiß-blau geflieste Bad befand sich am Ende des Flurs.

Während Hunter sich drinnen umsah, nahm Martin sich den Garten vor.

»Draußen ist alles sicher«, meldete er, als er und Hunter wieder in der Küche zusammentrafen.

Draußen auf der Straße machte Hunter alle miteinander bekannt, doch Angela würdigte ihre beiden Beschützer keines Blickes. Während die beiden Männer ihre Ausrüstung aus dem Kofferraum des Cadillacs holten, ging Hunter mit ihr ins Haus.

»Sie kriegen das größere Zimmer«, teilte er ihr mit und zeigte ihr das Schlafzimmer.

Angela nahm kaum Notiz von den Räumlichkeiten. Sie ließ einfach nur ihre Tasche auf den Boden fallen und warf sich aufs Bett.

»Es sind nicht viele Lebensmittel im Haus«, sagte Hunter, der an der Tür zum Schlafzimmer stehen geblieben war. »Deshalb fahre ich schnell noch einkaufen und besorge ein paar Dinge. Haben Sie irgendwelche Wünsche?«

»Mir egal«, sagte Angela. Sie hatte die Hände hinter dem Kopf verschränkt und starrte an die Decke.

»Wir können auch eine Pizza bestellen oder was immer Sie mögen.«

Angela zuckte lediglich mit den Schultern.

Hunter rieb sich die Stirn. »Angela, ich weiß, dass die Situation alles andere als ideal ist. Mir ist klar, dass Sie lieber nicht hier wären. So geht es jedem von uns, aber leider sind die Dinge so, wie sie sind. Wir können nichts an der Situation ändern, wir können sie nur akzeptieren. Glauben Sie mir, ich war auch schon mal in Ihrer Lage. Das Beste ist, einfach weiterzumachen, so gut es eben geht, und sich nicht unterkriegen zu lassen.« Er hob die Schultern. »Sämtliche Kosten werden übernommen. Sie können alles haben, was Sie möchten, die Rechnung geht aufs LAPD – Torte, Pizza, Hühnchen, Salat, Shakes ... was auch immer. Wenn ich Ihnen also einen Rat geben darf: Lassen Sie es krachen.«

»Wie wäre es mit einem Sixpack Bier und ein paar Flaschen Wein?« Endlich bequemte sich Angela, Hunter anzusehen.

Hunter presste die Lippen zu einem dünnen Strich zusammen. »Ein Bier könnte ich Ihnen besorgen, aber mehr ist nicht drin.«

»Wieso nicht?«

»Weil Sie von einem Bier nicht betrunken werden.«

»Tja, ich habe heute Abend aber nichts Besseres vor. Ich kann ja nicht mal Musik hören.«

»Es gibt einen Fernseher im Wohnzimmer«, erwiderte Hunter. »Und ein Radio in der Küche, das können Sie jederzeit mit ins Schlafzimmer nehmen. Wenn ich gleich einkaufen fahre, bringe ich Ihnen auch noch ein paar Bücher und Zeitschriften mit.«

»Warum darf ich nichts trinken?« Angela ließ nicht locker. »Ich will mich ja nicht abschießen, das mache ich sowieso nie. Aber ein bisschen Alkohol hilft mir beim Einschlafen.«

»Erstens ist das ganz offiziell verboten«, antwortete Hunter. »Und zweitens ist es wichtig, dass Sie jederzeit im Vollbesitz Ihrer geistigen Kräfte sind – für den Fall, dass wir Sie schnell von hier wegbringen müssen.«

Angela riss die Augen auf. »Ist das Ihr Ernst? Wir sind doch gerade erst angekommen.«

»Ich sage ja auch gar nicht, dass dieser Fall eintreten wird, Angela, aber es ist unsere Aufgabe, für jede Eventualität gerüstet zu sein.« Hunter hielt inne und warf einen Blick auf seine Armbanduhr. »Also, was außer einer Dose Bier soll ich denn sonst noch für Sie einkaufen?«

»Mir egal. Ich habe sowieso keinen Appetit.«

Das wird sich schon noch ändern, dachte Hunter. »Okay, dann bringe ich Ihnen erst mal ein paar Snacks mit. Wenn Sie später noch eine Pizza bestellen möchten, müssen Sie sich einfach nur an James oder Darnel wenden, die erledigen das dann für Sie. Von dem einen Bier abgesehen, trinken Sie lieber Cola, Saft oder was anderes?«

»Mir egal.«

Hunter hatte das Gefühl, dass Angela ihnen die Sache nicht einfach machen würde.

Plötzlich legte sie die Stirn in Falten und kniff die Augen zu zwei schmalen Schlitzen zusammen, ehe sie sich hastig im Bett aufsetzte.

»Sie haben gesagt, ich kann bestellen, was ich will, und das LAPD zahlt, richtig?«

»Ja, das ist richtig.«

»Darf ich rauchen? Ist das erlaubt?«

Hunter dachte kurz nach. »Ich wüsste nicht, was dagegen-spräche.«

»Genial.« Diese Nachricht schien sie endlich ein bisschen aufzuheitern. »Dann bringen Sie mir zehn Schachteln Zigaretten mit.«

»Zehn?« Hunter glaubte sich verhört zu haben.

»Ich rauche ziemlich viel«, log Angela. »Und Sie haben mir selbst gesagt, ich soll es krachen lassen. Ich befolge nur Ihren Rat.«

Hunter hatte keine Lust auf weitere Diskussionen. »Von mir aus. Also zehn Schachteln. Bevorzugen Sie eine bestimmte Marke?«

»Marlboro Smooth, bitte.«

Im Wohnzimmer teilte Hunter den beiden SIS-Männern, die gerade ihre Überwachungstechnik installiert hatten, mit, dass er für Angela zum Einkaufen fahren würde, und fragte sie, ob sie auch etwas wünschten. Beide verneinten.

Draußen stieg Hunter in seinen Wagen und setzte rückwärts aus der Einfahrt. Auf dem Weg zum Haus waren sie an einigen Läden vorbeigekommen, unter anderem auch an einem großen Walmart. Dort kaufte er eine Auswahl verschiedener Snacks, mehrere Fertigmenüs für die Mikrowelle, eine große Flasche Cola, zwei Flaschen Saft, eine Dose Bier und Angelas Zigaretten. Der Einkauf dauerte etwa fünfundzwanzig Minuten.

Gerade als er wieder in die Einfahrt einbog, klingelte sein Handy – unbekannter Teilnehmer.

»Detective Hunter«, meldete er sich. »UV-Einheit.«

»Hallo, Detective.« Die Männerstimme am anderen Ende klang trocken, heiser und monoton.

Hunter kannte sie nicht.

»Sie haben was, das mir gehört.« Eine kurze, aber spannungsgeladene Pause folgte. »Ich brauche es zurück.«

38

Der Killer hatte Mumm. Das musste Hunter ihm lassen.

Rasch tippte er auf das Symbol der Aufnahme-App, die er auf seinem Smartphone installiert hatte.

»Haben Sie gehört, was ich gesagt habe, Detective? Ich brauche mein Tagebuch zurück.«

Die Stimme klang natürlich und unverfälscht. Hunter konnte keinen Pitchshifter und keine elektronische Verzerrung wahrnehmen, noch schien der Anrufer seine Stimme in irgendeiner Weise zu verstellen.

»Ja, ich habe Sie gehört«, antwortete er ruhig. »Sie können es jederzeit wiederhaben. Kommen Sie einfach im Police Administration Building vorbei, dann gebe ich es Ihnen.«

»Ich fürchte, das wird nicht möglich sein, Detective.« Abermals eine kurze Pause. »Stattdessen werden Sie meine Anweisungen befolgen, wie die Übergabe stattzufinden hat. Wenn Sie das tun, wird nur das Mädchen sterben. Wenn nicht ... sind Sie als Nächster dran.«

Hunter blinzelte.

Hatte dieser Mann ihm gerade allen Ernstes mit dem Tod gedroht?

Die Kühnheit des Mannes machte ihn sprachlos, aber zugleich war sie auch faszinierend. Er wollte unbedingt hören, was der Mann sonst noch zu sagen hatte.

»Ihre Anweisungen befolgen?«, wiederholte er ohne eine Spur von Sarkasmus.

»Richtig.«

»Okay«, sagte Hunter und lehnte sich im Fahrersitz zurück. »Und wie genau möchten Sie Ihr Tagebuch wiederhaben? Wie lauten die Anweisungen, die ich befolgen soll?«

»Sobald Sie das Buch in Ihrem Besitz haben«, sagte der Mann, »melde ich mich wieder bei Ihnen, dann kriegen Sie weitere Instruktionen.«

»Wie kommen Sie darauf, dass ich es nicht bei mir habe?«, fragte Hunter.

»Ich bin nicht dumm, Detective.« Der Mann hatte offenbar kein Bedürfnis, weitere Erklärungen abzugeben. »Ich gebe Ihnen bis morgen Punkt siebzehnhundert Zeit, um das Tagebuch in Ihren Besitz zu bringen. Tragen Sie immer Ihr Telefon bei sich.«

Hunter zog die Augenbrauen hoch, doch ehe er Gelegenheit hatte, noch etwas zu erwidern, war die Leitung tot.

Eher aus Gewohnheit rief er danach unverzüglich in der Technical Investigation Division des LAPD an und bat dort um eine Standortbestimmung des Anrufers. Große Hoffnungen machte er sich nicht. Nach nicht mal einer halben Minute erhielt er die Antwort, mit der er bereits gerechnet hatte.

»Tut mir leid, Detective, der Anrufer hat ein Prepaid-Handy benutzt, das entweder keinen GPS-Chip besitzt oder bei dem der GPS-Chip deaktiviert wurde.«

Die nächste Minute lang saß er regungslos in seinem Wagen und ließ sein Gespräch mit dem Mörder noch einmal Wort für Wort Revue passieren.

»Alles in Ordnung?«, erkundigte sich Jordan, der aus dem Haus gekommen war und, die rechte Hand hinter dem Rücken verborgen, auf Hunters Buick zuhielt.

Hunter wusste, wie gut die SIS war. Bestimmt hatten sie vorne und hinten am Haus Überwachungskameras angebracht und Hunter kommen sehen, lange bevor er in die Einfahrt eingebogen war.

Hunter öffnete die Fahrertür und stieg aus. Dann spähte

er besorgt die Straße hinunter. In ihm regten sich erste Zweifel.

Ja, er hatte sich streng ans Sicherheitsprotokoll gehalten und während der Fahrt darauf geachtet, dass ihnen niemand folgte. Er hatte eine Kombination verschiedener Techniken angewandt, um etwaige Verfolger abzuschütteln, außerdem hatte er mehrere Umwege genommen, sodass aus einer eigentlich vierzigminütigen Fahrt zwei Stunden geworden waren. Und er hatte alle paar Minuten in den Rückspiegel geschaut. Wäre ihnen jemand gefolgt, hätte er es bemerkt, erst recht während einer so langen Fahrt. Er war sich absolut sicher.

Instinkt und Erfahrung sagten ihm, dass er nichts zu befürchten hatte, aber das Timing des Anrufs sowie die Tatsache, dass der Anrufer so ruhig geklungen hatte, gaben ihm zu denken. Was, wenn er doch einen Fehler gemacht hatte? Was, wenn der Mörder Angelas Wohnhaus observiert und nur darauf gewartet hatte, dass das LAPD kam – denn er hatte gewusst, dass sie früher oder später kommen würden. Wenn dem so war ... wenn der Killer gesehen hatte, wie Hunter und Angela losgefahren waren ... was hätte ihn daran gehindert, ihnen bis hierher zu folgen?

Nein. Hunter hätte jeden Verfolger abgeschüttelt. Davon war er überzeugt.

»Detective?«, sagte Jordan erneut. »Ist alles in Ordnung?« Instinktiv nahm er sich ein Beispiel an Hunter und ließ ebenfalls den Blick in die Runde schweifen. »Fürchten Sie, Ihnen könnte jemand gefolgt sein? Glauben Sie, wir sind nicht mehr sicher?«

Noch immer mit dem Blick ans Ende der Straße gerichtet, schüttelte Hunter langsam den Kopf.

»Nein«, sagte er entschieden.

»Die Bedrohung gegen die Frau im Haus«, sagte Jordan. »Reden wir da von einer Einzelperson oder einer Organisation?«

Hunter wusste, weshalb Jordan diese Frage gestellt hatte. Beim Zeugenschutz ging es meistens um Leute, die gegen das organisierte Verbrechen aussagten.

»Der bisherigen Beweislage nach handelt es sich um eine Einzelperson«, gab Hunter Auskunft.

Jordan kannte Hunter nicht persönlich, hatte jedoch von den Erfolgen des Detectives und vom Ruf der UV-Einheit gehört. Hunter war nicht als ein Mann bekannt, der viele Fehler machte.

»Ihre Entscheidung, Detective«, meinte er nach einer Weile. »Aber wenn Sie auch nur den geringsten Zweifel haben, dass das Haus kompromittiert sein könnte, müssen wir die Zeugin verlegen. Sie wissen genau, dass wir kein Risiko eingehen dürfen.«

Hunter ging die Fahrt von Angelas Wohnung bis zum Safehouse noch einmal im Kopf durch.

Er war sicher, dass ihnen niemand gefolgt war. Mehr noch: Nicht ein einziges Mal während der gesamten Fahrt hatte ihn ein ungutes Gefühl beschlichen. Nicht ein einziges Mal war ihm ein verdächtiges Fahrzeug aufgefallen. Nicht ein einziges Mal hatte er dasselbe Fahrzeug zweimal gesehen.

»Nein«, sagte er noch nachdrücklicher als zuvor. »Das Haus ist sicher. Wir bleiben hier.«

39

Angela lag immer noch auf dem Bett und starrte an die Decke, als Hunter in der Tür zum Schlafzimmer auftauchte.

»Und? Schon Hunger?«, fragte er und lehnte sich gegen den Türrahmen.

»Eigentlich nicht. Aber ich könnte eine Zigarette und ein Bier vertragen.«

Sie ließ den Kopf sinken und sah Hunter an. Der hielt eine Stange Zigaretten in der rechten und eine Dose Bier in der linken Hand.

»Ich dachte mir schon, dass Sie die hier als Erstes haben wollen.«

Angela schwang die Füße über die Bettkante und setzte sich auf. »Kann ich hier drinnen rauchen?«

»Leider nicht, aber nach hinten raus gibt es einen kleinen Garten.« Hunter deutete mit einer Kopfbewegung nach links. »Durch die Küche. Er ist von hohen Bäumen eingefasst, niemand kann rein- oder rausschauen.«

Angela ging zu Hunter, der ihr die Zigaretten und das Bier reichte. »Dann darf ich also rausgehen?«

»Sicher, solange jemand bei Ihnen ist.«

»O Mann.« Angela fischte eine Zigarettenschachtel aus der Verpackung und warf den Rest der Stange aufs Bett. »Wenn ich pinkeln gehen will, brauche ich dann auch einen Aufpasser?«

»Angela.« Hunter hielt sie fest, als sie sich an ihm vorbeidrängen wollte. Er neigte nicht dazu, anderen Menschen Moralpredigten zu halten, aber es war wichtig, dass sie ruhig und fokussiert blieb. »Ich verstehe Ihren Unmut. Sie müssen hier mit einem Mangel an Privatsphäre klarkommen, den Sie nicht gewohnt sind. Das ist nicht einfach, ich weiß. Aber Sie müssen sich zusammenreißen.«

Hunters strenger Ton überraschte Angela. Sie wich einen Schritt zurück und funkelte ihn böse an.

»Wie ich vorhin bereits sagte: Ich kann nachvollziehen, dass dies eine schwierige Situation für Sie ist, aber Sie sollten sich bewusst machen, dass es einzig und allein darum geht, Sie zu beschützen.« Er machte eine kurze Pause. »Ihre abweisende Haltung ist verständlich. Das ist Ihre Art, mit der Angst und der Wut umzugehen – aber wissen Sie was? Es ist völlig okay, Angst zu haben. Es ist völlig okay, wütend zu sein. Keiner hier wird Sie deshalb verurteilen. Wir wollen Ihnen nur helfen. Bitte vergessen Sie das nicht.«

Das Funkeln in Angelas Augen erlosch. Jetzt wirkte sie zerknirscht.

»Tut mir leid«, murmelte sie nach längerem Schweigen. Ihre Stimme war ein bisschen wacklig, aber sie schien es ernst zu meinen. »Ich weiß, dass Sie mich nur vor den Konsequenzen meines eigenen dämlichen Handelns bewahren wollen.« Erneut sah sie Hunter an. In ihren Augen schimmerten Tränen. »Sie haben recht. Mit dieser rotzigen Art will ich eigentlich nur verbergen, was für einen Schiss ich habe ... und wie wütend ich auf mich selber bin.« Auf einmal klang sie heiser. »Seit der Sache mit meinem Bruder habe ich ständig das Gefühl, am Abgrund zu stehen, und um nicht reinzufallen, muss ich die Schmerzen und die Angst und die Wut irgendwie wegdrücken.« Sie wandte den Blick ab. »Die Wahrheit ist ... ich habe andauernd Angst. Es tut weh, die ganze Zeit. In mir drin ist nichts als Trauer, Schmerz und Einsamkeit.«

Jetzt konnte Angela ihre Tränen endgültig nicht mehr zurückhalten.

Hunter versuchte nicht, sie zu trösten. Manchmal half es am besten, wenn man seine Angst und seinen Zorn einfach rausließ. Wortlos bot er ihr ein Taschentuch an.

Angela konnte nicht wissen – und sie würde es auch nie erfahren –, dass es Hunter ganz ähnlich ging.

»Verdammt«, schniefte sie, während sie sich mit dem Taschentuch die Wangen abwischte. »Jetzt brauche ich wirklich eine Kippe.«

Hunter kam mit nach draußen.

Im Garten setzten sie sich auf den Rand der hölzernen Veranda, die von der Küchentür auf eine kleine Rasenfläche hinausführte.

Angela steckte sich eine Zigarette an und zog daran, als

hinge ihr Leben davon ab. Sie stieß den Rauch durch die Nase wieder aus, dann hielt sie Hunter die Schachtel hin. Der lehnte ab. Sie öffnete ihre Bierdose und trank einen großzügigen Schluck.

»Ich hätte Sie bitten sollen, Wodka mitzubringen«, sagte sie und lächelte.

Hunter lächelte ebenfalls.

»Hier«, sagte sie und bot ihm die Dose an. »Trinken Sie auch einen Schluck.

»Nein danke.«

»Kommen Sie schon«, beharrte sie. »Ich weiß, dass Sie im Dienst sind, aber von einem Schluck werden Sie doch nicht gleich betrunken. Außerdem macht es keinen Spaß, allein zu trinken.«

»Das stimmt«, pflichtete Hunter ihr bei und blickte in den sternenübersäten Himmel. Mehr sagte er nicht.

»Echt nicht?«, hakte Angela nach. »Nicht mal ein Schlückchen?«

Hunter schwieg.

»Okay ... dann bleibt umso mehr für mich.«

Hunter merkte, dass Angela wieder ihre Abwehrhaltung einnahm. Noch einmal setzte sie die Bierdose an die Lippen, dann zog sie an ihrer Zigarette. Hunter sah zu, wie der Rauch in der abendlichen Brise tanzte.

»Ich muss Sie was fragen«, sagte er, weil der Anruf des Mörders ihn nach wie vor beschäftigte.

»Okay.«

»Als Sie mit dem Mann gesprochen haben, dem Sie das Tagebuch gestohlen haben ...«

»Sie meinen den *Killer*, der hinter mir her ist?«, fiel sie ihm ins Wort.

»Ja«, räumte Hunter ein. »Als Sie mit ihm telefoniert haben, hat er Sie nach dem Buch gefragt, und Sie haben ihm erklärt, dass Sie es der Polizei übergeben hätten.«

»Ja, so war's.«

»Wissen Sie noch, ob Sie ihm gegenüber erwähnt haben, dass Sie das Buch bei Dr. Slater in den Briefkasten geworfen haben?«

Noch ein Schluck aus der Bierdose, noch ein Zug an der Zigarette. »Nein, glaube nicht.«

Hunter wartete eine Sekunde ab. »Glauben Sie das nur, oder wissen Sie es?«

Sie sah ihn aus schmalen Augen an.

»Angela, es ist sehr wichtig.«

Als sie mit ihrer Zigarette fertig war, fiel ihr die Botschaft in ihrer Dusche wieder ein, und sie spürte, wie es sie kalt überlief. »Denken Sie, er könnte es auf sie abgesehen haben?«

Hunter sah keinen Grund zu lügen.

»Falls Sie ihm gegenüber ihren Namen erwähnt haben, halte ich das für sehr wahrscheinlich. Die Tatsache, dass er es jetzt mit dem LAPD zu tun hat, scheint ihn überhaupt nicht zu jucken. Im Gegenteil, es stachelt ihn irgendwie sogar an. Deshalb versuchen Sie bitte, sich genau zu erinnern, was Sie am Telefon zu ihm gesagt haben. Ich muss unbedingt wissen, ob Sie ihren Namen erwähnt oder sonst etwas über das FSD-Labor gesagt haben. Es ist wirklich wichtig. Selbst der kleinste Nebensatz könnte ihm einen Hinweis darauf liefern, dass Dr. Slater sein Tagebuch gesehen hat. Können Sie sich noch an den exakten Wortlaut des Gesprächs erinnern?«

»Ich habe Ihnen doch schon alles erzählt.«

»Ich weiß. Aber vielleicht fällt Ihnen jetzt ja noch etwas ein, was Sie beim ersten Mal in der Aufregung vergessen haben«, beharrte Hunter.

Angela steckte sich die nächste Zigarette an.

Dann ging sie die gesamte Unterhaltung mit dem Killer noch einmal im Kopf durch, von dem Moment an, als kurz nach dem Aussteigen aus dem Taxi ihr Telefon geklingelt hatte, bis zum Ende. Sie konnte sich noch an jedes Wort erinnern.

Hunter wartete.

»Nein«, sagte sie schließlich mit einem energischen Kopfschütteln. »Ich habe nichts über Dr. Slater oder das Labor gesagt. Ich habe ihm nur gesagt, dass ich das Tagebuch an die Polizei geschickt habe. Und er hat mir gesagt, dass ich dafür büßen werde.« Ihre Stimme drohte zu brechen.

»Ist schon gut, Angela.« Hunter legte ihr tröstend eine Hand auf die Schulter. »Sie machen das großartig.«

Hoch über ihren Köpfen flog ein Flugzeug vorbei, und Angela starrte eine Zeit lang zu den blinkenden Lichtern empor.

»Macht es Ihnen was aus, wenn ich Ihnen eine persönliche Frage stelle?«, fragte Hunter nach einer Weile und lenkte ihre Aufmerksamkeit damit wieder auf sich.

»Versuchen Sie's doch«, gab Angela zurück. »Fragen können Sie alles. Ich bin nicht Ihr Boss.«

»Aber Sie wollen nicht darauf antworten.« Hunter hatte Angelas Andeutung verstanden.

»Das habe ich so nicht gesagt. Vielleicht antworte ich, vielleicht auch nicht – kommt darauf an, *wie* persönlich Ihre Frage ist. Also, bitte, schießen Sie los.«

Hunter lächelte. Angelas ruppige Art erinnerte ihn daran, wie er selbst in jungen Jahren gewesen war.

»Sie sind doch ganz offensichtlich eine kluge und fähige junge Frau«, sagte er. »Sie sind selbstbewusst, vertreten Ihre eigene Meinung und lassen sich von niemandem die Butter vom Brot nehmen ...«

»Genug mit den Komplimenten«, unterbrach Angela ihn. »Was wollen Sie denn jetzt von mir wissen?«

»Wie kann es sein, dass jemand mit Ihren Qualitäten vom Taschendiebstahl lebt?«

Angela musterte ihn, als wäge sie ab, ob sie seine Frage beantworten sollte oder nicht.

»Ich bin da so reingerutscht, gleich an meinem ersten Tag in L. A.«, begann sie, nachdem sie mehrere Sekunden lang nachdenklich geschwiegen hatte. »Ich war psychisch und körperlich am Ende, bin völlig orientierungslos durch die Straßen geirrt. Irgendwann kam ich um eine Ecke, und als ich auf eine Bushaltestelle zuging, sah ich zufällig, wie so ein Typ einer Frau das Portemonnaie aus der Handtasche zog. Er war ziemlich gut, aber mir ist es trotzdem aufgefallen, deshalb konnte ich nicht glauben, dass es sonst keiner bemerkt hatte.« Sie zog an ihrer Zigarette. »Ich war verzweifelt – abgebrannt, ohne Bleibe ... Und ich hatte Hunger. Außerdem dachte ich, ich habe nichts zu verlieren, also bin ich zu ihm hin und habe zu ihm gesagt: ›Du hast deine Sache ja so weit ganz gut gemacht, aber wenn du das Geld nicht mit mir teilst, hole ich die Polizei.‹ Auf der anderen Straßenseite stand ein Streifenwagen.«

»Also hat er mit Ihnen geteilt«, schloss Hunter.

»Nein. Erst war er total geschockt. Er konnte nicht fassen, dass ein siebzehnjähriges Mädchen ihn so dreist von der Seite anmacht. Aber dann hat er gegrinst und gesagt: ›Ich kann dir noch was viel Besseres bieten als die Hälfte von dem Geld ... Ich kann dir beibringen, wie man es macht, dann kannst du das nächste Mal alles behalten.‹« Angela zuckte die Achseln. »Und so ist es eben dazu gekommen.« Sie verstummte und musterte Hunter, als überlege sie, ob sie noch mehr preisgeben sollte. »Nach einer Zeit wurden wir ein Paar.« Sie wandte den Blick ab.

»Das hat ja offenbar nicht gehalten«, meinte Hunter.

»Ein Jahr lang lief es gut.« Sie schielte in Hunters Richtung. Der sah sie erwartungsvoll an, doch mehr kam von ihr nicht.

»Was ist dann passiert?«, hakte er nach.

»Sie sind echt neugierig.«

Hunter neigte entschuldigend den Kopf. »Tut mir leid. Sie haben recht, das geht mich nichts an.«

Angela lachte, als sie ihre Kippe ausdrückte. »Sie müssen echt mal lernen, ein bisschen lockerer zu werden. Das war doch bloß ein Scherz. Ich bin selber auch ganz schön neugierig.« Sie nippte an ihrem Bier. »Wie bei so vielen Paaren kam nach der ersten Verliebtheit ziemlich bald die Ernüchterung. Er wollte sich beruflich weiterentwickeln, ich mich nicht.«

»Weiterentwickeln im Vergleich zum Taschendiebstahl, meinen Sie?«

»Ja. Ohne mich, habe ich zu ihm gesagt. Für mich ist das sowieso nur eine Übergangslösung. Ich will nicht mein ganzes Leben lang Taschendiebin bleiben.« Sie klang eindringlich, fast flehend, als wolle sie unbedingt, dass Hunter ihr glaubte.

»Übergangslösung? Wie lange soll dieser Übergang denn dauern? Sie machen das doch schon, seit Sie nach L. A. gezogen sind.«

»Kommen Sie mir bloß nicht auf die Tour.« Sie zeigte anklagend mit dem Finger auf ihn. »Was glauben Sie, wie schwer es ist, in dieser Stadt einen Job zu finden, wenn man von zu Hause ausgerissen ist? Wenn es einem dreckig geht, man Depressionen hat und ein seelisches Wrack ist? Wenn man keinerlei Erfahrung mit irgendwas außer der Schule vorweisen kann? Wenn man keinen festen Wohnsitz hat und vollkommen pleite ist?«

Hunter schüttelte den Kopf. »Trotzdem ...«

»Nein«, schnitt Angela ihm das Wort ab. »Nicht *trotzdem*. Ich brauche was zu essen, ein Dach über dem Kopf und was zum Anziehen wie jeder andere auch. Ich weiß, dass es nicht okay ist, was ich tue. Ich weiß, dass ich zu was Besserem erzogen wurde. Aber ich ruiniere ja niemanden. Ich zerstöre keine Leben. Ich bringe niemanden um seine wohlverdienten Ersparnisse. Sehe ich so aus, als wäre ich reich?« Sie gab Hunter keine Gelegenheit zu antworten. »Ich nehme nur so viel, wie ich brauche, um über die Runden zu kommen, mehr nicht. Wie gesagt, früher oder später höre ich damit auf. Also sparen Sie sich gefälligst Ihre Ermahnungen.«

Hunter wollte sich nicht mit ihr streiten. »Und was wurde aus dem Typen?«, fragte er stattdessen. »Aus dem, mit dem Sie ein Jahr zusammen waren und der Ihnen gezeigt hat, wie man Leuten die Taschen klaut? Hat er sich beruflich weiterentwickelt?«

Angela lachte leise. »Kann man so sagen. Wir haben uns getrennt, und er hat expandiert. Anderthalb Jahre später wurde er festgenommen. Jetzt sitzt er im Bau.«

Hunter überlegte, ob er sie fragen sollte, ob sie ihren ehemaligen Freund manchmal besuchte, verwarf diese Idee jedoch schnell wieder. Stattdessen war es Angela, die ihm eine Frage stellte – noch dazu eine, mit der Hunter nach ihrem kleinen Wutanfall niemals gerechnet hätte.

»Könnten Sie vielleicht hierbleiben?«

Er sah sie verblüfft an.

»Ich weiß, dass eigentlich die zwei da drinnen auf mich aufpassen sollen. Ich weiß, Sie haben gesagt, sie sind die Besten der Besten, aber irgendwie würde ich mich wohler fühlen, wenn Sie hier wären. Keine Ahnung, wieso, aber bei Ihnen fühle ich mich sicher.«

Hunter betrachtete Angela einen Moment lang. Nichts an ihrer Miene oder ihrer Körpersprache vermittelte ihm den Eindruck, dass sie sich einen Scherz erlaubte.

»Bitte«, fügte sie kleinlaut hinzu. »Nur heute.«

Eigentlich hatte Hunter nicht vorgehabt, über Nacht zu bleiben, aber seit seinem Telefonat mit dem Killer – und dem Hauch eines Zweifels, den es in ihm gesät hatte – war er bereits zu der Entscheidung gelangt, dass er Martin und Jordan in der ersten Nacht verstärken würde.

»In Ordnung.« Er nickte. »Ich kann im Wohnzimmer übernachten.«

»Danke. Das ist echt nett von Ihnen.«

40

Donnerstag, 10. Dezember

Anders als am Abend zuvor hatte Hunters Hyposomnie in dieser Nacht zu alter Form zurückgefunden. Er war immer nur für kurze Zeit eingenickt, ehe Albträume und nagende Zweifel ihn wieder aufweckten. Dieser ständige Wechsel zwischen Schlafen und Wachen war die brutalste Form der Schlaflosigkeit, denn sein Körper trat jedes Mal in die Tiefschlafphase ein, nur um gleich darauf wieder hochzuschrecken und dann wenige Minuten später erneut wegzudämmern. Dieser zermürbende Vorgang wiederholte sich die ganze Nacht. Das Einschlafen war kein Problem, das Durchschlafen dafür umso mehr. Nichtsdestotrotz brachte er es insgesamt auf etwa drei Stunden Schlaf. Nicht gerade reichlich, aber für jemanden mit chronischer Hyposomnie gar nicht so schlecht.

Er hinterließ Angela eine Nachricht und brach gegen Viertel nach fünf auf. Ganz unabhängig von seinen Schlafproblemen war Hunter zeitlebens ein Morgenmensch gewesen. Er zog es vor, möglichst früh im Büro zu sein, und heute wollte er vorher noch zu Hause vorbeifahren, um zu duschen, sich zu rasieren, umzuziehen und zu frühstücken. Letzteres war sein bester Trick, wenn es darum ging, Hirn und Körper nach einer anstrengenden Nacht wieder in Gang zu bringen.

Er wusste auch schon genau, was er essen würde.

Für jemanden, der den Großteil seines Lebens allein gelebt hatte, ließen Hunters kulinarische Fähigkeiten einiges zu wünschen übrig. Sein Protein-Omelett allerdings konnte es mit jedem Sternekoch aufnehmen.

Garcia hatte schon mehrfach gewitzelt, Hunter könne ein

Restaurant eröffnen, falls er jemals beschließen sollte, den Job bei der Polizei an den Nagel zu hängen. Auf der Speisekarte würde nur ein einziges Gericht stehen: *Roberts fantastisches Protein-Omelett.*

»Die Leute würden Schlange stehen«, hatte Garcia gemeint, nachdem er es zum ersten Mal probiert hatte. »Im Ernst, Robert – das hat Gourmetqualitäten. Du könntest damit richtig reich werden. Jedenfalls reicher als beim LAPD.«

Hunter hatte bloß gelacht.

Während der Fahrt fiel ihm wieder ein, dass seine Kaffeemaschine kaputt war. Für Hunter war ein gesundes Frühstück ohne einen guten Kaffee undenkbar.

Als er vom Santa Monica Freeway abfuhr und in die South Santa Fe Avenue einbog, erinnerte er sich an einen kleinen Coffeeshop, in dem er einige Monate zuvor gewesen war und der Kaffee aus biologischem Anbau anbot. Er lag etwas versteckt im Arts District, nur einen Steinwurf weit von seinem momentanen Standort entfernt, und der Kaffee dort war mit der beste, den er seit langer Zeit getrunken hatte. Ein weiterer Vorteil war, dass der Coffeeshop täglich außer an Wochenenden ab halb sechs geöffnet hatte. Hunter lief das Wasser im Mund zusammen. Mehr Anreiz brauchte er nicht. Eine Minute später hielt er vor dem Urth Caffe in der South Hewitt Street.

Drinnen waren zwei Baristas damit beschäftigt, Kuchen und Sandwiches in eine große gläserne Vitrine zu legen.

Normalerweise trank Hunter seinen Kaffee zum Frühstück schwarz, aber angesichts der großen Auswahl beschloss er, heute eine Ausnahme zu machen. Er überflog die Karte und musste dabei mehrmals schmunzeln. Einige der Kreationen klangen eher nach Milchshakes als nach Kaffee.

»Sofern Sie Ihren Kaffee nicht pappsüß mögen, würde ich vom Double Cream Vanilla Deluxe lieber die Finger lassen.«

Dieser Ratschlag kam von der Person unmittelbar hinter ihm.

Hunter erstarrte. Er wusste genau, wem diese Stimme gehörte. Mehr noch: Fast dasselbe hatte sie bei ihrer allerersten Begegnung in der Bibliothek der UCLA vor fast anderthalb Jahren zu ihm gesagt.

Er holte tief Luft. Das Herz pochte schmerzhaft in seiner Brust. Einen Augenblick später drehte er sich um.

»Hallo, Robert«, sagte Tracy Adams mit einem verhaltenen Lächeln.

»Tracy?« Hunter konnte es noch immer nicht ganz glauben.

Bei ihrer ersten Begegnung in der Bibliothek hatten sie beide sofort eine starke Anziehung gespürt. Einige Zeit später waren sie ein Paar geworden, doch obwohl Hunter tiefe Gefühle für sie hegte, hatte er nicht zugelassen, dass sich aus ihrer Romanze etwas Ernstes entwickelte – was, im Nachhinein betrachtet, eine sehr kluge Entscheidung gewesen war.

Etwa sechs Monate zuvor hatte ein tragisches Ereignis dazu geführt, dass ihre Beziehung abrupt und sehr schmerzhaft zu Ende ging. Seitdem hatten sie sich nicht mehr gesehen oder auch nur miteinander gesprochen.

Hunter erwiderte ihr Lächeln. Es gab eine Million Dinge, die er ihr gerne gesagt hätte, aber alles, was ihm in diesem Moment über die Lippen kam, war: »Was machst du denn hier?« Seine Überraschung war echt, und die Frage hatte nichts Vorwurfsvolles, trotzdem verspürte er das Bedürfnis, sich klarer auszudrücken. »Ich meine ... was machst du um diese Uhrzeit in diesem Teil der Stadt? Bist du umgezogen?«

Als Hunter und Tracy sich das letzte Mal gesehen hatten, hatte sie in Hollywood gewohnt, das lag etwa elf Meilen vom Urth Caffe entfernt.

»Nein«, sagte sie. »Ich wohne immer noch in derselben alten Wohnung.«

Hunter fragte nicht weiter nach.

»Ich habe bei Amber übernachtet«, fügte sie hinzu. »Ich weiß nicht, ob du dich noch an sie erinnerst.«

Ja, Hunter erinnerte sich. Amber war Tracys beste Freundin.

»Sie wohnt hier gleich um die Ecke«, fuhr Tracy fort. »Wie du weißt, bin ich normalerweise nicht zu so einer unchristlichen Stunde wach, aber ich habe heute ganz früh eine Lehrveranstaltung, für die ich mich noch vorbereiten muss. Ich bin nur kurz hier reingesprungen, um mir was zum Frühstücken zu holen.«

Hunter überließ das Lächeln seinen Augen. Mit ihrer schwarzen Schmetterlingsbrille, die perfekt zu ihrem herzförmigen Gesicht passte, den grünen Augen, den über und über tätowierten Armen und den Piercings in Lippe und Nase erinnerte sie ihn nach wie vor an eine etwas wilde Version eines Pin-up-Girls aus den Fünfzigerjahren. Allerdings war ihr Haar ein wenig kürzer als in Hunters Erinnerung und das Rot ein wenig heller. Irgendwie machte sie das noch attraktiver.

»Und du wohnst immer noch in Huntington Park?«, erkundigte sie sich.

»Ja.«

Tracy lachte leise. »Ich frage lieber nicht, wie es kommt, dass du um diese Uhrzeit hier bist.«

Diesmal versuchte Hunter sich an einem richtigen Lächeln, auch wenn er das Gefühl hatte, seine Mundwinkel würden sich dagegen sträuben.

»Gut siehst du aus«, sagte er. »Ich mag die Haare. Das steht dir.«

Tracy schien überrascht, dass Hunter ihre neue Frisur aufgefallen war.

»Danke.« Sie wirkte geschmeichelt. »Du aber auch. Du siehst ...« Sie gab sich redlich Mühe, aber sie war immer schon eine schreckliche Lügnerin gewesen. Außerdem wusste sie, dass Hunter sich nichts vormachen ließ. »Du siehst müde aus, Robert.«

Hunter nickte. »Es war ziemlich stressig in letzter Zeit.«

»Ach, komm. So schlimm kann es doch nicht sein.« Sie schaute auf ihre Uhr. »Wir unterhalten uns schon seit zwei Minuten, und dein Telefon hat nicht ein einziges Mal geklingelt.«

»Stimmt.«

Schweigen trat ein. Es währte so lange, dass es unangenehm wurde.

Das war während ihrer kurzen Beziehung nicht ein einziges Mal vorgekommen. Vom ersten Tag an hatten sie sich in der Gegenwart des anderen so wohlgefühlt, als wären sie schon ihr ganzes Leben lang zusammen. Es hatte nie eine Rolle gespielt, ob sie schwiegen oder redeten.

»Soll ich dir was empfehlen?«, machte Tracy dem beklemmenden Moment ein Ende und deutete auf die Tafel mit den Getränken. »Nimm den Caffe Quadra oder den Rude Awakening, die sind beide mit extra viel Espresso. Könntest du brauchen.«

Hunter wandte sich wieder nach vorn und überflog die Beschreibung der zwei Kaffeespezialitäten, die Tracy ihm vorgeschlagen hatte.

»Die klingen beide gut«, meinte er. »Aber Rude Awakening hört sich stärker an.«

»Ist er auch.«

Hunter bestellte einen großen Rude Awakening und wartete, während Tracy einen mittleren Spanish Latte sowie eine Berry Bowl zum Mitnehmen in Auftrag gab.

»Übrigens«, sagte sie, während sich der Barista an die Zubereitung ihrer Getränke machte. »Ich ziehe bald an die Ostküste. In einer Woche, um genau zu sein.«

Diese Neuigkeit zog Hunter fast den Boden unter den Füßen weg.

»Ach ja? Wohin denn?«, fragte er und bemühte sich krampfhaft, seine Emotionen zu zügeln. Sowie ihm diese Frage über die Lippen gekommen war, wurde ihm bewusst, wie distanzlos sie geklungen hatte. »Tut mir leid.« Er hob entschuldigend die Hand. »Ich wollte nicht übergriffig sein. Du musst die Frage natürlich nicht beantworten.«

»Schon gut«, wiegelte Tracy ab und schenkte ihm ein weiteres Lächeln. »Wenn ich nicht wollte, dass du es erfährst, hätte ich es gar nicht erst erwähnt.« Sie machte eine kurze Pause. »Ich habe eine Anfrage von Yale bekommen. Die Position, die sie mir angeboten haben, war zu gut, um sie abzulehnen.«

Im ersten Moment verspürte Hunter nichts als eine überwältigende Traurigkeit. Doch das Gefühl hielt nicht lange an.

»Das ist ja großartig, Tracy.« Er freute sich aufrichtig für sie. »Herzlichen Glückwunsch. Du hast es absolut verdient.«

Der Barista kam zurück an den Tresen, um Hunter seinen Kaffee hinzustellen. Er nahm den Becher entgegen und drehte sich ein letztes Mal zu Tracy um. Die beiden sahen einander in die Augen und schwiegen einen Moment lang. Diesmal hatte ihr Schweigen nichts Unbeholfenes oder Peinliches.

»Es war sehr schön, dich wiederzusehen, Tracy«, sagte Hunter und hoffte, dass seine Stimme nicht verriet, wie sehr ihn das Treffen aufgewühlt hatte.

»Geht mir auch so, Robert«, entgegnete sie, ohne zu zögern. »Wirklich. Ich meine das ganz ernst.«

Ein seltsames Ziehen regte sich tief in seinem Innern, aber er konnte es erfolgreich zurückdrängen, ehe es allzu stark wurde.

»Danke für den Tipp«, sagte er und hob seinen Kaffeebecher. »Und ... pass gut auf dich auf, ja?«

»Mache ich.«

Du auch auf dich, wollte Tracy sagen, doch sie wusste besser als jeder andere, wie hohl diese Worte geklungen hätten. Also schenkte sie ihm einen letzten Blick und sagte das Einzige, was es zwischen ihnen noch zu sagen gab.

»Leb wohl, Robert.«

Hunter brachte es nicht über sich, ihr ebenfalls Lebewohl zu sagen. Nicht schon wieder. Stattdessen winkte er ihr vom Eingang her wortlos zu, ehe er mit bleischwerem Herzen zurück zu seinem Wagen ging.

41

Hunters Abstecher zum Coffeeshop hatte etwas länger gedauert als geplant, weshalb zu dem Zeitpunkt, als er seinen Buick auf dem Parkplatz des PAB abstellte, die Wintersonne bereits über die Horizontlinie gestiegen war und nun wie eine Spinne langsam die Fassaden der Gebäude im Zentrum von L. A. hinaufkroch.

Im Büro angekommen, wunderte er sich nicht, dass Garcia bereits an seinem Schreibtisch saß. Auch Garcia war ein Frühaufsteher und meistens sogar noch vor Hunter im Büro.

»Ich habe gerade Kaffee aufgesetzt«, teilte er Hunter mit, als dieser sich an seinem Schreibtisch niederließ und den Rechner einschaltete. »Müsste in ein paar Minuten durchgelaufen sein.« Er nickte beifällig. »Brazilian Supremo Bean Dark Roast. Viel edler geht es nicht.«

Garcia hatte seine Leidenschaft für Kaffee von seinem brasilianischen Vater, einem echten Aficionado, geerbt und nahm das Thema sehr, sehr ernst. Die Kaffeemaschine im Büro war seine eigene, ein modernes chromblitzendes Gerät, das mehr gekostet hatte, als er sich streng genommen leisten konnte. Doch in seinen Augen war die Maschine jeden Penny wert – eine Auffassung, die von Hunter geteilt wurde. Natürlich war eine Kaffeemaschine nur die halbe Miete, deshalb fuhr einer der beiden jede Woche in eins der vielen Spezialitätengeschäfte im Zentrum, um eine Packung mit einer besonderen Röstung zu kaufen.

Der Duft, der sich im Büro ausbreitete, ließ einem das Wasser im Mund zusammenlaufen, doch ausnahmsweise achtete Hunter kaum darauf.

»Er hat mich angerufen«, sagte er nur.

Das war nicht die Reaktion, mit der Garcia gerechnet hatte.

»Was?« Er kniff die Augen zusammen. »Wer hat dich angerufen? Brazilian Supremo Bean Dark Roast?«

Garcias Witz stieß auf taube Ohren. »Der Täter«, sagte Hunter. »Der Besitzer des Tagebuchs. Er hat mich gestern Abend angerufen, gleich nachdem ich Angela zum Safehouse gefahren hatte.«

Garcias Augenbrauen schnellten in die Höhe. Er hatte Hunters Worte zwar gehört, doch sein Gehirn hatte Mühe, ihren Sinn zu verstehen.

»Moment mal ... Was?« Er schüttelte perplex den Kopf. »Ich meine ... Woher wusste er denn, dass er dich anrufen muss? Und wie um alles in der Welt ist er an deine Telefonnummer gelangt?«

»Als er in der Wohnung war, muss er die Visitenkarte gefunden haben, die ich Angela gegeben hatte.«

»Stimmt, das hatte ich ganz vergessen. Und was hat er gesagt?«

Hunter griff nach seinem Smartphone. »Hier, du kannst es dir anhören.« Er schloss das Telefon an seinen Computer an, weil der über bessere Lautsprecher verfügte.

Während die Tonaufnahme lief, verwandelte sich Garcias anfängliches Erstaunen zunächst in Unglauben, dann in blanke Fassungslosigkeit.

»Habe ich das richtig verstanden?«, fragte er, nachdem die Aufzeichnung zu Ende war. »Dieser Drecksack hat dir ein Ultimatum gestellt?«

Hunter ließ sich gegen die Lehne seines Stuhls sinken. »Kann man so sagen.«

»Und die Deadline ist heute Nachmittag um siebzehn Uhr.«

»Die Deadline wofür – Kaffee?« Diese Frage kam von Captain Blake, die in der Tür zu ihrem Büro erschienen war und Garcias letzten Satz aufgeschnappt hatte.

Als die beiden hochschauten, bemerkte sie sofort ihre sorgenvollen Mienen. »Was ist los?« Von jetzt auf gleich war ihr scherzhafter Ton verschwunden.

»Kommen Sie rein und hören Sie selbst, Captain«, sagte Garcia und bat sie mit einer Geste herein.

Blake schloss die Tür hinter sich, trat an Hunters Schreibtisch und stellte ihre leere Tasse darauf ab.

»Was soll ich hören?«

»Das Telefonat zwischen Robert und dem Killer«, klärte Garcia sie auf.

»Wie bitte?« Blake legte die Stirn in Falten, während sie gleichzeitig die Augen aufriss.

Hunter spielte das Gespräch noch einmal ab. Am Ende war Blake genauso fassungslos wie Garcia – nicht nur angesichts der Dreistigkeit des Mannes, sondern auch wegen seiner eiskalten Ruhe. Er hatte seine Forderungen mit einer solchen Selbstverständlichkeit vorgebracht, als beeindrucke es ihn nicht im Geringsten, dass er mit einem Detective des Morddezernats sprach.

»An Selbstbewusstsein mangelt es dem Kerl nicht, das steht mal fest«, lautete ihr Kommentar, nachdem Hunter die Aufzeichnung angehalten hatte.

»Und er ist wesentlich sachkundiger, als wir ihm bisher zugetraut haben«, warf Hunter ein.

Captain Blake ging zur Kaffeemaschine und goss sich ihre Tasse voll. »Sachkundig in Bezug auf was, Robert?«

»Den Ablauf bei polizeilichen Ermittlungen. Ich habe den Eindruck, er weiß genau, wie wir arbeiten.«

Aus der Tasche ihres maßgeschneiderten schwarzen Blazers holte Captain Blake einen kleinen Spender mit Süßstoff hervor und gab eine winzige Tablette in ihren Kaffee. »Was veranlasst Sie zu dieser Vermutung?«

»Zum einen sein Anruf bei mir.« Hunter stützte beide Ellbogen auf die Tischplatte. »Er hat mir gesagt, dass er mir weitere Instruktionen erteilen würde, sobald ich das Tagebuch habe. Als ich wissen wollte, weshalb er denkt, dass ich es nicht bei mir trage, war seine Antwort ...«

»›Ich bin nicht dumm‹«, unterbrach Blake ihn. »Wir haben es alle gehört, Robert. Worauf wollen Sie hinaus?«

»Darauf, dass man diese Erwiderung zwar grundsätzlich auf verschiedene Arten interpretieren kann, ich aber stark davon ausgehe, dass er wusste, dass ich sein Tagebuch – das Original, wohlgemerkt, nicht Fotos oder Scans oder Kopien davon – nicht bei mir habe – weder in meinem Auto noch in meiner Wohnung ... und auch nicht hier im Büro.«

Captain Blake trank einen Schluck von ihrem Kaffee, ehe ihr Blick zu Garcia wanderte. Der schien genauso neugierig zu sein wie sie. Beide sahen Hunter erwartungsvoll an.

Der ließ sich nicht lange bitten. »Der Täter weiß, dass das LAPD, sobald es im Besitz seines Tagebuchs war, es als Erstes ins kriminaltechnische Labor weitergegeben hat. Lauter Seiten mit handgeschriebenem Text, dazu Polaroidfotos, Blutflecke und so weiter – das muss alles analysiert werden. Außerdem weiß er, dass es Wochen, wenn nicht sogar Monate dauern kann, ehe sämtliche Analysen abgeschlossen sind. Deshalb hat er mir bis fünf Uhr heute Nachmittag gegeben, um es zurückzuholen. Er weiß, dass ich dafür Zeit brauche.«

Captain Blake ließ sich diese Theorie durch den Kopf gehen.

»Als der Killer Angela angerufen und sie nach dem Verbleib seines Tagebuchs gefragt hat«, fuhr Hunter fort, da er die nächste Frage bereits vorausgeahnt hatte, »hat sie ihm gesagt, sie hätte es ans LAPD geschickt. Vom kriminaltechnischen Labor oder davon, dass sie es bei Dr. Slater in den Briefkasten geworfen hat, war nie die Rede. Ich habe Angela gestern Abend ganz bewusst noch mal danach gefragt.«

Captain Blake nippte erneut an ihrem Kaffee. »Wenn es

stimmt, was Sie vermuten, warum hat er sich dann bei Ihnen gemeldet? Warum hat er den Mittelsmann nicht einfach übersprungen und gleich im Labor angerufen?«

»Weil man ihn dort gar nicht durchgestellt hätte«, antwortete Hunter. »Wer ohne konkretes Aktenzeichen in der FSD anruft, kommt nicht weit. So intelligent er auch sein mag, er hätte die Person in der Zentrale niemals dazu gebracht, ihm den Namen des Ansprechpartners für den Fall zu verraten. Selbst wenn man ihm hätte helfen *wollen*, wäre das gar nicht möglich. Ein Beweismittel wie dieses Tagebuch durchläuft eine Unzahl von Tests und Analysen – Fingerabdrücke, DNA, Grafologie, Papieranalyse und so weiter. Ich habe Dr. Slater konkrete Anweisungen erteilt, dass immer das komplette Buch in die einzelnen Labore weitergegeben werden soll. Es wandert also durch viele Hände, es gibt nicht eine einzige Person, die dafür zuständig ist. Insofern wäre es reine Zeitverschwendung gewesen, in der FSD anzurufen. Ich bin mir sicher, dass er das wusste.«

Schweigen trat ein, während Captain Blake ihren Kaffee austrank.

»Wir haben das Buch also wirklich nicht?«, fragte sie schließlich.

»Nein«, sagte Garcia. »Es ist nach wie vor in der Kriminaltechnik. Uns liegen nur die eingescannten Fotos der einzelnen Seiten vor.«

Captain Blake nickte. »Und wie gehen wir jetzt mit seinem Ultimatum um?« Sie hob die Hand, um den anderen zu signalisieren, dass sie noch nicht fertig war. »Ich weiß, offiziell müssten wir uns überlegen, wie wir ihm eine Falle stellen können, und dann auf seinen nächsten Anruf warten – aber nach allem, was Sie mir gerade erzählt haben«, sie deutete in Hunters Richtung, »glaube ich nicht, dass uns das so einfach gelingen wird.«

Hunter zuckte in einer Geste der Ratlosigkeit die Achseln. »Wir könnten es versuchen, aber ich bezweifle, dass es funktionieren wird.« Er zeigte auf sein Handy, das auf dem Schreibtisch lag. »Sie haben ja selbst gemerkt, wie abgeklärt und souverän er klang.«

Blake nickte.

»Ich wette, das liegt daran, dass er bereits den perfekten Plan für die Übergabe ausgetüftelt hat«, meinte Garcia.

»Bestimmt«, pflichtete Hunter ihm bei. »Aber seine Selbstsicherheit geht noch weit darüber hinaus.«

»Wie meinen Sie das?« Captain Blake nahm Garcia die Worte aus dem Mund.

»Ich weiß schon gar nicht mehr, wie oft ich mir die Aufzeichnung angehört habe«, sagte Hunter. »Und der Eindruck, den er dabei auf mich gemacht hat – sein Tonfall, seine Stimme ... Ich glaube, er *versucht* nicht bloß, selbstbewusst zu klingen, weil er mit dem LAPD telefoniert. Er klingt so selbstsicher, weil er *wirklich* keine Angst vor uns hat. Weder vor dem LAPD noch vor irgendeiner anderen Strafverfolgungsbehörde. Ich wette, er hätte auch mit jemandem vom FBI, der NSA oder dem ATF reden können, und das hätte keinen Unterschied gemacht. Er hätte so oder so keine Angst gehabt. Er hätte so oder so sein Ultimatum gestellt.«

Captain Blake fixierte Hunter einen Moment lang. Sie sah ein seltsames Funkeln in seinen Augen, das sie nur zu gut kannte. Im Kopf war er bereits dabei, ein Profil des Täters zu erstellen.

Sie beschloss, nachzuhaken. »Woran liegt das Ihrer Meinung nach?«

Endlich konnte Hunter dem köstlichen Duft des Kaffees nicht länger widerstehen. Er ging zur Maschine und schenkte sich eine große Tasse ein.

»Die Frage kann ich unmöglich beantworten, Captain. Dazu müsste ich ihn erst vernehmen.«

»Geschenkt. Sie können spekulieren.« Sie hob die Hand. »Ich weiß, das machen Sie nicht gern, aber bitte tun Sie mir den Gefallen, Robert. Ich versuche nur, mir ein Bild davon zu machen, womit wir es hier zu tun haben. Was macht diesen Kerl Ihrer Ansicht nach so selbstsicher ... so angstfrei?«

Hunter hob die Kaffeetasse an die Lippen. »Okay. Aber wie gesagt: Alles, was jetzt kommt, ist reine Mutmaßung.«

»Dessen bin ich mir bewusst«, sagte Captain Blake.

»Also«, begann Hunter. »Wir wissen, dass er Stimmen hört, was auf einen schizophrenen Psychopathen hindeutet. Wenn die Stimmen ihm befehlen, sich sein Tagebuch zurückzuholen, wird er alles tun, um diesem Befehl zu gehorchen, auch wenn das bedeutet, dass er dafür seine eigene Sicherheit aufs Spiel setzt. Furcht, Schmerzen, Erschöpfung, Gefahr, selbst seine psychopathische, narzisstische Selbstliebe ... all das tritt in den Hintergrund, weil die Stimmen und ihre Wünsche absolute Priorität haben. Für ihn ist es das Allerwichtigste, sie zufriedenzustellen. Er will sie um keinen Preis gegen sich aufbringen.«

Obwohl die anderen Hunters Ausführungen mühelos folgen konnten, beschlich Captain Blake das Gefühl, dass er ihnen etwas verschwieg.

»In Ordnung«, sagte sie. »Aber das ist nicht Ihre eigentliche Theorie, stimmt's? Da gibt es noch mehr. Etwas, das Sie beunruhigt.«

Hunter schwieg.

»Raus mit der Sprache, Robert.«

»Es ist weniger eine Theorie als ein Bauchgefühl, Captain«, sagte Hunter und kehrte an seinen Schreibtisch zurück. »Und dieses Bauchgefühl kann ich nur verifizieren, indem ich mir sämtliches Material, das Dr. Slater uns geschickt hat, noch einmal ganz genau ansehe. Wenn Sie mir also noch ein bisschen Zeit geben ... kann ich Ihnen bald vielleicht mehr dazu sagen.«

»Nein.« Blake schüttelte energisch den Kopf. »Ich weiß genau, dass man Ihre Bauchgefühle nicht ignorieren darf. Jedes Mal, wenn Sie eins dieser Bauchgefühle haben, passiert hinterher was Schlimmes. Sagen Sie es uns hier und jetzt.«

»Da hat Captain Blake nicht ganz unrecht«, meinte Garcia, ehe auch er zurück zu seinem Computer ging und das erste der Bilder aus Dr. Slaters Zip-File öffnete. »Spuck's schon aus.«

Hunter kam sich vor wie ein Kind, das seinen Eltern beizubringen versuchte, dass es ein Einhorn im Garten gesehen hatte.

»Vielleicht hat diese Souveränität, die aus seinem Handeln spricht, damit zu tun, dass er es gewohnt ist, sehr viel furchteinflößenderen Feinden gegenüberzustehen als dem LAPD. Und vielleicht versteht er das polizeiliche Vorgehen deshalb so gut, weil er selbst schon einmal Teil davon war.«

»Moment«, unterbrach Blake ihn. »Sie glauben, er ist ein Cop?«

»Nein«, entgegnete Hunter mit einem leichten Kopfschütteln. »Kein normaler Cop. Nicht so wie wir. Jemand, der eine wesentlich härtere Ausbildung durchlaufen hat.«

42

Nahe dem Zentrum von Los Angeles, zwischen dem San Fernando Valley und Beverly Hills, lag der Franklin Canyon Park: knapp zweihundertfünfzig Hektar Busch- und Grasland, ein Eichenwald, ein großer See, ein Ententeich, weitläufige Rastplätze und mehr als fünf Meilen Wanderwege. See und Teich boten zahlreichen Zugvögeln Unterschlupf, weil sie auf dem Pacific Flyway lagen, der wichtigsten Migrationsroute für Vögel auf dem amerikanischen Kontinent, die von Alaska bis hinunter nach Patagonien reichte.

In der Nähe eines abgeschiedenen kleinen Wäldchens auf der Nordwestseite des Sees hatte der Mann seinen Lieblingsplatz. Es zog ihn oft hierher. Weitab von den anderen Parkbesuchern saß er da, blickte stundenlang aufs Wasser, beobachtete die Vögel und hing seinen Gedanken nach.

Trotz der relativ zentralen Lage des Parks in einer Stadt mit über vier Millionen Einwohnern herrschte eine friedliche, beinahe magische Atmosphäre. Sobald man das Tor durchschritten hatte, ließ man Los Angeles mit all seiner Geschäftigkeit und seinem Lärm hinter sich. Es war, als wäre man unversehens in eine andere Welt versetzt worden ... oder sogar auf einen anderen Planeten. Das war der Grund, weshalb der Mann den Franklin Canyon Park von allen Parks in Los Angeles am liebsten mochte. Im Durchschnitt kam er zwei- bis dreimal die Woche hierher. Die herrliche Ruhe, verbunden mit der Schönheit der Natur und der vielfältigen Vogelwelt schenkte ihm ein Gefühl inneren Friedens – sofern er zu solchen Gefühlen überhaupt noch in der Lage war.

Offiziell öffnete der Park seine Pforten erst um sieben Uhr, aber für jemanden mit seinen Fähigkeiten war es ein Kinderspiel, den Zaun zu überwinden. Und vor Sonnenaufgang war es im Park am schönsten.

Als die ersten Strahlen die Bäume küssten und das Wasser trafen, entstand eine hypnotisch glitzernde Wellenbewegung, als würde das Licht verborgene Diamanten am Grund des Sees zum Funkeln bringen.

Der Mann aß den letzten Bissen von seinem Pastrami-Sandwich und trank einen Schluck Kaffee. Die Sonne war zwar noch schwach, aber angenehm warm auf seiner Haut. Aus der Ferne hörte er, wie ein Specht mit seinem Tagewerk begann. In den Tiefen des Wäldchens begrüßten mehrere Vögel mit ihrem Gesang den neuen Tag.

Der Mann saß mit dem Rücken an einen Baumstamm gelehnt, zog die Knie an die Brust und schlang die Arme um die Beine. Als er nach oben in den Himmel blickte, hatte er das Glück, einen Eisvogel zu sehen, der hoch über seinem Kopf kreiste und im flachen Uferwasser des Sees nach

Fischen Ausschau hielt. Nachdem er seine Beute ins Visier genommen hatte, stieß der Vogel blitzschnell und mit höchster Präzision hinab. Wie ein Pfeil tauchte er ins Wasser, sodass eine glitzernde Fontäne aufspritzte, und kam Sekunden später mit einem Fisch im Schnabel wieder hoch. Der Fisch zappelte, kämpfte verzweifelt um sein Leben und versuchte alles, um dem Vogel zu entkommen, doch seine Mühen waren vergeblich. Wenn der Eisvogel seine Beute erst einmal gepackt hatte, gab es für diese kein Entrinnen mehr.

Der Mann sah zu, wie der Vogel sich ein Stück entfernt auf den Ast eines Baumes zurückzog, und lachte freudlos, weil er daran denken musste, wie ähnlich er und der kleine Meisterfischer sich waren.

Genau wie der Eisvogel ließ auch er nicht locker, sobald er seine Beute ins Auge gefasst hatte. Und die Gemeinsamkeiten reichten noch weiter. Obwohl Eisvögel wunderschöne Tiere waren, mit ihren langen, spitzen Schnäbeln, den großen Köpfen und Augen, ihrem farbenprächtigen Federkleid, den kleinen grazilen Beinen und kurzen Schwänzen, galten sie unter Ornithologen als besonders gnadenlose Jäger.

Es war die brutale Weise, auf die der Eisvogel seine Beute tötete, die ihm seinen Ruf als grausamer Killer eingebracht hatte. Sobald er sich auf seinen Ansitz zurückgezogen hatte, wartete er nicht, bis der Fisch von selbst verendete, sondern schlug ihn mit dem Schnabel mehrmals heftig gegen einen Ast. Wieder und wieder ... bis er tot war. Auf den Menschen übertragen, war das so, als würde man jemanden mit dem Kopf gegen eine Betonwand schlagen, bis die Schädeldecke zertrümmert war und das Gehirn sich in Matsch verwandelt hatte.

Das Leben entbehrt wirklich nicht einer gewissen Poesie, dachte der Mann.

Er goss sich eine zweite Tasse Kaffee aus der Thermoskanne ein und sah auf die Uhr. Nicht mal mehr zehn Stunden bis zu seinem Anruf bei Detective Hunter.

Obwohl er ihm die Chance dazu gegeben hatte, rechnete er nicht wirklich damit, dass der Detective sich seinen Forderungen beugen würde. Wenigstens nicht auf Anhieb. Aus diesem Grund hatte er sich bereits einen Plan zurechtgelegt.

Er würde sein Tagebuch zurückerlangen, daran hegte er nicht den geringsten Zweifel. Und wenn er den Detective im Zuge dessen töten musste, tja ...

Diesmal brauchte er keine Stimmen, die ihm sagten, was er zu tun hatte.

43

»Jemand, der eine wesentlich härtere Ausbildung durchlaufen hat als ein Polizist des LAPD?«, wiederholte Captain Blake. »Wer sollte das denn sein?« Die winzigen Fältchen um ihre Augen vertieften sich, als sie ihren Detective scharf ansah. »Sagen Sie mir jetzt bloß nicht, Sie glauben, der Täter könnte eine Verbindung zum FBI haben.«

Hunter schüttelte den Kopf. »Nein, nicht zum FBI ... eher zum Militär.«

Garcia, der ein Stück links von Captain Blake stand, machte ein ebenso verdutztes Gesicht wie sie.

»Zum Militär? Wie kommst du denn darauf?«

Hunter hob abwehrend die Hände. »Wie gesagt, bislang ist es nur so ein Gefühl. Aber meiner Ansicht nach besteht zumindest die Möglichkeit, dass unser Täter ein Mitglied der Streitkräfte ist – oder war.«

»Und worauf gründet sich dieses Gefühl, Robert?«, wollte Blake wissen. »Auf den Umstand, dass er in seinen Aufzeichnungen Militärzeit benutzt?«

»Unter anderem, ja«, sagte Hunter.

»Aber das muss doch nichts heißen«, hielt Blake dagegen.

»Diese Schreibweise findet man manchmal auch in Dienstplänen, Fahrplänen oder Programmen. Das beweist gar nichts.«

»Richtig«, räumte Hunter ein. »In geschriebener Form wird Militärzeit häufiger verwendet, aber niemand *redet* so – abgesehen von Leuten, die eine militärische Ausbildung haben.«

Das gab Captain Blake zu denken.

»Er könnte das doch auch mit Absicht getan haben«, schaltete sich Garcia in die Diskussion ein. »Um dich in die Irre zu führen. Damit du *denkst*, er wäre beim Militär gewesen. Schlau genug für so was scheint er mir allemal zu sein.«

»Aber die Sache mit der Zeitangabe ist nicht das Einzige, was bei ihm auf eine militärische Laufbahn hindeutet. Es gibt auch im Text bestimmte Begrifflichkeiten, die das nahelegen.«

Hunter schloss ein Bild auf seinem Monitor und öffnete ein anderes.

Garcia und Captain Blake bezogen hinter seinem Schreibtisch Aufstellung.

Hunter richtete das Wort an Garcia. »Du weißt noch, dass die Passage hier aus dem zweiten Eintrag stammt – Cory Snyder.« Er deutete auf den Monitor.

Trotz meiner anfänglichen Ungenauigkeit riss ihm jeder Hieb die Haut auf. Es waren tiefe Wunden, bei denen selbst jemand von der SanTruppe das kalte Grausen bekommen hätte.

»Wenn wir Kriegsfilme und Videospiele mal ausklammern«, sagte Hunter. »Hast du jemals gehört, dass jemand im Zusammenhang mit Ärzten oder Notfallsanitätern von der ›SanTruppe‹ redet?«

Garcia und Blake schwiegen.

»Das Wort wird nur von Angehörigen der Streitkräfte verwendet. Es könnte doch gut sein, dass es im Tagebuch noch weitere Begriffe oder Formulierungen gibt, die darauf hindeuten, dass der Täter beim Militär war oder noch ist. Bisher hatten wir ja nur Zeit, zwei der sechzehn Einträge zu lesen.«

Garcia nickte zustimmend.

»Deshalb will ich noch mal ganz von vorne anfangen. Alles mit analytischem Blick ganz genau durchgehen – Wort für Wort. Wenn wir Glück haben, steht irgendwo in diesem Tagebuch etwas, das ihn verrät.«

Captain Blake, die noch keinen der Tagebucheinträge gelesen hatte, war einen Moment lang wie gebannt von dem grausigen Text auf Hunters Bildschirm.

»In Ordnung«, sagte sie und riss sich los. »Dann machen Sie sich an die Arbeit. Ich organisiere inzwischen ein Team der SIS und eine SWAT-Einheit, damit sie für die Deadline um siebzehn Uhr abrufbereit sind.«

Hunter warf einen Blick auf die Zeitanzeige an seinem Rechner. »Ich rufe Dr. Slater an und sage ihr, dass wir das Tagebuch brauchen.«

Captain Blake blinzelte, dann fixierte sie Hunter mit einem stechenden Blick. »Sie haben doch nicht ernsthaft vor, das Buch nachher mitzunehmen?«

»Doch. Es könnte nötig sein«, erwiderte Hunter, während er bereits neue Bilder auf seinem Rechner öffnete. »Ich muss es auf jeden Fall bei mir haben – ganz unabhängig davon, was genau heute Nachmittag um siebzehn Uhr geschieht.«

Captain Blake wartete ab, doch Hunter bot ihr keine weitere Erklärung an.

»Und wieso, Robert?«

Hunter seufzte, ehe er den rechten Ellbogen auf den Schreibtisch stützte.

»Aus zwei Gründen. Erstens wird er einen Beweis dafür haben wollen, dass ich wirklich im Besitz des Buches bin.«

Captain Blakes Mundwinkel verzogen sich nach unten, aber sie nickte. »Okay. Und der zweite Grund?«

Hunter drehte sich auf seinem Stuhl herum, sodass er

nicht nur Blake, sondern auch Garcia ansehen konnte. »Die Tatsache, dass er es um jeden Preis zurückhaben will.«

Der Gesichtsausdruck der beiden deutete an, dass sie nur Bahnhof verstanden.

»Kommt Ihnen das nicht ein bisschen seltsam vor?«, half Hunter ihnen auf die Sprünge.

Nichts.

»Der Täter kann sich doch denken, dass wir sein Buch längst Seite für Seite gescannt und abfotografiert haben. Selbst wenn er es zurückbekommt, haben wir weiterhin Zugriff auf die darin enthaltenen Informationen. Wir können jedes einzelne seiner Opfer ausfindig machen und bergen. Und falls irgendwo in dem Buch erwähnt wird, wo er lebt oder wer er ist, werden wir nach ihm fahnden. Dabei ist es vollkommen unerheblich, ob wir das eigentliche Buch haben oder nicht.«

»Also geht es ihm nicht um die Informationen, sondern um das Buch an sich.«

Hunter nickte. »So muss es sein. Die Frage ist nur: Warum? Die einzige Schlussfolgerung, zu der ich bislang gekommen bin, ist die, dass das Buch noch irgendetwas anderes enthält, was für ihn wichtig ist. Etwas, das nichts mit dem Text zu tun hat. Etwas, das man nicht sieht, das kein Scan und kein Foto abbilden kann. Etwas, das vielleicht nicht mal im Labor festgestellt werden kann. Aus welchem Grund sollte er es sonst unbedingt zurückhaben wollen? Allein aus sentimentalen Gründen würde er sicher nicht ein solches Risiko eingehen.«

Captain Blake spürte, wie sie eine Gänsehaut bekam.

»Rufen Sie Susan an«, befahl sie Hunter, ehe sie kehrtmachte und zur Tür ging. »Schaffen Sie das Buch schnellstmöglich hierher und halten Sie mich immer auf dem Laufenden. Ich sage unterdessen SIS und SWAT Bescheid. Schnappen wir uns den Kerl.«

44

Hunter legte den Hörer auf, gab dem uniformierten Polizisten, der vor seinem Schreibtisch stand, einem gewissen Officer Makalsky, noch letzte Anweisungen und wandte sich dann wieder dem Bild auf seinem Monitor zu. Er und Garcia hatten tatsächlich noch einmal ganz von vorne angefangen – mit dem Eintrag über Elizabeth Gibbs.

Hunter war ein geübter Schnellleser, doch jetzt drosselte er sein Tempo ganz bewusst, denn er suchte nicht nur nach weiteren Formulierungen, die seine These vom militärischen Hintergrund des Täters stützten, sondern auch noch nach etwas anderem ... wobei er nicht wirklich wusste, was dieses »Andere« war oder wie er es ausfindig machen konnte. Sollte er zwischen den Zeilen lesen und nach versteckten Bedeutungsebenen suchen, oder ging es um etwas Handfesteres? Hatte der Mörder womöglich einen wie auch immer gearteten Code benutzt, um Informationen im Text zu verstecken? Falls ja, wie sollte Hunter ihn jemals finden?

Auf ihn wartete eine schwierige Aufgabe – vielleicht sogar eine unlösbare.

Er las jede Zeile zweimal. Beim ersten Mal hielt er nach Doppeldeutigkeiten und Wortspielen Ausschau, beim zweiten suchte er nach einzelnen Wörtern oder Buchstaben, die anders aussahen als die übrigen – sei es durch winzige Markierungen, eine dickere Strichführung oder sonstige Auffälligkeiten im Schriftbild.

In Elizabeth Gibbs' Eintrag fand er nichts – weder weitere Hinweise auf einen militärischen Hintergrund des Täters noch Anzeichen dafür, dass der Text eine wie auch immer geartete verborgene Bedeutungsebene enthielt. Von einem Geheimcode ganz zu schweigen. Bei dem Eintrag über Cory Snyder erging es ihm ähnlich.

Ehe er sich dem dritten Eintrag widmete, stand er auf und schenkte sich eine frische Tasse Kaffee ein.

Obwohl die Morde bereits verübt worden waren und er nichts mehr tun konnte, um sie zu verhindern, merkte er, dass ihm bei dem Gedanken ans Weiterlesen ganz flau wurde. Jeder Eintrag würde ein neues Grauen und eine neue Spielart des Bösen enthüllen. Jeder Eintrag würde ihn mit dem Namen und Gesicht eines weiteren Opfers konfrontieren – arme Menschen, brutal aus dem Leben gerissen von einem sadistischen Wahnsinnigen, der in seinem Kopf Stimmen hörte. Ein Gefühl von Ohnmacht überkam ihn. Sein Magen krampfte sich zusammen, und ihm wurde übel. Nein, er konnte den sechzehn Opfern in diesem Buch nicht mehr helfen, aber er würde dafür sorgen, dass die Familien erfuhren, was aus ihren Liebsten geworden war. Und er würde alles in seiner Macht Stehende tun, um zu verhindern, dass der Killer noch weitere Menschenleben forderte.

Mit der vollen Kaffeetasse in der Hand kehrte er an seinen Schreibtisch zurück.

Der neue Eintrag begann wie folgt:

Die Stimmen haben eine Zeit lang nichts von sich hören lassen – 78 Tage lang, um genau zu sein. Aber jetzt sind sie aus dem Winterschlaf erwacht, laut und hungrig wie eh und je. Wieder einmal gab es sehr klare Anweisungen für mich. Geschlecht: weiblich. Alter: zwischen fünfundzwanzig und siebenundzwanzig. Nicht jünger, nicht älter. Größe: 1,60 m bis 1,65 m. Haare: schwarz, glatt, mindestens schulterlang. Augenfarbe: schwarz (beziehungsweise dunkelbraun). Figur: zierlich und schlank. Gewicht: nicht über 60 kg. Herkunft: japanisch. Charaktereigenschaften: schüchtern, introvertiert. Es war das erste Mal, dass die Stimmen eine Präferenz für einen bestimmten Persönlichkeitstyp geäußert hatten. Grundsätzlich ist das kein Problem, aber natürlich wird es so länger dauern, ein geeignetes Subjekt zu finden. Bei allen bisherigen Fällen ging es immer nur um Äußerlichkeiten, sodass ich durch einfache Aufklärung aus der Ferne die richtigen Subjekte auswählen konnte ...

Hunter hörte auf zu lesen. Die Venen in seinen Schläfen pochten vor Aufregung. Das Wort »Aufklärung« wurde oft in einem militärischen Kontext verwendet, wenngleich nicht ausschließlich.

Er notierte sich das Wort, trank einen Schluck von seinem Kaffee und las weiter.

... aber wenn ein spezieller Charakter gefragt ist, reicht Ausspähen natürlich nicht. Um Aussagen über die Persönlichkeit des Subjekts treffen zu können, muss ich mich ihm nähern und ein Gespräch mit ihm anfangen, womöglich sogar mehrere – das möchte ich eigentlich lieber vermeiden. »Sie soll einen traditionellen japanischen Kimono tragen«, lautete die nächste Anweisung. »Dazu weiße Socken und hölzerne Geta. Make-up ist nicht wichtig, die Farbe des Kimonos spielt keine Rolle.« Auch das waren ungewohnt detaillierte Angaben, trotzdem dürfte es mir keine größeren Schwierigkeiten bereiten, ein entsprechendes Subjekt zu finden – abgesehen von der Persönlichkeitsfrage natürlich. Aber die kann ich notfalls auch einfach außer Acht lassen, schließlich haben die Stimmen keine Möglichkeit, das zu überprüfen.

Abermals hielt Hunter inne. Er hatte die Stirn gerunzelt und die Augen zusammengekniffen. Diesmal hatte nicht ein einzelner Begriff seine Aufmerksamkeit erregt, vielmehr war er über eine bestimmte Aussage im Text gestolpert – und darüber, welche Konsequenzen sich möglicherweise daraus für ihre bisherigen Schlussfolgerungen ergaben.

Er lehnte sich auf seinem Stuhl zurück, verschränkte die Arme vor der Brust und starrte gedankenverloren auf den Bildschirm.

»Alles klar bei dir?«, erkundigte sich Garcia und reckte den Hals, um an seinem Monitor vorbeischauen zu können.

»Hmmm«, war Hunters einzige Antwort, begleitet von einem knappen Nicken.

Garcia ließ sich nicht täuschen. »Ich kenne das Gesicht, Robert. Was ist los?«

»Ich weiß nicht genau.« Mit Daumen und Zeigefinger massierte Hunter sanft seine geschlossenen Augen. »Vielleicht gehe ich zu verkopft an die Sache ran. Wahrscheinlich will ich unbedingt Hinweise finden, auch wenn es gar keine gibt.«

Er wusste aus Erfahrung, dass sich der Verstand mit einer solchen Herangehensweise oft selbst ein Bein stellte. Je länger man etwas erfolglos versuchte, desto größer wurde der Frust. Und Frust verkürzte nicht nur die Lebensdauer eines Gedankengangs, er verleitete das Gehirn auch noch dazu, Bilder, Worte und Klänge zu verzerren, bis man irgendwann Dinge sah und hörte, die gar nicht wirklich da waren.

»Okay«, sagte Garcia. »Und *wo* gehst du zu verkopft ran? Vielleicht kann ich ja helfen.«

»Ja, mag sein. Aber lass mich den Eintrag erst noch zu Ende lesen. Vielleicht wird es mir dann von selbst klar.«

»Okay«, sagte Garcia noch einmal.

Hunter widmete sich wieder dem Text.

Das wahre Problem tauchte erst auf, als es um das weitere Vorgehen ging. »Sobald sie ihr Geisha-Outfit trägt«, sagten die Stimmen, »soll sie mehrmals mit der flachen Hand ins Gesicht geschlagen werden – so lange, bis ihr das Blut aus Mund und Nase läuft. Keine Fausthiebe, ausschließlich mit der flachen Hand. Sie darf dabei auch nicht ohnmächtig werden. Sobald ihr Gesicht blutig ist, musst du ihr den Kimono gewaltsam vom Leib reißen. Dann musst du sie vergewaltigen ...« In dem Moment habe ich den Stimmen Einhalt geboten. NEIN. Ich werde ganz bestimmt NIEMANDEN vergewaltigen. Wenn das ihr Wunsch ist, kann ich ihnen nicht weiterhelfen. Dann müssen sie weggehen und mit einer anderen Anfrage wiederkommen. VERGEWALTIGUNGEN SIND ABSOLUT TABU.

Abermals hörte Hunter auf zu lesen.

»Da stimmt doch was nicht«, murmelte er. »Das passt doch alles hinten und vorne nicht zusammen.«

45

Obwohl Hunter nur flüsterte, konnte Garcia ihn in dem kleinen Raum laut und deutlich hören.

»Was passt hinten und vorne nicht?«, fragte er beunruhigt.

Hunter gab keine Antwort. Stattdessen saß er regungslos und mit halb geöffnetem Mund da. Sein Blick klebte förmlich am Bildschirm, während er die letzten Textzeilen wieder und wieder las.

»Robert!«, rief Garcia etwas lauter. »*Was* passt hinten und vorne nicht zusammen? Was hast du entdeckt?«

Hunter schüttelte den Kopf, als versuche er, die Erinnerung an einen bösen Traum loszuwerden.

»Wo bist du im Text?«, fragte er.

»Ungefähr bei der Hälfte des dritten Eintrags.«

»Dann sind wir ungefähr gleichauf.« Er gestikulierte seinem Partner, zu ihm zu kommen. »Hier, schau dir das mal an.«

Garcia gesellte sich zu Hunter an dessen Schreibtisch. »Was denn?«

»Das hier.« Hunter zeigte auf die Textpassage, die er zuletzt gelesen hatte. »Den Teil hier.«

Garcia las die Passage zweimal, ehe er Hunter verständnislos ansah.

»Kommt dir daran nichts falsch vor?«, fragte Hunter.

»Mich wundert, dass der Mörder Vergewaltigung so kategorisch ablehnt«, räumte Garcia ein. »Aber als *falsch* würde ich das nicht bezeichnen.«

»Da steckt ja noch viel mehr dahinter«, sagte Hunter. »Er hat es nicht nur abgelehnt, eine Frau zu vergewaltigen. Er hat den Stimmen gesagt, sie sollen weggehen und mit einer anderen Anfrage wiederkommen.«

Garcia zuckte die Achseln. »Das ist doch gut, oder nicht?«

»Ja, sicher«, räumte Hunter ein. »Aber das meine ich nicht, Carlos. Es geht mir nicht um die Vergewaltigung, sondern darum, dass der Täter offenbar Einfluss auf die Stimmen nehmen kann. Vom psychologischen Standpunkt aus gesehen, kommt so was bei Patienten mit Schizophrenie nicht vor.«

»Tja«, sagte Garcia und legte den Kopf schief. »Da ich mich mit Schizophrenie nicht besonders gut auskenne, bin ich gezwungen, nachzufragen: *Warum* kommt so was nicht vor?«

»Die Schizophrenie ist die Ursache dafür, dass der Betroffene Stimmen hört«, begann Hunter. »Aber diese Stimmen sind natürlich nicht echt. Sie entstehen im Kopf des Betroffenen, auch wenn sie für ihn absolut real klingen. Bei der Schizophrenie gibt es im Wesentlichen zwei verschiedene Ausprägungen auditiver Halluzinationen.« Hunter zählte sie an den Fingern seiner rechten Hand ab. »Entweder es handelt sich um Stimmen, die mit einer optischen Halluzination einhergehen; das heißt, der Betroffene sieht jemanden, der mit ihm spricht – so wie der viel zitierte imaginäre Freund. Für den Betroffenen ist diese Person genauso real wie du für mich, und normalerweise gibt er ihr früher oder später einen Namen – John, Paul, Jenny, der Drache, Cthulhu ... wie auch immer. Du verstehst, was ich meine, oder?«

Garcia nickte.

»Okay«, fuhr Hunter fort, ehe er die Aufmerksamkeit seines Partners auf den Computermonitor lenkte. »In seinen Aufzeichnungen bezeichnet der Täter die Stimmen aber immer nur als ›die Stimmen‹, er gibt ihnen keinen Namen, deshalb glaube ich, dass er zur zweiten Gruppe gehört – zu denjenigen, die *ausschließlich* auditive Halluzinationen haben. Diese Fälle sind oft ein bisschen extremer.«

»Extremer?«, wiederholte Garcia. »Inwiefern?«

»Wenn jemand Stimmen hört, die er als real erlebt, aber niemanden sieht, zu dem diese Stimmen gehören, schreibt er sie in den meisten Fällen einem mächtigen, nicht menschlichen Wesen zu – Gott, Satan, irgendwelchen Geistern oder Heiligen, einem verstorbenen Verwandten ...« Hunter hob beschwichtigend die Hände. Er wusste, dass er abschweifte. »Wie dem auch sei. In beiden Fällen sind die Stimmen, die der Betroffene hört, so mächtig und allgegenwärtig, dass er keinerlei Kontrolle über sie hat, geschweige denn, ihnen befehlen kann zu verschwinden ... Genau deshalb ist Schizophrenie auch eine Krankheit.« Hunter hielt inne, um Garcia Gelegenheit zu geben, das Argument nachzuvollziehen. »Wenn der Betroffene die Stimmen in seinem Kopf nach Belieben zum Schweigen bringen kann, hat er sich ja praktisch selbst geheilt. Wenn man die Stimmen kontrolliert, kontrolliert man auch die Krankheit.«

Garcia hatte verstanden und nickte.

»Aber wenn der Killer in der Lage ist, die Stimmen in seinem Kopf zu kontrollieren«, fuhr Hunter fort, »warum tut er es dann erst, als er aufgefordert wird, eine Frau zu vergewaltigen? Warum hat er sie nicht schon viel früher zum Schweigen gebracht – gleich als sie ihm zum ersten Mal befohlen haben zu töten? Wo ist da die Logik?«

Jetzt war Garcia derjenige, der sich schüttelte, als müsse er die Erinnerung an einen Albtraum loswerden.

»Und da ist noch was.« Hunter scrollte am Bildschirm nach oben, bis er die gewünschte Stelle gefunden hatte. »Hier.«

Garcia las die Passage, die Hunter ihm zeigte.

Auch das waren ungewohnt detaillierte Angaben, trotzdem dürfte es mir keine größeren Schwierigkeiten bereiten, ein ent-

sprechendes Subjekt zu finden – abgesehen von der Persönlichkeitsfrage natürlich. Aber die kann ich notfalls auch einfach außer Acht lassen, schließlich haben die Stimmen keine Möglichkeit, das zu überprüfen.

»Er kann die Persönlichkeitsfrage außer Acht lassen?«, fragte Hunter.

»Na ja, ich glaube, damit meint er, dass er diese Vorgabe der Stimmen nicht unbedingt erfüllen muss.«

»Natürlich«, sagte Hunter und nickte mit großen Augen. »Wenn er sagt, dass ›die Stimmen keinerlei Möglichkeit haben, das zu überprüfen‹, dann heißt das im Endeffekt, dass er sie täuschen kann. Aber wie täuscht man jemanden, der ein Produkt der eigenen Gedanken ist? Eine Manifestation des eigenen Bewusstseins? Wie soll das gehen?«

Jetzt fiel bei Garcia der Groschen.

»Gar nicht«, sagte er.

»Ganz genau. Die Stimmen sind ja man selbst. Was immer man weiß, sie wissen es auch.«

Garcia trat einen Schritt von Hunters Schreibtisch zurück und kniff sich nachdenklich in die Unterlippe. »Also, welchen Schluss ziehen wir daraus? Falls wir überhaupt einen Schluss daraus ziehen?«

Hunter ließ sich schwerfällig auf seinen Stuhl sinken, als hätte er zehn Runden im Boxring hinter sich.

»Ich weiß es auch nicht genau«, gestand er. »Aber wir sind ja auch erst bei Eintrag Nummer drei von insgesamt sechzehn. Es ist noch zu früh für irgendwelche Schlussfolgerungen. Ich wollte nur sagen, dass mir langsam ernsthafte Zweifel kommen, ob der Täter wirklich an Schizophrenie leidet.«

Garcia war derselben Auffassung.

»Aber wieso hört er dann Stimmen?«

Hunter atmete tief durch. »Was, wenn diese Stimmen in Wahrheit gar nichts mit einer psychischen Krankheit zu tun haben?«

»Ich verstehe nicht ganz.«

»Was, wenn es *echte* Stimmen sind ... reale Menschen ... die ihm sagen, was er tun soll?«

Garcias Kopf zuckte zurück. »Was? Aber das ist doch total verrückt. Wie ...? Was für Leute sollen das denn sein?«

Hunter zuckte mit den Schultern. »Keine Ahnung ... Vielleicht mache ich mir auch zu viele Gedanken. Im Moment ergibt das alles noch wenig Sinn. Es wird das Beste sein, wenn wir einfach erst mal weiterlesen ...«

Garcia nickte und kehrte zu seinem eigenen Schreibtisch zurück.

Hunter hatte immer noch keine Ahnung, wonach er suchte. Je mehr er las, desto mehr häuften sich die Fragen.

Wenn das ihr Wunsch ist, kann ich ihnen nicht weiterhelfen. Dann müssen sie weggehen und mit einer anderen Anfrage wiederkommen. VERGEWALTIGUNGEN SIND ABSOLUT TABU. Natürlich waren die Stimmen nicht gerade erfreut darüber, aber so etwas mache ich nicht. Ich habe noch nie jemanden vergewaltigt. Trotz allem, was ich gesehen und getan habe, habe ich noch nie jemanden vergewaltigt, weder BFOA noch sonst. Und ich werde auch nicht damit anfangen.

Abermals hielt Hunter inne. Er war über die Abkürzung gestolpert, die der Täter verwendet hatte – *BFOA*. Beunruhigt durchforstete er sein Gedächtnis nach Hinweisen darauf, was diese vier Buchstaben bedeuten konnten.

Ohne Erfolg.

Er rief seinen Browser auf und führte eine schnelle Internetsuche durch. Die meisten Treffer gab es für »Bacterial Foraging Optimization Algorithms«.

»Das kann es ja wohl nicht sein«, murmelte er kopfschüttelnd.

Einer der Links in der Ergebnisliste führte ihn zu einem Akronym-Finder.

Dort gab er die Buchstaben »BFOA« in die Suchmaske ein und klickte auf »Finden«. Einen Augenblick später wurden ihm fünf Definitionen angezeigt:

Beller Freibad Open Air (Deutschland)
Bull Fights on Acid (Band)
Broward Football Official's Association (Broward County, Florida)
Birmingham Football Official's Association (Birmingham, Alabama)
Boao Forum of Asia (Hainan, China)

Im Zusammenhang mit dem Text ergab keine dieser Möglichkeiten einen Sinn.

Ganz oben auf der Seite zeigten mehrere Tabs an, wie viele Ergebnisse das Akronym jeweils in den verschiedenen Kategorien erzielt hatte.

Weil es nur fünf Ergebnisse gab, wurden die Kategorien nicht einzeln angezeigt.

Informationstechnologie: 0 Suchergebnisse
Militär und Regierung: 0 Suchergebnisse
Wissenschaft und Medizin: 0 Suchergebnisse
Organisationen, Schulen etc.: 4 Suchergebnisse
Wirtschaft und Management: 0 Suchergebnisse
Slang, Chatsprache und Popkultur: 1 Suchergebnis

Hunter seufzte.

»Hast du eine Ahnung, wofür *BFOA* steht?«, fragte Garcia von seinem Schreibtisch her.

»Das versuche ich gerade rauszufinden«, antwortete Hunter. »Bis jetzt habe ich noch nichts gefunden, was in unserem Kontext Sinn ergibt.«

»Mir fällt auch nichts dazu ein.«

Hunter kratzte sich an der Nase und las den Satz ein weiteres Mal. »Lass uns später darauf zurückkommen. Ich will den neuen Eintrag erst mal zu Ende lesen.«

»Einverstanden«, sagte Garcia.

Ich hatte damit gerechnet, dass es danach erst mal eine Weile dauern würde, bis sich die Stimmen wieder melden. Vielleicht einen Tag, vielleicht auch zwei. Aber ich irrte mich. Trotz ihrer Enttäuschung meldeten sie sich fast sofort mit einer neuen Anfrage zurück – so als hätten sie eine ganze Liste mit Wünschen und wären auf eine Ablehnung gefasst gewesen. Die neue Anfrage unterschied sich stark von ihrer ersten und auch von all meinen bisherigen. Diesmal gaben sie nur wenige äußere Einzelheiten vor, das meiste überließen sie mir. Das Besondere an dieser Anfrage war, dass diesmal nicht ein einzelnes Subjekt gefordert wurde, sondern gleich zwei.

46

Abermals hielt Hunter inne – diesmal, um ratlos die Achseln zu zucken. Von einer psychologischen Warte aus ergab nur sehr wenig von dem, was er las, wirklich einen Sinn. Er rieb sich die Augen, ehe er dort weitermachte, wo er kurz zuvor aufgehört hatte.

... sondern gleich zwei. Geschlecht: männlich und weiblich. Alles andere wie Haar- und Augenfarbe, Alter, Größe etc. war ihnen egal. Nicht egal war allerdings die Beziehung, in der die beiden zueinander stehen sollten. Es musste ein Pärchen sein, und zwar eins, das seit mehr als fünf Jahren verheiratet war. Ob sie Kinder hatten, spielte keine Rolle, daher entschied ich mich dafür, ein kinderloses Paar zu nehmen. In einer Stadt wie L. A., wo traditionelle Werte in ständigem Widerstreit mit dem Streben nach be-

ruflichem Erfolg stehen und wo immer weniger berufstätige Paare Kinder bekommen, sollte sich so ein Pärchen leicht finden lassen. So war es am Ende auch. Ich musste nichts weiter tun, als mich in einige Bars und Restaurants zu setzen und Ausschau zu halten. Gleich am ersten Abend wurde ich fündig. In einem Restaurant in Santa Monica sah ich ein Pärchen an einem Tisch am Fenster sitzen. Sie schienen beide nicht älter als dreißig Jahre zu sein. Die Frau war groß und schlank mit schulterlangen kastanienbraunen Haaren und braunen Augen, die durch ihre Brille mit Schildpattrahmen ein bisschen größer wirkten. Ich fand sie weder hübsch noch hässlich, sondern in jeder Hinsicht unscheinbar. Der Mann war etwas größer als sie, hatte einen dichten, buschigen Vollbart und zurückgegelte Haare. Die beiden waren leger gekleidet und trugen Eheringe. Aber deshalb waren sie mir nicht aufgefallen, sondern weil sie einander die ganze Zeit überhaupt nicht beachteten. Sie saßen zwar zu zweit am Tisch, aber sie hätten genauso gut auch allein sein können, so sehr waren sie auf ihre Smartphones fixiert. Ich beobachtete sie fast zehn Minuten lang, und während der ganzen Zeit redeten sie kein einziges Wort miteinander. Sie schauten sich nicht mal an. Sie lächelten zwar hin und wieder, aber immer nur über etwas, was sie gerade auf ihren Displays gesehen hatten. Ich betrat das Restaurant und suchte mir einen Platz an der Bar, damit ich die beiden noch eine Weile unauffällig beobachten konnte. Als ihr Essen kam, legten sie die Handys beiseite, steckten sie aber nicht weg, sondern schauten zwischendurch immer wieder darauf. Sie widmeten ihnen mehr Aufmerksamkeit als ihren Tellern. Erst als sie mit dem Essen fertig waren und nach der Rechnung fragten, sahen sie einander an und redeten kurz miteinander. Der Mann zahlte, und die Frau bedankte sich bei ihm mit einem Küsschen auf die Lippen. Hinterher gingen sie noch in eine Cocktail-Lounge um die Ecke, wo sie sich mit ein paar Freunden trafen. Sie blieben etwa zwei Stunden. Sie lachten und unterhielten sich, aber immer nur mit ihren Freunden, nicht untereinander. Danach folgte ich ihnen noch bis zu ihrer Haustür. Sie wohnten in Wilshire Mon-

tana. Einige Tage später bekamen Doug und Sharon Hogan Besuch von einem Polizisten, der in ihrer Nachbarschaft eine Befragung zum Thema Einbruchssicherheit durchführte. Die Leute sind so leichtgläubig. Selbst in einer Stadt wie L. A. machen sie einem Polizisten immer die Tür auf. Datum und Uhrzeit: 10. Juni 2018–1930 h. Ort: Apartment Nr. 39, 10th Street Nr. 92, Wilshire Montana, Santa Monica. Foto der beiden aufgenommen am selben Abend.

Hunter unterbrach seine Lektüre, um in der Vermisstendatenbank nach den Namen der Ehepartner zu suchen. Kurze Zeit später wurde er fündig.

Doug Hogan, ein einunddreißigjähriger Wirtschaftsanalytiker, und Sharon Hogan, eine neunundzwanzigjährige Kindergarten-Erzieherin, waren am 19. Juni 2018 von Sharons Mutter Sandra Carson als vermisst gemeldet worden. Nachdem sie mehrere Tage lang nichts von ihrer Tochter gehört hatte, was laut Mrs Carson sehr ungewöhnlich war, hatte sie versucht, ihren Schwiegersohn anzurufen, doch auch dieser war nicht zu erreichen gewesen. Als Nächstes hatte sie es auf der Arbeit der beiden probiert, wo man ihr mitgeteilt hatte, dass man die beiden seit einer Woche nicht mehr gesehen habe. Daraufhin war Mrs Carson zu ihrer Wohnung gefahren und hatte geklingelt. Als niemand aufgemacht hatte, war sie zum Hausmeister gegangen, der ihr die Tür zur Wohnung aufgesperrt hatte. Obwohl es keinerlei Anzeichen eines Kampfes gab, hatte sich Mrs Carson, überzeugt davon, dass etwas nicht stimmte, schließlich an die Polizei gewandt. Am 19. Juni hatte sie offiziell die Vermisstenanzeige aufgegeben. Weder Doug noch Sharon waren jemals gefunden worden. Der Fall war offiziell noch nicht abgeschlossen. Die Akte enthielt mehrere Fotos der beiden – einige Einzelfotos sowie zwei, die sie zusammen als Paar zeigten.

Hunter schloss die Datenbank und wandte sich wieder dem Tagebucheintrag zu.

Was die Methode anging, machten die Stimmen wieder sehr klare Angaben – das Paar sollte nackt ausgezogen und Rücken an Rücken aneinandergekettet werden. »Sie sollen in einem großen Behältnis sitzen, in das sie problemlos beide hineinpassen. Dann geht das Spiel los. Du musst ihnen sagen, dass einer von ihnen sterben wird, aber SIE sollen selbst entscheiden, wer.« Da ich keinen entsprechend großen Behälter hatte, musste ich improvisieren. Zum Glück wohne ich in L. A., wo ein eigener Pool im Garten fast ein Muss ist – und wo es regelmäßig Waldbrände gibt, die jede Menge Häuser und Villen zerstören, von denen die meisten Menschen nicht einmal träumen können. Häuser, die jetzt nur noch verkohlte, verlassene Ruinen sind. Bei meiner etwa vierzigminütigen Fahrt durch eine besonders stark vom Feuer betroffene Gegend in Malibu hatte ich praktisch freie Auswahl. Ich wusste nicht, wie das Haus, für das ich mich letzten Endes entschied, vor dem Brand ausgesehen hatte, da es praktisch komplett zerstört worden war. Ich wusste auch nicht, wem es früher mal gehört hatte, aber was machte das für einen Unterschied? Zwischen den Ruinen, inmitten der verkohlten Überreste, fand ich etwas, das wie geschaffen war für meine Zwecke. Dieses Etwas war noch viel besser als ein Swimmingpool: ein Jacuzzi mit ausreichend Platz für zwei bis drei Personen.

Hier war der Text unterbrochen, denn der Täter hatte eine detaillierte Handskizze eines tränenförmigen Whirlpools einschließlich sämtlicher relevanter Maße eingefügt.

Die Wanne war voll mit Ruß und Trümmern, aber glücklicherweise noch intakt. Sie musste nur gründlich gesäubert werden. Am Montag, den 11. 6. 2018, führte ich die Instruktionen der Stimmen aus. Die beiden wurden mit dem Rücken aneinandergekettet und in den Jacuzzi gesetzt. Als ich ihnen sagte, sie müssten entscheiden, wer von ihnen beiden in dieser Nacht sterben soll, passierte etwas, womit ich so nicht gerechnet hätte.

Rasch öffnete Hunter das nächste Bild.

Nach dem üblichen Weinen und Flehen ergriff der Mann als Erster das Wort. Vielleicht bin ich in Gefühlsdingen zu unerfahren, aber ich war fest davon ausgegangen, dass er mich bitten würde, ihn zu töten und das Leben seiner Frau zu verschonen. Ich hatte gedacht, dass er ihr seine Liebe gestehen und ihr sagen würde, dass er lieber sterben als ohne sie weiterleben wolle. Doch das genaue Gegenteil trat ein. Er flennte wie ein kleines Mädchen und sagte, dass er noch mehr vom Leben erwarten könne als seine Frau. Dass er der Gesellschaft viel mehr zu geben hätte als sie. Als die Frau das hörte, war sie zunächst dermaßen erschrocken, dass sie sogar aufhörte zu weinen und ihre blutunterlaufenen Augen so groß wurden wie Untertassen. Dann gewann ihre Wut die Oberhand. Sie beschimpfte ihren Mann als »dreckiges Arschloch« und versetzte ihm einen heftigen Stoß mit dem Hinterkopf. Wären die beiden mit dem Gesicht zueinander gefesselt gewesen, hätte sie ihm vor lauter Zorn bestimmt Nase und Lippen abgebissen. Vielleicht hatten mir die Stimmen deshalb befohlen, sie Rücken an Rücken zu setzen – weil sie mit so einer Reaktion gerechnet hatten. Ich glaube, wenn die Frau zuerst an der Reihe gewesen wäre, hätte sie mich gebeten, ihren Mann am Leben zu lassen. Aber nach der Nummer, die er abgezogen hatte, war daran natürlich nicht mehr zu denken. »Du blödes, verzogenes Muttersöhnchen!«, rief sie. »Du nutzloses, untreues Arschloch. Du hast so viel von deiner eigenen Schafscheiße gefressen, dass du nicht mal merkst, dass ich mit drei deiner sogenannten Freunde geschlafen habe!« Es war ein regelrechtes Gemetzel. Die beiden beschimpften sich gegenseitig, traten, stießen sich die Ellbogen in die Rippen und schlugen mit den Köpfen aufeinander ein. Ich schaute einige Minuten lang dabei zu, wie sie sich gegenseitig zerfleischten. Es ist ein beeindruckendes Schauspiel, wenn sich die Emotionen von zwei Menschen immer weiter hochschaukeln, aber nach einer Weile wurde es mir dann doch langweilig. Als die Stimmen sagten, dass sie ebenfalls genug hätten, überbrachte ich den beiden die traurige Mitteilung, dass ich sie angelogen hätte und sie beide sterben würden. Ihr Streit war vollkommen vergeblich gewesen, auch wenn er viel über ihre Beziehung und ihre Persönlichkeiten verraten und die Stimmen ganz gut unterhalten hatte. Sie schwiegen einige Sekunden lang, dann ging das Schreien und Heulen und Betteln von Neuem los. Als sie dann auch noch erfuhren, wie *sie sterben würden, wurden sie schier rasend vor Angst. Ich hatte sie nämlich nicht ohne Grund in einen Jacuzzi gesetzt. »Das Behältnis mit den beiden Subjekten«, hatten die Stimmen erklärt, »muss entweder mit* H_2SO_4 *(Schwefelsäure) oder NaOH (Natronlauge) gefüllt werden.« Diese zwei Substanzen liegen an entgegengesetzten Enden des Säure-Basen-Spektrums. Welche ich wählte, war mir überlassen worden. Ich hatte mich für Natronlauge entschieden, aber nicht etwa, weil starke Basen weniger schmerzhaft sind und gleichzeitig mehr Schaden anrichten als Säuren. Wenn die Menge groß genug ist, sind die Schmerzen in jedem Fall unerträglich und die Verletzungen tödlich. Meine Entscheidung hatte einfach nur damit zu tun, dass es deutlich leichter war, eine große Menge Natronlauge zu beschaffen als die entsprechende Menge Schwefelsäure. Als ich den ersten Kanister in den Jacuzzi kippte, achtete ich darauf, dass der Mann mehr abbekam als die Frau, aber da die beiden aneinandergekettet waren, erwies sich das als ziemlich schwierig. Ihre Schreie waren regelrecht unmenschlich. Ich habe noch nie etwas Vergleichbares gehört – und ich habe schon viel gehört. Sie zappelten hilflos herum wie Insekten, die in einem Spinnennetz gefangen sind, aber ihre Schreie verstummten schon bald, und ihre Gegenwehr erlahmte. Hochkonzentrierte Natronlauge ätzt sich durch die menschlichen Hautschichten. Und danach gehen die Qualen erst richtig los. Am Ende sah der Jacuzzi aus wie ein Hexenkessel. Ich muss nicht extra erwähnen, dass beide Subjekte, ehe sie schließlich verstarben, Schmerzen litten, wie sie nicht mal in der Bibel erwähnt werden. Hinterher musste ich sie mit der Schaufel aus der Wanne kratzen. Aufgrund des Zustands der Leichen – bzw. dessen, was noch von ihnen übrig war – beschloss ich, sie diesmal nicht zu vergraben, sondern dem Meer zu übergeben. Ihre sterblichen Überreste wurden etwa 2,2 Meilen südwestlich von Santa Monica Beach im Pazifik versenkt.*

Damit war der Eintrag zu Ende.

Hunter lehnte sich auf seinem Stuhl zurück, während Erinnerungen an einen alten Fall in ihm hochkamen. Er wusste sehr gut, was Natronlauge mit menschlichem Gewebe anstellte. Einige Jahre zuvor hatten er und Garcia live im Internet zusehen müssen, wie ein Mann eines ganz ähnlichen Todes gestorben war. Der Täter hatte sein Opfer in einen großen, selbst gebauten Glastank gesperrt, den er sodann mit einer Mischung aus Wasser und Ätznatron geflutet hatte. Selbst in verdünntem Zustand hatte die Lauge verheerenden Schaden angerichtet, und das Opfer hatte unvorstellbare Qualen gelitten.

»Ich habe nichts gefunden«, sagte Garcia und schüttelte frustriert den Kopf.

Hunter brauchte einige Sekunden, ehe die Worte seines Partners zu ihm durchgedrungen waren. Er schaute ihn mit leerem Blick an.

»*BFOA*«, sagte Garcia. »Ich habe alle möglichen Bedeutungen gefunden, aber keine ergibt in unserem Kontext Sinn.«

Hunter war so in Gedanken versunken gewesen, dass er gar nicht mehr an die Abkürzung gedacht hatte.

»Warte kurz«, sagte er und griff nach seinem Handy. Er suchte eine Weile in seiner Kontaktliste, dann tippte er auf »Verbinden«.

»Wen rufst du an?«, wollte Garcia wissen.

»Einen alten Freund«, sagte Hunter, während das Freizeichen ertönte ... einmal ... zweimal ... dreimal.

»Hallo«, meldete sich eine raue Männerstimme am anderen Ende.

»Mr Wilson?«, sagte Hunter.

»Am Apparat. Mit wem spreche ich?«

Obwohl Wilson Hunters Stimme sofort wiedererkannt hatte, da sie mindestens einmal im Monat telefonierten, begann der vierundachtzigjährige ehemalige Stabsfeldwebel der US Army jedes Telefonat auf dieselbe Art und Weise. Es war ein altes Ritual.

»Mr Wilson, hier ist Robert. Robert Hunter.«

»Wenn du deine Stärke verlierst, wirst du scheitern.«

»Ich kann nicht scheitern«, gab Hunter zurück. »Denn die Stärke lebt in mir.«

»Wie bitte?« Garcia sah seinen Partner verdattert an. »Was lebt in dir?«

Mit einem Kopfschütteln bedeutete Hunter ihm zu ignorieren, was er gerade gesagt hatte.

Am anderen Ende der Leitung war ein gutturales Lachen zu hören. »Das hoffe ich, Robert. Das hoffe ich wirklich sehr.«

Der ehemalige Stabsfeldwebel Adrian Wilson war der Vater von Scott Wilson, Hunters allererstem Partner im Raub- und Morddezernat. Vor über zehn Jahren, während eines feuchtfröhlichen Abends, hatte Scott, der den Großteil seiner Kindheit und Jugend bei seinem alleinerziehenden Vater verbracht hatte, Hunter ein Versprechen abgenommen. Für den Fall, dass Scott jemals etwas zustieß, sollte Hunter von Zeit zu Zeit bei seinem Vater nach dem Rechten schauen. Anderthalb Jahre später war Scott bei einem Bootsunfall ums Leben gekommen.

Hunter hatte das Versprechen nie vergessen, und seit Scotts Tod meldete er sich mindestens einmal im Monat bei Mr Wilson. Nicht, dass dieser einen Babysitter gebraucht hätte. Er war ein hochdekorierter Kriegsveteran, hatte in Vietnam, im Libanon und in Nicaragua gekämpft und war selbst mit vierundachtzig noch hellwach, rüstig und voller Energie – in jeder Hinsicht eine beeindruckende Persönlichkeit.

»Wie geht es Ihnen, Sir?«, erkundigte sich Hunter.

Obwohl er selbst nie in der Armee gedient hatte, behandelte er Wilson stets mit dem größten Respekt. Das hatte sich der alte Herr redlich verdient.

»Ach, Sie kennen mich doch ... ich spucke Blut, ich pisse Blut, ich huste Blut ... überall Blut, im ganzen Haus.« Trotz des Scherzes hatte seine Stimme einen festen und unüberhörbar gebieterischen Ton.

»Das tut mir leid, Sir«, erwiderte Hunter, ehe er besorgt hinzufügte: »Sie pissen doch nicht wirklich Blut, oder?«

Garcia verzog unwillkürlich das Gesicht. »Wie bitte? Wer pisst Blut? Mit wem redest du da?« Einen Sekundenbruchteil nachdem er die Frage gestellt hatte, winkte er ab. »Ach – ich will's gar nicht wissen. Mach du nur dein Ding, Mr Innere Stärke.«

Wieder ein heiseres Lachen von Mr Wilson. »Nein, Robert, natürlich nicht. Ich mache bloß Spaß. Sei doch nicht immer so humorlos, Junge.«

»Ich müsste Sie etwas fragen, Sir.«

Wilson, der die Anspannung in Hunters Stimme wahrnahm, zögerte einen Moment. »Scheint ja was Ernstes zu sein.«

»Ich brauche Ihre Hilfe.«

»Sicher, mein Junge. Immer frei von der Leber weg. Worum geht es?«

»Wissen Sie zufällig, was die Abkürzung *BFOA* bedeutet?«, fragte Hunter. »In einem militärischen Kontext?«

In dem darauffolgenden Schweigen konnte Hunter praktisch hören, wie sich die Rädchen im Kopf des alten Mannes drehten.

»Dazu fällt mir spontan nichts ein«, antwortete Wilson nach einer Weile. »Aber ich bin nicht mehr der Jüngste, wie Sie wissen, und mein Gedächtnis lässt mich manchmal im Stich.« Eine kurze Pause. »Könnten Sie mir noch mehr dazu sagen? Wo haben Sie das gehört? Ich meine, in welchem Zusammenhang?«

»Es war Bestandteil einer schriftlichen Aussage.«

»Und wie lautet die Stelle denn genau?«

»*Ich habe noch nie jemanden vergewaltigt*«, las Hunter vor. »*Weder BFOA noch sonst. Und ich werde auch nicht damit anfangen.*«

Wieder trat eine Pause ein. Hunter hatte das Gefühl, als würde der alte Mann den Atem anhalten.

»Sir?«

»Ja, mein Junge.« Auf einmal klang Mr Wilsons Stimme schwer und bedrückt. »Jetzt weiß ich, was *BFOA* bedeutet.«

47

Fünfzehn Minuten nachdem der Franklin Canyon Park seine Tore für die Allgemeinheit geöffnet hatte, brach der Mann auf. Obwohl sein Lieblingsplatz ruhig und abgeschieden war, wusste er, dass schon bald Fährtenleser, Jogger, Radfahrer und Hundebesitzer kommen und mit ihrer geschmacklosen grellbunten Freizeitkleidung die natürliche Schönheit des Ortes stören würden. Ganz zu schweigen von dem Lärm, den sie mitbrachten und der einen Großteil der Wildtiere verscheuchte. So war es bei jedem Wetter.

Aber die Ruhe hatte ihm zu geistiger Klarheit verholfen, und er war bereit für das, was kommen würde.

Die Fahrt nach Santa Clara, wo der Mann in einem am Rande eines kleinen Waldstücks gelegenen leer stehenden Gebäude hauste, dessen Keller er zu einer wahrhaften Kammer des Schreckens ausgebaut hatte, dauerte knapp eine Stunde.

Er stieg die ausgetretene Betontreppe hinunter. Sein Schatten, den die einsame Leuchtröhre am oberen Ende der Treppe an die gemauerten Wände warf, tanzte bei jedem

Schritt gespenstisch vor ihm her. Der Geruch, der ihn empfing, war eine seltsame Mischung aus Mehltau, saurer Milch und Desinfektionsmitteln, denn der Mann putzte die Stufen jede Woche mit beinahe religiöser Gründlichkeit.

Nach einer Weile machte die Treppe einen Knick nach rechts. Dorthin drang das schwache Licht der Leuchtröhre kaum noch vor. Am Fuß der Stufen angekommen, gelangte der Mann zu einer großen Stahltür. Statt eines Schlüssellochs besaß sie einen ausgeklügelten elektronischen Schließmechanismus, der sich nur mittels einer sechsstelligen Ziffernfolge oder eines Daumenabdrucks öffnen ließ. Der Mann hielt seinen rechten Daumen auf den Scanner, und die Tür ging mit einem lauten Summen auf. Er betrat einen quadratischen Raum, der bis auf eine flache Werkbank an der Wand leer war. An der Decke entlang verliefen zahlreiche unterschiedlich dicke Rohre kreuz und quer in alle Richtungen. Die Wände bestanden aus massiven Betonziegeln. Der Mann betätigte den Lichtschalter zu seiner Rechten, und zwischen zwei Rohren erwachte eine weitere Leuchtröhre zum Leben. Sie flackerte mehrmals, ehe sie den Raum in ihr stumpfes orangefarbenes Licht tauchte.

Direkt gegenüber befand sich eine weitere Stahltür, noch dicker als die erste. Auch sie verfügte über ein elektronisches Schloss. Diesmal legte der Mann seinen linken Daumen auf den Scanner, woraufhin sich die Tür öffnete. Der Raum dahinter war ein wenig kleiner als der erste. Er enthielt ein Kontrollpult, zwei Stühle sowie einen großen Monitor an der Wand über dem Pult. Rechts davon stand ein großes Metallregal voll mit Elektronik und Computerbauteilen, daneben ein Schrank, den er stets verschlossen hielt. Links vom Pult befand sich eine weitere Tür. Sie war so perfekt in ihren Rahmen eingepasst, dass man nicht einmal ihre Angeln sehen konnte.

Auch hier machte der Mann Licht. Acht Halogenbirnen an der Decke leuchteten auf, und es wurde taghell.

Acht Schritte führten ihn zum Kontrollpult, wo er auf einen Knopf drückte, um den Monitor einzuschalten. Darauf erschienen vier verschiedene Bilder, zwei oben und zwei unten, von denen jedes exakt ein Viertel der Fläche einnahm.

Die Tür links vom Kontrollpult führte in einen langen und dunklen L-förmigen Gang. Von diesem Gang gingen insgesamt fünf Räume ab. Vier davon waren Zellen, die er selbst gebaut hatte – absolut ausbruchssicher. Jede dieser Zellen verfügte über eine kleine Kamera, die in der Mitte der Decke in einem schützenden Drahtkäfig angebracht war und jederzeit in den Infrarotmodus umgeschaltet werden konnte, sodass sie auch im Dunkeln gute Bilder lieferte. Die Aufnahmen wurden in Echtzeit auf den Monitor übertragen. Im Augenblick war lediglich eine der vier Zellen unbenutzt.

Der Mann machte es sich auf seinem Bürosessel bequem und betrachtete einen Moment lang den Bildschirm.

»Na, wie geht es euch heute?«, murmelte er, während sein Blick von einem Bild zum nächsten sprang. »Schauen wir uns das doch mal ein wenig genauer an.«

Der Mann gab einen Befehl in eine Tastatur ein, woraufhin der viergeteilte Bildschirm verschwand und stattdessen ein einzelnes Bild erschien, an dessen oberem Rand in kleinen weißen Buchstaben »Zelle 1« zu lesen war. Mit einem weiteren Befehl wechselte er zu »Zelle 2« und schließlich zu »Zelle 3«. Mehrere Minuten verbrachte er damit, zwischen den Aufnahmen der einzelnen Zellen hin und her zu springen und die drei Insassen zu beobachten. Die Frau in der ersten Zelle saß mit dem Rücken zur hinteren Wand, die Knie an die Brust gezogen, die Arme um die Beine geschlungen, den Kopf gesenkt. Auch ohne das Mikrofon in ihrer Zelle zu aktivieren, wusste der Mann, dass sie weinte. Er sah das leichte Beben ihres Kopfes und ihrer Schultern.

Er wechselte zur Kamera in Zelle zwei. Der Mann dort saß im Schneidersitz auf seiner Pritsche und hatte die Hände wie zum Gebet gefaltet. Es war unmöglich zu erkennen, ob er wirklich betete, aber das spielte auch keine Rolle. Gebete änderten nichts. Sie änderten nie etwas.

Die Frau in der dritten Zelle schien zu schlafen. Sie hatte sich mit dem Gesicht zur Wand auf dem Bett zusammengerollt.

Wieder wechselte der Mann zwischen den Kameras. Er musste eine Entscheidung treffen: Welcher der drei würde an diesem Tag sterben?

Er lachte leise.

»Das Leben ist unberechenbar, nicht wahr?«, sagte er, als unterhielte er sich mit seinen Gefangenen. »Ich wette, keiner von euch hat sich träumen lassen, dass sein Schicksal mal von einem Abzählreim abhängt.«

Der Mann lehnte sich auf seinem Stuhl zurück und begann mit Singsangstimme leise vor sich hin zu murmeln.

»Eene, meene muh ...«

48

Etwas an Mr Wilsons Tonfall ließ Hunter gespannt den Atem anhalten. Er wartete, doch Wilson schwieg.

»Sir?«, sagte Hunter. »Sind Sie noch dran?«

»Ja, ich bin noch da.« Mr Wilson räusperte sich, als hätte er einen Frosch im Hals. »Mein Junge, Sie müssen verstehen, dass im Krieg gewisse Dinge passieren können, ganz egal, wie die Befehle und Einsatzregeln lauten oder welche Abkommen ignorante Politiker in irgendwelchen nutzlosen internationalen Organisationen unterzeichnet haben. Soldaten sind keine Maschinen. Sie sind Menschen wie Sie und ich, und genau wie Sie und ich lassen auch sie sich manchmal von ihren Gefühlen leiten, nicht von den Befehlen, die sie erhalten haben, und auch nicht von ihrer Vernunft. Manchmal handeln Soldaten aus purer Wut oder aus Rachedurst – vor allem, wenn sie es mit ganz bestimmten Feinden zu tun haben.«

»Mit ganz bestimmten Feinden?«, wiederholte Hunter.

»Sie sind ein kluger Mann, deshalb wissen Sie, dass das, was ich jetzt sage, die Wahrheit ist: Wenn es darum geht, die Freiheit und das Leben der Bürger zu verteidigen, wird sich keine Armee zu hundert Prozent an die Regeln halten. Das ist praktisch ausgeschlossen – und ich rede hier von demokratischen Staaten wie den USA. Nun gibt es aber auch Länder auf der Erde, in denen die Mächtigen durch Unterdrückung, Folter oder sogar Mord an den eigenen Bewohnern herrschen. Solche Regimes interessiert es einen Scheißdreck, ob es irgendwo ein Stück Papier gibt, auf dem steht, wie sie sich im Krieg zu verhalten haben. Für sie haben internationale Abkommen keine Bedeutung. Sie kämpfen auch mit schmutzigen Mitteln. Sie schrecken vor nichts zurück und machen keinen Unterschied zwischen Soldaten und Zivilisten. Und manchmal passiert es – aus welchen Gründen auch immer –, dass die Armeen demokratischer Staaten das Bedürfnis haben, es diesen Leuten mit gleicher Münze heimzuzahlen.« Mr Wilson hielt inne, um sich ein weiteres Mal zu räuspern. »Vergewaltigung und sexuelle Gewalt im Allgemeinen sind für diese Leute Kriegswaffen. Sie werden gezielt eingesetzt, um den Gegner zu demütigen und zu zermürben. Sie verstehen doch sicher besser als manch anderer, wie effektiv solche Mittel sein können, nicht wahr?«

Hunter spürte deutlich die Betroffenheit in Mr Wilsons Stimme.

»Manchmal«, fuhr der alte Mann fort, »finden sich unsere Soldaten vielleicht in einer Situation wieder, in der sie aus purem Zorn zu den gleichen Waffen greifen wie der Feind. Bitte, sagen Sie mir, dass Sie das verstehen.«

»Ja«, sagte Hunter. Natürlich *verstand* er die Erklärung des alten Mannes. Aber das bedeutete noch lange nicht, dass er auch Verständnis dafür hatte.

»Und jetzt zurück zu Ihrer Frage.« Wieder hielt Mr Wilson inne, diesmal, um tief Luft zu holen. »*BFOA* bedeutet *by force of arms* – also so viel wie ›durch Waffengewalt‹ oder in Ihrem Kontext vielleicht auch ›unter Androhung von Waffengewalt‹.«

Hunter schloss die Augen und presste wie unter Schmerzen die Lippen zusammen.

»Das bedeutet im Wesentlichen ...«

»Vergewaltigung mit vorgehaltener Waffe«, fiel Hunter ihm ins Wort. »Ja, ich kann es mir schon vorstellen. Ich hätte von selbst darauf kommen müssen.«

»Nein, das ist es ja gerade. Sie hätten das unmöglich wissen können. Diese Abkürzung verwendet so gut wie niemand. Wenn überhaupt, dann nur im Zusammenhang mit Krieg oder bewaffneten Konflikten. In Ihrem Kontext ... im Zusammenhang mit Vergewaltigung ... bedeutet es wohl, dass die fragliche Person keine Vergewaltigung begangen hat, selbst als sie den Befehl dazu bekam.«

Jetzt verstand Hunter auch den Sinn von Mr Wilsons langer Vorrede.

Im Grunde genommen waren seine letzten Zweifel damit ausgeräumt, doch er wollte ganz sichergehen.

»Nur, damit ich es auch wirklich richtig verstehe, Sir«, sagte er leise. »Die Person, die diesen Satz geschrieben hat ... Könnte es sein, dass sie beim Militär ist beziehungsweise war?«

»Ich würde sogar sagen, dass es so sein *muss*. Diese Person hat auf jeden Fall an Kampfhandlungen teilgenommen – und zwar an vorderster Front.«

49

Hunter legte auf. An seinem Gesichtsausdruck allein erkannte Garcia, dass er etwas Wichtiges in Erfahrung gebracht hatte. Er wartete ab, doch Hunter schwieg. Sein Gehirn war noch dabei, die neuen Informationen zu ordnen und sie an die richtigen Stellen zu schieben.

Irgendwann wurde Garcia ungeduldig. »Und? Wer war das denn jetzt am Telefon? Und was hast du rausgefunden?«

Keine Antwort.

»Robert!«, rief er.

Hunter schüttelte sich. »Was?«

»Wer war das am Telefon?«

»Nur ein alter Bekannter, der früher beim Militär war.«

»War?«

»Ja, er ist im Ruhestand.«

»Okay, und was hat er dir gesagt? Wissen wir jetzt, was *BFOA* bedeutet?«

Hunter fasste sich kurz. Er erklärte Garcia lediglich, was die Abkürzung bedeutete und was sich daraus für ihren konkreten Kontext ergab.

»Also hattest du recht«, sagte Garcia beunruhigt. »Dieser Killer ist wirklich beim Militär. Das könnte die Sache erheblich verkomplizieren.«

»Er *war* beim Militär«, korrigierte Hunter seinen Partner. »Früher. Jetzt nicht mehr.«

»Woher willst du das wissen?«

»Weil das einiges erklären würde – nicht nur die spezielle Terminologie, die er benutzt.«

Weil Hunter sich nicht mehr an den genauen Wortlaut erinnern konnte, lud er hastig die Tagebuchseite mit dem Dateinamen »Seite001« auf seinen Monitor.

»Hier«, sagte er und deutete auf eine Textstelle. »Gleich

auf der ersten Seite – in dem Eintrag über Elizabeth Gibbs – erwähnt er, dass sein Erinnerungsvermögen nachlässt. Seine genauen Worte sind: ›*Mein Gedächtnis ist nicht mehr so gut wie früher. Ich vergesse Dinge. Ich vergesse sehr viele Dinge, und es wird immer schlimmer. Das ist einer der Gründe, weshalb ich mich entschieden habe, dieses Tagebuch anzufangen.*‹«

»Ja, ich erinnere mich«, sagte Garcia und stieß sich mitsamt Stuhl von seinem Schreibtisch ab, damit er Hunter besser sehen konnte.

»Vielleicht schreibt er später noch mehr über sein Problem«, sagte Hunter. »Aber rein auf Basis dieser paar Zeilen würde ich sagen, er leidet unter mäßigen bis starken kognitiven Leistungseinbußen, wie siehst du das?«

Garcia nickte. »Ja, kann schon sein.«

»Okay«, fuhr Hunter fort. »Die meisten Kliniker, die mit kognitivem Leistungsabfall oder Demenz zu tun haben, verwenden eine bestimmte Skala, um den Verlust der kognitiven Funktion eines Patienten zu messen – nämlich die Reisberg-Skala der Demenz, auch Global Deterioration Scale oder GDS genannt. Sie unterscheidet sieben Grade der Demenz. Ich will dich nicht mit ellenlangen Erklärungen langweilen, aber mittelstarke kognitive Leistungseinbußen sind auf dieser Skala Stufe fünf. Das ist schon ziemlich weit fortgeschritten.«

Wieder nickte Garcia. »Verstehe.«

»Aber Angela hat ausgesagt, dass der Mann, von dem sie das Tagebuch gestohlen hat, Ende dreißig oder maximal Anfang vierzig war. Das ist viel zu jung für jemanden mit Demenz der Stufe fünf«, erklärte Hunter. »Das würde ja bedeuten, dass die Krankheit sich zum ersten Mal in seinen späten Zwanzigern oder frühen Dreißigern manifestiert haben muss. Zugegeben, möglich wäre das. Aber die Wahrscheinlichkeit ist sehr gering.«

Garcia lehnte sich auf seinem Schreibtisch nach vorn und stützte das Kinn auf die Faust. »Und was, wenn sein Gedächtnisverlust nichts mit Demenz im engeren Sinne zu tun hat?«

»Eben.« Hunter zeigte auf seinen Partner. »Das hat er wahrscheinlich auch nicht. Meine Vermutung ist, dass seine kognitiven Probleme von einem Trauma herrühren, entweder einer physischen Verletzung oder einem psychologischen Trauma, vielleicht auch von einer Kombination aus beidem. Wenn unser Täter wirklich an Kampfhandlungen beteiligt war oder ihm vielleicht sogar befohlen wurde, unter Waffengewalt Vergewaltigungen zu begehen ...«

»Dann bedeutet das vermutlich, dass er nicht nur schreckliche Dinge erlebt, sondern auch selbst getan hat«, schloss Garcia.

»Genau«, pflichtete Hunter ihm bei. »Ein solcher Kampfeinsatz sowie der damit einhergehende Druck könnte durchaus ein körperliches oder psychisches Trauma ausgelöst haben. Ganz zu schweigen von einer posttraumatischen Belastungsstörung, die – unter anderem – in vielen Fällen zu Gedächtnisausfall führt. Wie auch immer, wenn ein Soldat nach dem Einsatz wieder in die Heimat zurückkehrt, muss er eine Reihe von körperlichen und psychologischen Tests durchlaufen. Gedächtnisprobleme lassen sich nicht einfach so verbergen, egal, welche Ursache sie haben. Und sobald bei ihm die Diagnose feststand ...« Hunter fuhr sich mit der ausgestreckten Hand quer über die Gurgel. »... war das das Ende seiner militärischen Laufbahn. Wer immer dieser Killer ist, seine aktive Zeit in der Armee hat er hinter sich.«

»Ja, macht Sinn«, sagte Garcia und rollte mit seinem Stuhl wieder näher an seinen Computer heran.

Hunter legte die Hände zusammen und rieb sich langsam über Nase und Mund. »Darauf hätte ich eigentlich gleich kommen müssen.«

»Worauf?«

»PTBS«, sagte Hunter. »Kriegstrauma. Wenn wir damit

richtigliegen, könnte das auch die Stimmen erklären. Und es könnte erklären, weshalb er sie zum Schweigen bringen und sich ihren Anweisungen widersetzen kann.«

Zwischen Garcias Augenbrauen erschien eine steile Falte. »Jetzt bin ich raus.«

Hunter stand auf. »Ehemalige Soldaten, die an PTBS leiden«, sagte er, »erleiden mitunter Episoden oder Krampfanfälle, die durch verschiedene Faktoren ausgelöst werden können – ein Geräusch, ein Geruch, bestimmte Bilder oder ein bestimmter Gegenstand ... Selbst ein Gesicht, das sie an jemanden erinnert, kann der Trigger sein. Wenn die Stimmen im Kopf unseres Killers durch so etwas ausgelöst werden, könnte das erklären, weshalb er sie zum Schweigen bringen und sich ihnen verweigern kann.«

Garcia hob die Hand. »Nicht so schnell. Okay, ich kann nachvollziehen, weshalb ein lautes Geräusch wie die Rotoren eines Helikopters, der Geruch von Feuerwerkskörpern oder Ähnliches solche Episoden auslösen kann – in unserem Fall die Stimmen in seinem Kopf. Aber inwiefern ist das eine Erklärung dafür, dass er *Kontrolle* über die Stimmen hat?«

»Weil solche Episoden immer direkt mit der Erinnerung verknüpft sind, die das Trauma ausgelöst hat. Stell dir mal vor, was wäre, wenn in dieser Erinnerung ein übergeordneter Offizier vorkommt oder jemand anders, der eine Befehlsgewalt über unseren Täter innehat und von ihm verlangt, etwas zu tun, wozu er nicht bereit ist – nicht mal unter Androhung von Waffengewalt. So wie in unserem Fall eine Vergewaltigung.«

Allmählich dämmerte es Garcia. »Okay, mal sehen, ob ich es richtig verstanden habe. Du meinst, wenn die Stimmen im Kopf unseres Killers, die von einem traumatischen Ereignis ausgelöst wurden, ihm einen Befehl geben, den er in der Vergangenheit schon mal verweigert hat, dann kann er ihn jetzt auch verweigern?«

»Genau. Er hat es einmal geschafft, also kann er es wieder schaffen.«

Garcia rief noch einmal die erste Seite des Tagebuchs auf. »Und … wenn das erste Opfer, das im Tagebuch erwähnt wird, am 3. Februar 2018 entführt wurde und wir mit Sicherheit wissen, dass es vor Elizabeth Gibbs auch schon andere Opfer gab, dann heißt das, wir suchen nach einem ehemaligen Soldaten, der circa 2016 oder 2017 von einem Auslandseinsatz zurückgekommen ist?«

»Vielleicht auch schon früher«, meinte Hunter. »Ohne zu wissen, wie viele Opfer es vor Miss Gibbs gab, und ohne die Abstände zwischen den Taten zu kennen …« Er schüttelte mutlos den Kopf.

Garcia wandte kurz den Blick ab, als hätte er irgendwo im Raum etwas entdeckt, das ihm Sorgen bereitete.

»Du weißt, dass wir dabei nicht mit Unterstützung rechnen können?«, fragte er. »Wie du vorhin gesagt hast: Nach ihrer Rückkehr müssen sich die Soldaten einer Reihe von Tests unterziehen. Wenn bei unserem Täter PTBS oder irgendein anderes psychologisches Problem festgestellt wurde, kümmert sich die US Army selbst darum. Die haben ihre eigenen Ärzte, ihre eigenen Psychologen, weil die eher im Sinne des Militärs handeln als im Sinne des Patienten … Um an Informationen über einen ehemaligen Soldaten zu gelangen, müssten wir uns direkt an die Army wenden.« Garcia lachte freudlos. »Ich sage dir, da spielt es keine Rolle, ob der Kerl ein Serienkiller ist oder nicht. Man wird uns jede Tür vor der Nase zuschlagen.«

»Ja, könnte passieren«, sagte Hunter. »Aber vielleicht müssen wir uns ja gar nicht an die Army wenden. Noch wissen wir so gut wie nichts. Erst mal sollten wir das Tagebuch zu Ende lesen.«

Genau in dem Moment klopfte es.

»Herein«, rief Hunter und drehte sich in Richtung Tür.

Es war Officer Makalsky. Er kam herein, trat zu Hunters

Schreibtisch und reichte ihm einen Asservatenbeutel, in dem sich das Buch befand, das er in Hunters Auftrag bei Dr. Slater abgeholt hatte.

Hunter wartete, bis der Officer den Raum wieder verlassen hatte, ehe er ein Paar Einweghandschuhe aus der Schublade holte und den Beutel aufriss.

Garcia erhob sich, um besser sehen zu können.

Hunter legte das dicke Buch auf seinen Schreibtisch, doch statt es aufzuschlagen, holte er lediglich tief Luft und starrte auf den Einband.

»Jetzt fängt der Spaß erst richtig an, was?«, sagte Garcia und nickte unmerklich.

Hunter sah ihn an.

»Du und ich haben sehr unterschiedliche Auffassungen von Spaß.«

50

Nun, da Hunter das Original-Tagebuch des Mörders in den Händen hielt, begann er noch einmal ganz von vorn, allerdings konzentrierte er sich diesmal ausschließlich auf die Beschaffenheit der Seiten selbst. Eine konkrete Vorstellung davon, wonach er suchte, hatte er nach wie vor nicht.

Mithilfe eines Vergrößerungsglases inspizierte er zunächst die äußeren Ränder der ersten Seite auf Markierungen, Abdrücke, Knicke, Risse oder irgendwelche anderen Auffälligkeiten.

Nichts.

Als Nächstes nahm er sich den inneren Seitenrand nahe dem Falz vor. Alles, was er fand, waren Rückstände von Fingerabdruckpulver. Die Kriminaltechniker im Labor waren offenbar sehr gründlich gewesen.

Obwohl der Täter die Rückseiten leer gelassen hatte, inspizierte Hunter diese mit derselben Gründlichkeit wie die beschriebenen Seiten. Am unteren Ende des inneren Seitenrands, direkt am Rücken des Buchs, fand er einige winzige Knicke im Papier, die er jedoch als zufällig entstanden und daher bedeutungslos einstufte.

Ehe er weitermachte, hielt er kurz inne. Ihm war soeben ein Gedanke gekommen.

»Machst du schon Pause?«, fragte Garcia.

»Nicht direkt«, antwortete Hunter und blätterte an den Anfang zurück.

Garcia verfolgte aufmerksam, wie sein Partner die Fingerspitzen auf die Seite legte und sie langsam von links nach rechts abtastete, immer an den Zeilen entlang, als würde er Brailleschrift lesen. Er bewegte sich von Zeile zu Zeile, bis er ans Ende der Seite gelangt war.

»Und?«

»Bisher noch nichts.«

»Das kommt mir allmählich vor wie *Das Vermächtnis der Tempelritter*«, witzelte Garcia. »Soll ich Zitronensaft und einen Föhn holen?«

Hunter hatte inzwischen auch die Rückseite des Blatts abgetastet. »*Das Vermächtnis der Tempelritter*?«

»Oh, tut mir leid«, entschuldigte sich Garcia und verzog das Gesicht. »Ich habe vergessen, dass du fast nie Filme schaust. *Das Vermächtnis der Tempelritter* ist ein alter Film mit Nicholas Cage. Die Protagonisten suchen darin nach einem verborgenen Schatz, und einer der Hinweise steht auf der Rückseite der Unabhängigkeitserklärung. Im Film benutzen sie Zitronensaft und einen Haartrockner, um ...«

»Die unsichtbare Tinte sichtbar zu machen?«, nahm Hunter das Ende von Garcias Satz vorweg.

Garcia zeigte sich beeindruckt. »Sag nicht, du hast den Film doch gesehen?«

»Nein, aber ich weiß, dass man unsichtbare Tinte mit

Hilfe von Wärme sichtbar machen kann. Allerdings nicht mit Zitronensaft. Zitronensaft *ist* normalerweise die unsichtbare Tinte.«

»Machst du Witze?« Jetzt sah Garcia noch erstaunter aus. »Willst du mir sagen, dass das tatsächlich funktioniert?«

»Natürlich«, sagte Hunter. »Bis zu einem gewissen Grad. Hast du früher als Kind nie irgendwelche geheimen Botschaften geschrieben und dann über eine Kerze gehalten?«

Garcias Lippen verzogen sich zu einer belustigten Grimasse. »Wir beide haben wirklich sehr unterschiedliche Vorstellungen von Spaß.«

»So muss es wohl sein. Wie auch immer, wir brauchen keine Kerze – und auch keinen Haartrockner. Unser Killer hat nicht mit unsichtbarer Tinte geschrieben.«

»Woher weißt du das?«

»Weil das längst geprüft wurde.«

Garcia sah ihn verständnislos an.

»Kerzen oder Haartrockner benutzen nur Kinder, weil sie nichts anderes haben. Die beste Methode, um unsichtbare Tinte sichtbar zu machen, ist UV-Licht«, sagte Hunter. »Das gleiche Licht, das Kriminaltechniker verwenden, wenn sie nach Fingerabdrücken suchen. Dr. Slater meinte, jede Seite des Buchs sei bereits auf Fingerabdrücke untersucht worden, wenn der Täter also unsichtbare Tinte verwendet hätte, wäre sie im Labor entdeckt worden.«

»Schon kapiert«, sagte Garcia, ehe er sich wieder seinem Monitor zuwandte.

Hunter nahm sich die nächste Seite vor, an der das erste Polaroid festgeheftet war. Diesmal begann er mit dem Foto, doch auch daran konnte er nichts Ungewöhnliches entdecken.

Ehe er sich an den nächsten Eintrag machte, warf er einen Blick zur Uhr. Die Zeit bis zur Deadline lief unaufhaltsam herunter. Schlimmer noch: Ihm war, als würden die Sekunden immer schneller und schneller verrinnen, während er immer langsamer und langsamer vorankam.

»Wo bist du jetzt?«, fragte er Garcia.

»Ich fange gleich mit dem vierten Eintrag an. Du?«

»Ich bin beim zweiten.«

»Und? Hast du irgendwas gefunden, was uns auch nur ansatzweise weiterhelfen könnte?«

»Bisher nicht, aber es ist auch noch früh. Ich habe noch viele Seiten vor mir. Was mir viel mehr Sorgen macht, sind die Zeit und die Tatsache, dass ich keinen Schimmer habe, wonach wir eigentlich suchen, oder ob es überhaupt ...« Abrupt verstummte Hunter und neigte den Kopf erst nach rechts, dann nach links, während er das Buch aus verschiedenen Blickwinkeln betrachtete.

»Alles in Ordnung?«, fragte Garcia.

»Ja. Ich hatte nur gerade eine ... etwas verrückte Idee.«

Garcia lachte. »Als wäre das was Neues. Um was für eine verrückte Idee handelt es sich?«

»Vielleicht gibt es eine Möglichkeit, ihn zu schnappen, auch ohne dass wir rausfinden, was ihm an diesem Buch so wichtig ist.«

Garcia war ganz Ohr. »Und welche?«

»Das Buch selbst. Vielleicht können wir irgendwie einen Peilsender darin verstecken ... im Einband vielleicht – wenn wir es schaffen, ihn dabei nicht zu beschädigen. Oder an einer anderen Stelle, wo er nicht sofort auffällt.«

Garcias Gesicht begann vor Aufregung zu leuchten. »Du meinst ... Um fünf Uhr teilt er dir die Instruktionen für die Übergabe mit, und statt dass sich das SWAT-Team oder die Kollegen der SIS an seine Fersen heften, lassen wir ihn einfach seiner Wege gehen. Und wenn er denkt, er ist zu Hause und in Sicherheit ... BÄNG ... sprengen wir seine kranke Party.«

»So ähnlich, ja«, sagte Hunter.

»Haben wir denn Peilsender, die wir in dem Buch verstecken könnten, ohne dass man sie sieht?«

»Es gibt nur eine Art, das rauszufinden«, sagte Hunter, der bereits nach dem Telefon griff.

51

Die Abteilung für Elektronik des Los Angeles Police Department war einer von vier Teilbereichen, die zusammen die Technical Investigation Division, kurz TID, bildeten. Aufgabe der Abteilung war es, die Arbeit des LAPD durch die Bereitstellung elektronischer Überwachungstechnik zu unterstützen. Die überwältigende Mehrheit der dafür nötigen Geräte wurde in der Abteilung selbst entworfen, konstruiert oder modifiziert, um den Erfordernissen der jeweiligen Ermittlung gerecht zu werden. Selbst wenn es also keinen fertigen Peilsender gab, der klein genug war, um in das Tagebuch des Killers zu passen, würde man höchstwahrscheinlich einen bauen können.

Einzig der Zeitfaktor konnte dabei zum Problem werden.

Es war kurz nach zehn Uhr morgens, als Vince Kellers Telefon klingelte.

Der nur einen Meter fünfundsechzig große, zweiunddreißigjährige Elektrotechniker war so intelligent wie klein. Er besaß einen Abschluss in technischer Informatik von der UCLA sowie einen Doktortitel in Elektrotechnik und Computerwissenschaften vom MIT und hatte bereits mehrere Auszeichnungen für seine selbst entwickelten Geräte gewonnen, als man ihm einen Posten in der TID angeboten hatte. Damals war er sechsundzwanzig gewesen – der jüngste Neueinsteiger in der Geschichte der Abteilung.

»Keller?«, meldete er sich. »LAPD, Abteilung für Elektronik.«

»Vince, ich bin's. Robert Hunter von der UV-Einheit.«

Hunter und Keller hatten bisher erst bei einem einzigen Fall zusammengearbeitet, der etwa anderthalb Jahre zurücklag, doch aus irgendeinem Grund – Garcia nannte es den »Geek-Faktor« – waren sie seitdem gute Freunde geworden.

»Hey, Robert«, sagte Keller mit einer hellen Stimme, die so klang, als gehöre sie zu einem mindestens zwanzig Jahre älteren Mann. »Was gibt's? Wie geht es dir?«

»Gut«, sagte Hunter. »Ich brauche deine Hilfe.« Hunter war kurz angebunden, doch das kannte Keller nicht anders. Was ihm allerdings auffiel, war der drängende Ton seines Freundes, der ihn dazu veranlasste, seine Kaffeetasse abzustellen.

»Was gibt's denn? Was kann ich für dich tun?«

Hunter erklärte es ihm in knappen Worten.

»Du brauchst also einen Sender, den man in einem ledergebundenen Buch verstecken kann?«, sagte Keller, nachdem Hunter geendet hatte. »Wie dick ist der Einband?«

»Zwei bis drei Millimeter, mehr nicht.«

»Dürfte kein Problem werden«, sagte Keller und griff wieder nach seinem Kaffee. »Selbst wenn wir nichts vorrätig haben, was dünn genug ist, könnte ich auf jeden Fall was bauen. Wie viel Zeit haben wir?«

»Meine Deadline ist fünf Uhr heute Nachmittag.«

»Kinderspiel«, meinte Keller lässig. »Ein Peilsender, der einfach nur ein Standortsignal aussendet, ist nicht besonders kompliziert, erst recht nicht, wenn man bedenkt, wie weit die GPS-Technologie mittlerweile fortgeschritten ist. Wenn du mir das Buch jetzt gleich vorbeibringst ...« Er warf einen Blick auf die Uhr. »... müssten wir ihn um die Mittagszeit eingebaut und getestet haben.«

»Bin schon auf dem Weg.«

52

Obwohl einige dem LAPD angegliederte Spezialabteilungen in der Van Nuys Community Police Station untergebracht waren, lagen die Räumlichkeiten der TID im C. Erwin

Piper Technical Center, kurz Piper Tech, vier Autominuten vom PAB entfernt. Hunter und Garcia erreichten das Gebäude, fünfeinhalb Minuten nachdem Hunter den Hörer aufgelegt hatte.

Architektonisch gesehen, machte das Hauptgebäude des C. Erwin Piper Technical Center nicht viel her, es war einfach nur ein riesiger, praktisch fensterloser roter Backsteinklotz, der von vielen aufgrund seiner Ähnlichkeit mit einer Selbstbedienungs-Lagerhalle als Monstrosität betrachtet wurde. Auf dem Flachdach gab es insgesamt achtzehn Stellplätze für Helikopter sowie zwei Landeplätze, von denen aus die Air Support Division des LAPD operierte. Hinter dem größeren der beiden Landeplätze auf dem Dach des Hauptgebäudes befand sich darüber hinaus ein über eine Rampe auf der Nordseite zugänglicher Parkplatz für Besucher und Mitarbeiter. Dort stellte Garcia seinen Wagen ab.

Unten im Foyer zeigten Hunter und Garcia ihre Ausweise vor und warteten, während die Mitarbeiterin vom Empfang in der Abteilung für Elektronik anrief. Selbst nachdem Keller sein Okay gegeben hatte, durften die beiden Detectives aus Sicherheitsgründen nicht alleine hinauffahren, sondern mussten ausharren, bis er sie abholen kam.

Die Büros und Labore der Abteilung für Elektronik lagen im zweiten Stock und konnten über einen von insgesamt fünf Fahrstühlen erreicht werden. Nach der obligatorischen Begrüßung und einer kurzen Fahrt im Aufzug lotste Keller die beiden einen breiten Gang hinunter in einen Raum, der etwa halb so groß war wie Hunters und Garcias Büro. Er enthielt einen Schreibtisch, einen Wasserspender sowie ein Bücherregal, das eine komplette Wand einnahm und so aussah, als würde es jeden Augenblick unter seiner Last zusammenbrechen. Darauf standen etwa zur Hälfte Bücher, zur anderen Hälfte braune Pappschachteln, deren Inhalt jeweils auf weißen Klebeetiketten verzeichnet war. Der Platz auf dem Schreibtisch wurde fast vollständig von drei großen, miteinander verbundenen Computermonitoren eingenommen.

»So, dann schauen wir uns das Buch doch mal an«, sagte Keller, als er die Tür hinter ihnen schloss. Er trat zum Schreibtisch und schob die Tastatur beiseite, um Platz zu schaffen.

Hunter holte das Tagebuch aus dem blickdichten Asservatenbeutel und legte es vor Keller hin. Der nahm ein Paar Einmalhandschuhe aus der oberen Schreibtischschublade, streifte sie sich über und schlug das Tagebuch auf. Er schob sich die Brille die sommersprossige Nase hinauf und betrachtete das Buch aufmerksam mit neugierigen, durch die Gläser seiner Brille leicht vergrößerten Augen.

»Du hast recht«, sagte er, an Hunter gewandt, nachdem er eine Zeit lang überlegt hatte. »Der Einband ist wirklich nicht besonders dick.«

»Wird es denn trotzdem gehen?«, fragte Garcia. »Habt ihr einen Peilsender, der dünn genug ist?«

»Der Peilsender ist nicht das Problem«, antwortete Keller, der inzwischen dazu übergegangen war, die Innenseite des Einbands zu inspizieren. Der Einbandspiegel bestand nicht aus Papier, sondern aus dünnem Leder.

Er ging sehr konzentriert und professionell vor. Während er die Innenseite des Buchdeckels und den ledernen Einbandspiegel betastete, wanderte sein Blick nicht ein einziges Mal zu dem Text auf der ersten Seite. Man hatte ihn gebeten, zu prüfen, ob er einen Sender im Buchdeckel unterbringen konnte. Der Rest ging ihn nichts an und interessierte ihn auch gar nicht.

»Die Schwierigkeit besteht eher darin, dieses Leder hier abzuziehen und darunter einen kleinen Hohlraum zu schaffen, in dem man den Sender verstecken kann – und zwar so, dass er weder optisch noch haptisch auffällt.«

»Scheiße«, sagte Garcia. »Wie flach ist denn euer flachster Sender?«

»Kommt drauf an«, sagte Keller. »Wie lange soll er denn senden? Länger als vierundzwanzig Stunden?«

»Nein, auf keinen Fall.« Garcia schüttelte energisch den Kopf. »Wir haben ein SWAT-Team in Bereitschaft, das zuschlagen kann, sobald er das Buch wieder in seinen Besitz gebracht hat.«

»Das macht es ein bisschen einfacher«, sagte Keller. »Wenn der Sender keinen Aktivierungsschalter oder eine größere Batterie benötigt, können wir einen bauen, der nicht dicker ist als ein Blatt Papier. Haben wir schon mal gemacht. Aber jetzt müsste ich erst mal das Leder hier abziehen und mir das Innenleben des Deckels anschauen. Manche ledergebundenen Bücher haben einen hohlen Einband. Wenn das hier auch so ist und auch sonst keine unvorhergesehenen Schwierigkeiten auftreten, müsste ich das alles in zwei Stunden hinkriegen, vielleicht sogar schneller.«

»Unvorhergesehene Schwierigkeiten?«, fragte Garcia. »Was ist damit gemeint?«

»Ihr habt doch gesagt, eure Deadline ist siebzehn Uhr, oder?«

»Richtig.«

Ein rascher Blick auf die Uhr, ehe Keller sich erneut dem Einband widmete. Diesmal tastete er mit den Fingern das gesamte Leder an der Innenseite des Buchdeckels ab.

»Es ist geklebt, nicht genäht.« Er zeigte den beiden, was er meinte. »Und es sieht so aus, als wäre der Kleber nur an den Rändern des Leders aufgetragen worden, nicht auf der gesamten Fläche. Wenn das stimmt, würde das die Sache erheblich vereinfachen. Vielleicht können wir den Kleber mit einem dünnen Dampfstrahl ablösen, ohne irgendwelche Spuren zu hinterlassen. Dann dürfte es auch keine Probleme bereiten, das Leder hinterher wieder anzukleben. Ich mache mich sofort an die Arbeit.«

»In Ordnung«, sagte Hunter und nickte Garcia zu. »Wir haben noch jede Menge Lesestoff und fahren zurück ins

PAB. Ruf an, falls es Probleme gibt oder wenn du fertig bist.«

»Wird gemacht.«

53

Während Hunter und Garcia sich auf den Rückweg ins PAB machten, ging Vince Keller mit dem Buch einen anderen Flur entlang und dann ins Labor Nummer zwei. Dort legte er es auf eine große hölzerne Werkbank und schlug erneut den Einband auf. Er trug nach wie vor seine Handschuhe.

Aus einem Spender an der Wand riss er ein Stück spezielle Schutzfolie ab, das groß genug war, um die erste Seite des Tagebuchs abzudecken. Vorsichtig legte er die Folie über die Seite, sodass nur noch der vordere Buchdeckel frei war.

Als Nächstes holte er aus einem Blechschrank einen kleinen kabellosen Dampfstrahler, der aussah wie ein kesselförmiger Tank mit einer langen schmalen Tülle und einem Auslöser, den man mit dem Daumen betätigen konnte.

Im WC, das ein Stück den Flur hinunter lag, füllte er den Tank des Dampfstrahlers mit Wasser und kehrte ins Labor zurück. Er stellte den Dampfstrahler in seine Halterung und schaltete ihn ein, ehe er seine Aufmerksamkeit wieder dem Buch zuwandte. Er tauschte seine reguläre Brille gegen eine Uhrmacherbrille mit Vergrößerungsgläsern und inspizierte gründlich die Ränder des ledernen Einbandspiegels. Sofern es sich nicht um einen besonders starken, dampfresistenten Kleber handelte, erwartete Keller keine Probleme beim Ablösen. Doch weil er kein Risiko eingehen wollte, riss er noch ein weiteres Stück Folie ab und legte es so auf den inneren Buchdeckel, dass nur noch der obere Rand frei war.

Er kehrte noch einmal zum Blechschrank zurück und nahm ein Chirurgenskalpell heraus. Gleich darauf signalisierte ein Piepsen des Dampfstrahlers, dass dieser die erforderliche Temperatur erreicht hatte und einsatzbereit war. Keller nahm ihn, trat auf die andere Seite der Werkbank und hielt die Spitze des Dampfstrahlers an die linke Ecke des frei liegenden Lederstücks, ehe er vorsichtig den Abzug betätigte. Ein stetiger Strom heißen Dampfs drang aus der Tülle, erhitzte die Ecke des Leders und folglich auch den Kleber darunter. Während sich dieser langsam verflüssigte, schob Keller ganz behutsam die Spitze des Skalpells zwischen Leder und Einbandpappe. Zu seinem Erstaunen dauerte es nur wenige Sekunden, bis das Skalpell relativ mühelos hindurchglitt.

Er ließ den Auslöser los, stellte den Dampfstrahler beiseite, wischte mit einem Papiertuch das Kondenswasser weg und prüfte erst das Leder, dann den Einband – keine Beschädigungen.

Vielleicht würde die Sache noch einfacher werden als gedacht.

Er nahm wieder Dampfstrahler und Skalpell zur Hand und machte weiter. Je mehr Kleber schmolz, desto weiter konnte er das Skalpell zwischen Lederspiegel und Einband schieben. Millimeter um Millimeter arbeitete er sich auf diese Weise nach links vor. Dreieinhalb Minuten später war er an der Ecke angelangt. Der obere Rand des Leders war jetzt vollständig abgelöst.

Er hatte recht gehabt. Der Hersteller hatte nur die Ränder angeklebt.

Abermals legte Keller seine Werkzeuge beiseite und wischte das überschüssige Wasser weg, ehe er die Plastikfolie abzog und sie so positionierte, dass nun der äußere Rand des Leders frei lag. Hier leistete der Kleber an einigen Stellen etwas mehr Widerstand, sodass Keller von der oberen bis zur unteren Ecke fast doppelt so lange brauchte.

Jetzt musste er die Prozedur nur noch einmal am unteren Rand wiederholen. Danach würde er das Leder wie eine Seite umblättern können.

Wenig später war auch das erledigt, und er setzte wieder seine normale Brille auf.

»So. Dann schauen wir doch mal, wo wir hier einen Peilsender unterbringen können«, murmelte er zu sich selbst, bevor er die Plastikfolie von der Innenseite des Buchdeckels abzog.

Als er das Leder anhob, stutzte er.

Mehrere Sekunden lang starrte er auf die frei liegende Pappe.

»Was ... zum ... Teufel ... ist das?«

54

Hunter und Garcia waren gerade in ihr Büro zurückgekehrt, als Captain Blake zu ihnen kam.

»Es ist alles organisiert«, verkündete sie. »Eine SWAT-Einheit und ein Team der SIS werden Ihnen auf Schritt und Tritt folgen, sobald dieser Wahnsinnige Sie anruft. Unterstützung aus der Luft ist ebenfalls angefragt. Ich gehe absolut kein Risiko ein. Haben Sie sich in der Zwischenzeit das Buch aus dem Labor besorgt?«

»Ja«, antwortete Hunter.

»Und wo ist es?« Captain Blake betrat das Büro und schloss die Tür hinter sich.

»In der Elektronikabteilung«, sagte Garcia.

»In der Elektronikabteilung?«, fragte Blake verständnislos. »Und was macht es da?«

Garcia erklärte ihr kurz die Sachlage.

»Und die Kollegen haben tatsächlich einen Peilsender, der

so flach ist, dass man ihn im Einband des Buches verstecken kann?«

»Klingt verrückt, oder?«, sagte Garcia. »Vor nicht allzu langer Zeit gab es so was höchstens in James-Bond-Filmen.«

Genau in dem Moment klingelte Hunters Handy.

Er fischte es aus seiner Jackentasche und ging ran. »Detective Hunter?«

»Robert, hier ist noch mal Vince. Seid ihr schon wieder im PAB?«

Hunter machte ein verdutztes Gesicht. Es war kaum zwanzig Minuten her, dass sie sich von Vince Keller verabschiedet hatten. Er konnte doch unmöglich so schnell den Peilsender angebracht haben.

»Ja, eben angekommen. Wieso? Gibt es ein Problem?«

Garcia hielt in dem, was er gerade tat, inne und drehte sich neugierig zu Hunter um.

»Was ist los?«, flüsterte er. »Ist was passiert?«

Hunter bedeutete ihm, sich kurz zu gedulden.

»Ich weiß nicht genau«, sagte Keller. »Am besten kommt ihr noch mal her.«

»Wieso?«

»Ich habe hier was, das solltet ihr euch unbedingt ansehen.«

55

Diesmal schloss Captain Blake sich ihnen an. Während der kurzen Fahrt berichtete Garcia ihr, was sie im Tagebuch gelesen hatten, setzte ihr die Bedeutung der Abkürzung *BFOA* auseinander und erläuterte, dass sie nach Hunters Telefonat mit Mr Wilson relativ sicher waren, dass der Killer früher in der Armee gedient hatte.

»Du liebe Zeit«, sagte Blake. »Das macht das Ganze ja nicht gerade einfacher.«

»Mein Reden«, pflichtete Garcia ihr bei.

Im Piper Tech angekommen, mussten sie erneut den Sicherheitscheck über sich ergehen lassen.

»Wir waren vor nicht mal einer halben Stunde hier«, argumentierte Garcia hörbar genervt. »Sie erinnern sich doch wohl noch an uns, oder nicht?«

»Ja, das tue ich«, sagte die Frau am Empfang, während sie den Hörer ihres Telefons auflegte. Sie war korpulent, mit Armen so dick wie Garcias Hals, und schaute sie hinter runden Brillengläsern leicht drohend an. »Aber ich habe meine Anweisungen. Keine Ausnahmen.« Sie klang ruhig, aber entschieden. »Sie als Detectives verstehen doch sicher, wie wichtig es ist, die Dienstvorschriften zu beachten, oder? Ich kann meinen Job verlieren, wenn ich mich nicht ranhalte.«

Captain Blake war drauf und dran, ihre Autorität spielen zu lassen, doch schon im nächsten Moment kam Vince Keller aus dem Fahrstuhl geeilt, um sie abzuholen. Rasch machte Hunter ihn mit Captain Blake bekannt, ehe sie gemeinsam losgingen.

Diesmal nahmen sie die Treppe.

»Also, was gibt es denn nun?«, fragte Garcia, als sie den ersten Treppenabsatz hinter sich gebracht hatten.

»Es ist einfacher, wenn ich es euch zeige, statt es zu erklären«, sagte Keller, der zwei Stufen auf einmal nahm.

Im zweiten Stock angekommen, führte er sie durch denselben Flur, durch den sie schon beim ersten Mal gekommen waren, vorbei an dem kleinen Raum, in dem sie ihre Besprechung abgehalten hatten, und direkt in Labor Nummer zwei.

Schon beim Eintreten sahen Hunter und Garcia das Buch weiter hinten auf der Werkbank liegen. Es war aufgeschlagen, sodass man die mit Leder kaschierte Innenseite des Buchdeckels sowie die erste Seite sehen konnte.

»Ich habe ja vorhin schon erklärt«, begann Keller, als sich

alle um die Werkbank geschart hatten, »dass ich den Kleber mit Hilfe von Dampf ablösen wollte, damit ich nachschauen kann, wie schwer es ist, einen Peilsender in der Pappe des Einbands zu verstecken. Das lief so weit auch problemlos. Nach zwanzig Minuten war ich fertig.«

»Okay, und …?«, hakte Garcia nach.

Keller schwieg zunächst und legte den Kopf schief. »Na ja, ich hatte nicht damit gerechnet, dass sich unter dem Leder noch irgendwas befindet. Aber schaut selbst.« Er hob den Lederspiegel an, sodass man die frei liegende Pappe darunter sehen konnte.

Hunter und Garcia schauten verdutzt.

»Was ist das denn?« Garcia reckte den Hals.

Auf der Innenseite der Pappe, bisher unter dem ledernen Spiegel verborgen, standen vier Zeilen Text, eine seltsame, unverständliche Mischung aus Zahlen und Buchstaben. Die Handschrift war die gleiche wie im Rest des Tagebuchs.

3g2uptkl78pq6kufa9m
DOPS1207102375
122001FOBRhino
15052004MNF-I

»Was soll das sein?«, fragte Garcia noch einmal.

»Das ist die Preisfrage«, gab Keller zurück und lehnte sich mit der Schulter gegen die Wand.

»Das sind keine Koordinaten, oder?«, wandte sich Captain Blake an Hunter, der entschieden den Kopf schüttelte.

»Koordinaten?«, fragte Keller verständnislos.

»Da gab es was im Zusammenhang mit unseren Ermittlungen«, sagte Hunter, der nicht weiter ins Detail gehen wollte.

»Und was glauben Sie, was es ist?«, bohrte Captain Blake nach. Jetzt war die Frage an alle gerichtet.

Garcia war der Erste, der ratlos den Kopf schüttelte.

Blake fixierte Hunter mit ihrem berüchtigten Laserblick.

»Wenn ich raten müsste«, begann der mit unsicherer Miene, »würde ich sagen, dass es irgendein Code ist. Aber das spielt nur eine untergeordnete Rolle ...« Er stach mit dem Finger auf die Werkbank ein, um das, was er sagte, zu unterstreichen. »*Das* ist der Grund, weshalb der Täter sein Buch unbedingt wiederhaben will. Darum geht es ihm in Wahrheit. Was auch immer es ist – Geheimcodes, Passwörter oder was weiß ich ... Er braucht diese Informationen für irgendetwas.«

Während die anderen ihre Aufmerksamkeit abermals auf die vier mysteriösen Zeilen richteten, zückte Hunter sein Telefon und machte ein Foto davon.

»Wartet mal«, sagte Keller und hob den Zeigefinger. »Was dagegen, wenn ich was versuche?«

»Was denn?«, fragte Blake.

»Die oberste Zeile sieht irgendwie anders aus.«

Wieder betrachteten alle den kryptischen Text.

»Es werden ausschließlich Kleinbuchstaben verwendet«, fuhr Keller fort. »Und es ist die einzige der vier Zeilen, in der sich Buchstaben und Ziffern abwechseln.« Rasch nahm er sich einen Notizblock und schrieb die erste Zeile ab.

»Ja, ich verstehe, was Sie meinen«, sagte Captain Blake. »Aber was wollen Sie versuchen?«

»Na ja«, sagte Keller, ehe er die anderen bat, ihm zu folgen. »Es ist nur so eine Idee ...«

Er führte die Gruppe zurück auf den Gang und von dort aus in den kleinen Raum mit dem Computer.

»So was Ähnliches habe ich schon mal gesehen«, sagte er, nahm hinter dem Schreibtisch Aufstellung und betätigte die Space-Taste des Rechners, um ihn aus dem Ruhezustand zu wecken.

»Wo?« Die Frage kam von Hunter.

»Im Internet«, antwortete Keller, während er auf ein Programm wartete, das gerade lud. »Die Zeile hier ...« Er legte den Notizblock auf den Tisch. »... könnte eine Webadresse sein. Es fehlt nur das Suffix.«

»Eine Webadresse?«, wiederholte Garcia und sah verständnislos zwischen Keller, Hunter und Blake hin und her. »Müsste sie dann nicht ein paar Punkte haben oder so?«

»Nein«, sagte Keller. »Weil es keine normale Website ist. Also ... keine Adresse im normalen Internet.«

»Sondern im Dark Web«, sagte Hunter, als das Fenster eines Tor-Browsers auf Kellers Monitor erschien.

»Richtig.«

Keller drehte sich um und richtete sich an Captain Blake. »Genau das will ich ausprobieren. Ich muss nur diese Textzeile kopieren und hinten ein .onion dranhängen. Das ist das Suffix im Darknet – statt .com, .org und so weiter.«

Keller gab die Kombination ein. Dann fügte er das Suffix hinzu und betätigte die Enter-Taste.

Es dauerte deutlich länger als bei einem normalen Browser, bis eine Website erschien, aber irgendwann war es schließlich so weit.

»Bingo«, sagte Keller lächelnd. »Es ist tatsächlich eine Seite im Darknet.«

Kaum dass die Seite geladen hatte, erschien ein Pop-up-Fenster, und sie wurden gebeten, ein Log-in-Passwort einzugeben.

Sie tauschten ratlose Blicke.

»Kann ich das Foto mal sehen, das du gemacht hast?«, wandte Keller sich an Hunter. »Vielleicht ist eine der anderen Zeilen das Passwort.«

Hunter zog sein Smartphone aus der Tasche und zeigte Keller das Foto. »Wäre möglich. Aber das Passwort wofür?«

»Keine Ahnung«, sagte Keller mit einem flüchtigen Achselzucken. »Eine Datenbank ... ein privates Forum ... wer weiß?«

»Finden wir es raus«, sagte Blake.

»Soll ich es wirklich ausprobieren?«, fragte Keller, an Hunter gewandt.

Der musste nicht lange überlegen. »Klar.«

Keller tippte die zweite der vier Zeilen in das Textfeld für das Passwort ein.

DOPS1207102375.

Kaum hatte er auf Enter gedrückt, erschien oberhalb des Pop-up-Fensters das kleine Eieruhr-Icon, das anzeigte, dass geladen wurde. Eine Sekunde später kam die Nachricht »Login erfolgreich«.

»Wir sind drin«, verkündete Keller und klang selbst ein bisschen überrascht angesichts ihres unverhofften Erfolgs.

Das Pop-up-Fenster verschwand, und dahinter kam die Website zum Vorschein.

Die vier rätselten, was genau sie da vor sich hatten.

»Was soll das sein?«, fragte Captain Blake stellvertretend für alle.

»Ich weiß auch nicht genau«, sagte Hunter. Er grübelte noch einige Sekunden lang. Erst als etwas Neues links am Bildschirm auftauchte, dämmerte es ihm.

»Das darf doch nicht wahr sein«, entfuhr es ihm.

Gleich darauf erschien noch etwas anderes am Bildschirm.

Garcia ließ die Arme sinken und spürte, wie ihm das Herz in die Hose rutschte.

»Ach du Scheiße ...«

56

Der Mann zweifelte nicht daran, dass sein Plan aufgehen würde. Es waren keine weiteren Vorbereitungen nötig, deshalb konnte er es sich leisten, den Rest des Vormittags in seinem Kontrollraum vor dem großen Monitor zu sitzen. Die letzten anderthalb Stunden hatte er nichts anderes getan, als seine drei Gefangenen in ihren Zellen zu beobachten. Er hätte sie tagelang studieren können. Es machte fast süchtig, als würde man alle Folgen einer Realityserie hintereinander schauen.

Der Mann gab einen Tastenbefehl ein, und das Bild am Monitor wechselte von Zelle eins zu Zelle zwei.

Man musste kein Fachmann sein, um zu erkennen, dass der Mann in Zelle zwei allmählich wieder unruhig wurde. Er war aus seiner Gebetsposition aufgestanden, in der er nahezu vierzig Minuten verbracht hatte, und hatte begonnen, in seiner Zelle auf und ab zu gehen.

Das machten alle Gefangenen irgendwann. Manche taten es, um sich Bewegung zu verschaffen, andere aus Angst, wieder andere, um Wut oder Frust abzubauen. Mittlerweile fiel es dem Mann leicht, die Unterschiede zu erkennen.

Jemand, der hin- und herging, um sich Bewegung zu verschaffen, tat dies mit festem, entschlossenem Schritt. Er ließ sich nicht beirren und blieb auch nicht zwischendurch unvermittelt stehen. Entweder er bewegte sich von der Zellentür zum Bett oder von Wand zu Wand, immer in einer fortlaufenden Schleife, bis er irgendwann genug hatte. Manche machten das stundenlang. Liegestütze, Sit-ups oder Hockstrecksprünge waren auch oft Teil der Routine.

Jemand, der aus Angst auf und ab ging, wirkte viel zögerlicher und blieb häufiger stehen, meistens weil er von Tränen übermannt wurde.

Wütende Gefangene wiederum polterten und stampften. Sie folgten keiner festgelegten Route und blieben zwischendurch oft stehen. Manche traten oder schlugen dabei gegen die Wände oder das Bett. Manche schrien ihren Frust auch laut heraus – das taten sie allerdings nur einmal und dann nie wieder. Die Zellen waren mit einem Lautstärkemesser ausgestattet. Sobald der Lärmpegel sechzig Dezibel überschritt (das war ungefähr so laut wie eine normale Unterhaltung zwischen zwei Menschen), ging ein Sprinkler an, der die Zelle und folglich auch den Insassen mit eiskaltem Wasser beregnete.

Der junge Mann in Zelle Nummer zwei ging mit steifen, wütenden Schritten, während er irgendetwas Unverständliches vor sich hin murmelte.

Er war erst zwei Tage lang eingesperrt, allerdings hatten die Stimmen diesmal nichts damit zu tun. Der Mann brauchte ihn für seine Pläne.

Er ließ sich gegen die Lehne seines Stuhls sinken, schwang die Füße auf das Kontrollpult und verschränkte die Finger hinter dem Kopf. Er liebte es, seinen Gefangenen zuzuschauen.

»Die Menschen sind so berechenbar«, sagte er laut, als der Gefangene mit der Faust mehrmals auf sein Kissen eindrosch.

Plötzlich erklang ein Piepsen aus dem Metallschrank rechts neben dem Kontrollpult.

Der Mann drehte sich um und runzelte die Stirn. Eine Sekunde später hatte er die Füße wieder auf dem Boden abgestellt und rollte mitsamt seinem Stuhl näher an den Schrank heran.

Das Piepsen ging weiter.

Der Mann betätigte die Space-Taste seines Laptops, der auf dem zweiten Regal stand, und es erwachte aus dem Ruhezustand.

Es piepste immer noch.

Der Mann starrte mehrere Sekunden lang auf den Bildschirm, ehe ein Lächeln auf seinem Gesicht erschien.

»Hallo«, sagte er vergnügt. »Ich habe mich schon gefragt, wann du wieder aus der Versenkung auftauchst.« Er wartete, bis sämtliche Informationen geladen waren, dann wurde aus seinem Lächeln ein lautes Lachen.

57

In Vince Kellers Büro waren vier Augenpaare unverwandt auf die Monitore gerichtet.

Hunters und Garcias Mienen zeigten eine Mischung aus Verblüffung und vielleicht auch ein wenig Angst.

»Ihr wisst alle, was das ist, oder?« Keller schaute in die Runde. Eine Antwort bekam er nicht. »Das ist ein altmodischer Chatroom, so wie früher. Erinnert ihr euch noch an ICQ? AOL? Der hier ist mehr oder weniger genauso, mit dem einzigen Unterschied, dass es sich um einen privaten Chat handelt.«

Keller hatte recht. Die zwei Fenster, die auf den Monitoren angezeigt wurden, sahen genauso aus wie ein Chatroom aus den Anfängen des Internets. Im größeren Fenster auf der rechten Seite wurde der Chatverlauf angezeigt, im kleineren waren die Nicknames der Teilnehmer zu lesen. Im Moment stand dort nur ein einziger Name: Miles Sitrom – das waren sie selbst. Doch es dauerte nicht lange, ehe zwei weitere Teilnehmer dem Chat beitraten. Ihre Nicknames lauteten Stimme1 und Stimme2.

Hunters Magen krampfte sich zusammen. Er hatte also recht gehabt. Bei den Stimmen handelte es sich tatsächlich um reale Personen, nicht um die Halluzinationen eines Schizophrenen.

Er und Garcia blickten gebannt auf den Monitor.

»Alles klar bei euch?«, fragte Keller. »Ihr seht so aus, als hättet ihr einen Geist gesehen.«

Auf einmal erschien eine Textzeile im Chatfenster.

Stimme1: Das ist aber eine Überraschung, Miles Sitrom. Ich dachte nicht, dass wir so schnell wieder von dir hören. Wenigstens nicht für die nächsten paar Tage. Hast du das angefragte Subjekt schon?

»Scheiße, Scheiße, Scheiße.« Mehr fiel Garcia nicht ein. Er schielte zu Hunter, der immer noch wie gebannt auf den Bildschirm starrte.

Kurz darauf erschien eine zweite Textzeile.

Stimme2: Miles Sitrom? Bist du da?

»Mist«, sagte Garcia und schlug sich die Hand vor den Mund. »Was machen wir denn jetzt?«

Hunter wusste, wenn sie nicht antworteten, würden Stimme1 und Stimme2 sofort merken, dass sie es nicht mit dem echten Miles Sitrom zu tun hatten. Was das für Folgen haben würde, konnte er nicht absehen, aber gut wären sie bestimmt nicht, das stand fest.

Er überlegte blitzschnell. Seine Hände schwebten über den Tasten.

»Willst du etwa zurückschreiben?«, fragte Garcia, der die Augen weit aufgerissen hatte.

Hunter zögerte kurz, dann begann er zu tippen. Sein Herz hämmerte wie wild gegen seine Rippen.

»Ja, ich bin da«, schrieb er. *»Und nein, ich habe das Subjekt noch nicht.«*

Alle lasen Hunters Antwort, ehe sie ihn fragend anschauten.

Hunter musste sich etwas einfallen lassen. Dabei konnte er es unmöglich belassen, sonst würden sie ihn unweigerlich fragen, wieso er den Chat überhaupt gestartet hatte. Er musste ihnen eine Erklärung liefern, ehe sie nach einer fragten.

»Können sie feststellen, von welchem Computer meine Antworten kommen?«, wollte er von Keller wissen, der ihn stirnrunzelnd ansah. »Die IP-Adresse dieses Rechners, können die sie zurückverfolgen?«

»Nein«, sagte Keller. »Unsere Firewalls verschleiern die IP-Adresse. Ist nicht aufspürbar.«

Genau das hatte Hunter hören wollen. Er begann erneut zu tippen.

»Mein alter Rechner ist kaputt, ich habe mir einen neuen zu-

gelegt und musste die ganze Software neu installieren. Das hier war nur ein Test, ob der Browser reibungslos läuft.«

Garcia neigte den Kopf zur Seite und nickte. »Schlauer Einfall.«

»Aber ob die das glauben?«, sagte Hunter nervös.

Er wollte noch mehr schreiben und dann so schnell wie möglich die Verbindung kappen, als eine Antwort im Chatfenster erschien.

Stimme1: Was genau ist denn mit deinem Rechner passiert?

Wieder ruhten aller Augen auf Hunter.

»*Wasserschaden*«, schrieb der. »*War nicht mehr zu retten.*«

Zwei Sekunden Pause, dann flogen Hunters Finger abermals über die Tasten.

»*Ich melde mich bald wieder.*«

Er sah Keller an. »Wie loggt man sich aus?«

Keller übernahm die Tastatur und schloss ganz einfach den Tor-Browser.

»Das war's schon. Jetzt sind wir draußen.«

Captain Blake sah Keller fragend an.

»Der Tor-Browser speichert keine Browserhistorie«, erklärte er. »Und er löscht automatisch alle Cookies, die während der Sitzung vielleicht auf dem Rechner gespeichert wurden. Die Sitzung selbst endet, sobald man den Browser schließt.«

Hunter ließ schwer die Arme hängen, als hätte er auf einmal keine Kraft mehr.

»Das ist so was von irre«, sagte Garcia und machte einen Schritt rückwärts.

»Moment mal«, sagte Blake und hob die Hand. »Bedeutet das etwa, dass ...«

»Es bedeutet, dass wir falschlagen, Captain«, kam Hunter ihr zuvor.

»Falsch in Bezug worauf?«

»So gut wie alles. Unser Mörder ist ein Psychopath, aber er leidet nicht an Schizophrenie, wie wir anfangs dachten.« Obwohl der Chatroom nicht mehr angezeigt wurde, deutete Hunter auf die Monitore. »Er hört keine Stimmen in seinem Kopf. Er kommuniziert mit ihnen übers Darknet. Die ›Stimmen‹, von denen er in seinem Tagebuch schreibt, sind echte Menschen.« Er machte eine Pause, als müsse er sich fassen oder seine Gedanken ordnen. »Menschen, die bei ihm Morde bestellen ... individualisierte Morde. Unser Täter ist nicht geisteskrank oder wahnhaft. Er ist jemand, der für Geld tötet ... ein Händler des Todes. Und die Stimmen sind seine Käufer. Seine Online-Kunden.«

»Aber was genau kaufen sie denn von ihm?«, fragte Captain Blake. »Er liefert ja niemandem die Opfer frei Haus. Worin besteht seine Dienstleistung?«

In dem Moment wanderte in Hunters Kopf ein weiteres Puzzleteil an seinen Platz. »Bilder.«

Die anderen drehten sich zu ihm um.

»Die Kamera in dem Sarg im Deukmejian Wilderness Park«, sagte er, hauptsächlich an Garcia und Captain Blake gewandt. »Der Täter hat nicht für den Eigenbedarf gefilmt, er hat die Aufnahmen für seine Kunden gestreamt. *Darin* besteht seine Dienstleistung. *Das* verkauft er – Livestreams von Folter und Mord. Die Leute hinter den Stimmen geben bei ihm Bestellungen für ihre ganz persönlichen Mordphantasien auf. Sie sagen ihm, wie die Opfer aussehen sollen, was sie anhaben sollen und was er mit ihnen machen soll – auf welche Weise er sie foltern und am Ende töten soll. Und wer wäre besser dazu geeignet, die kranken, sadistischen Phantasien der Leute zu bedienen, als ein ...« Abrupt hielt er inne. »Verdammt!« Er schüttelte den Kopf und lachte humorlos. »Aber natürlich. Der Nickname.« Er schnappte sich Kellers Notizblock und einen Stift und schrieb ihn auf.

»Miles Sitrom – das erste Wort ist gar nicht der Vorname Miles, sondern das lateinische Wort *miles*. Und das zweite Wort muss man von hinten nach vorne lesen, dann lautet es *mortis*, das ist auch Latein. *Miles mortis* – der Soldat des Todes.«

58

Die Luft in Vince Kellers beengtem Büro wurde noch drückender als zuvor. Garcia und Captain Blake starrten Hunter an, während sie über seine Worte nachdachten.

»Das können Sie doch nicht wirklich glauben«, meinte Blake schließlich mit großen Augen.

»Doch, er hat recht.« Keller nickte. »*Miles mortis* ist Latein und bedeutet ›Soldat des Todes‹.«

»Verdammt!«, fluchte Garcia. »Das beweist dann wohl endgültig, dass er beim Militär war.«

Keller sah ihn stirnrunzelnd an, verkniff sich jedoch die Frage, die ihm auf der Zunge lag.

»Was ist mit den anderen beiden Zeilen?«, wollte Blake wissen. »Sind das auch Websites im Darknet?«

»Ich glaube nicht«, sagte Keller. »Die Konfiguration von Buchstaben und Ziffern stimmt nicht.«

»Hm«, machte Blake. »Könnten wir es nicht trotzdem eingeben, damit wir auf der sicheren Seite sind?«

»Natürlich.« Keller wandte sich an Hunter. »Kann ich noch mal das Foto sehen?«

Hunter reichte Keller sein Smartphone, während dieser den Tor-Browser öffnete und rasch die dritte Textzeile eingab.

Am Ende fügte er noch das Suffix .onion hinzu und drückte auf Enter.

Diesmal lud die Seite innerhalb eines Sekundenbruchteils. Es war eine Fehlermeldung.

Verbindung konnte nicht hergestellt werden.

»Nein«, sagte Keller, ehe er dasselbe mit der vierten Zeile wiederholte.

Das Ergebnis war das gleiche.

»Wie ich es mir dachte«, sagte er. »Keine Webadressen.«

»Was ist es denn dann?« Inzwischen klang Blake hörbar gereizt.

Hunter wandte sich an Keller. Ihm war soeben etwas eingefallen.

»Im Darknet«, sagte er, »werden doch häufig Kryptowährungen genutzt, oder?«

»Ja, stimmt schon.«

Hunters Blick ging zu seinem Smartphone, das auf dem Schreibtisch lag.

Kellers Blick folgte ihm, und sein Gesicht leuchtete auf. Er wusste, worauf Hunter hinauswollte.

»Diese zwei Zeilen«, sagte er. »Könnten das eventuell Bitcoin-Konten sein? Oder Passwörter zu solchen Konten?«

»Wäre definitiv möglich«, sagte Keller. Das Gespenst eines Lächelns umspielte seine Lippen. »Und wenn deine Theorie stimmt und dieser Typ wirklich Morde im Darknet verkauft, wäre das auch ziemlich plausibel.«

»Lassen die sich zurückverfolgen?«, fragte Captain Blake. »Diese Bitcoin-Accounts?«

»Nein, das geht nicht«, antwortete Keller. »Selbst wenn das hier wirklich Zugangscodes für Konten beziehungsweise Kontonummern sind, ist es praktisch unmöglich, sie zu finden. Im Darknet hat Anonymität oberste Priorität – deshalb nutzt man dort ja Kryptowährungen. Selbst wenn wir die Kontonummer und einen Zugangscode hätten, sodass wir uns in das Konto einloggen könnten, wüssten wir immer noch nicht den Namen des Inhabers. Bitcoin-Konten funktionieren nicht wie normale Bankkonten.«

Captain Blake wollte noch eine weitere Frage stellen, doch Hunter gebot ihr mit einer Handbewegung Einhalt.

»Captain«, sagte er eindringlich, wenngleich nicht aggressiv. »Das alles können wir gerne besprechen, wenn wir wieder im PAB sind, aber jetzt müssen wir erst mal überlegen, wie wir weiter mit dem Buch verfahren wollen. Ja, wir haben rausgefunden, warum der Killer es unbedingt zurückhaben will, aber das ändert nichts an der Tatsache, dass er mich heute Nachmittag um siebzehn Uhr anrufen und mir sagen wird, wie ich ihm das Buch übergeben soll.«

»Der Peilsender ist doch nach wie vor eine gute Idee«, sagte Keller, was die anderen veranlasste, sich zu ihm umzudrehen. »Tut mir leid.« Er hob die Hände. »Ich weiß, ich bin nicht Teil der Ermittlungen, aber wenn ich trotzdem was sagen darf ... Falls es uns gelingt, einen Sender im Tagebuch zu platzieren – und ich bin mir sicher, dass das kein Problem sein wird –, besteht meiner Ansicht nach eine gute Chance, den Kerl zu schnappen ... wer auch immer er ist. Insofern hat sich am ursprünglichen Plan doch nichts geändert. Nur, dass ich den Sender nicht vorne, sondern hinten im Einband unterbringen werde.«

Er musste niemanden überzeugen.

»Ich bin damit einverstanden«, sagte Captain Blake.

»Ich auch«, sagte Hunter. »Es besteht kein Grund, jetzt das Vorgehen zu ändern, es sei denn ...«

»Es sei denn, wir finden im hinteren Buchdeckel auch noch was«, sagte Garcia.

»Finden wir es raus.« Keller wies den Weg zur Tür.

59

Alle vier eilten zurück ins Labor Nummer zwei. Dort legte Keller die vordere Lederkaschierung vorsichtig wieder an ihren Platz, ohne sie jedoch anzukleben. Das würde er später erledigen. Im Moment ging es darum, sich den hinteren Buchdeckel anzuschauen. Er zog die Plastikfolie von der ersten Seite ab und blätterte vor bis zur letzten Seite. Die Innenseite des hinteren Einbands war ebenfalls mit Leder kaschiert. Er schaltete den Dampfstrahler wieder ein, und während er darauf wartete, dass er heiß wurde, bedeckte er das Tagebuch zum Schutz mit einem frischen Stück Folie.

»Das könnte ungefähr zwanzig Minuten dauern«, teilte er den anderen mit. »Vielleicht auch länger.«

»Können wir irgendwie helfen?«, fragte Hunter.

»Leider nicht, nein.«

»Ich bleibe«, verkündete Garcia und umrundete die Werkbank. »Dieses Hin und Her zwischen hier und dem PAB nervt. Ich möchte zwar so schnell wie möglich weiterlesen, aber jetzt wissen wir ja immerhin, weshalb er sein Buch unbedingt zurückhaben will.«

Hunter nickte zustimmend.

»Gibt es hier irgendwo einen Kaffeeautomaten?«, wollte Blake wissen.

»Ja, sicher«, sagte Keller, der inzwischen wieder seine Uhrmacherbrille aufgesetzt hatte. »Am Ende des Ganges und dann rechts. Ist nicht zu übersehen.«

»Ich komme mit«, sagte Garcia, als Captain Blake bereits an der Tür war. »Wollt ihr auch was?«, fragte er erst Hunter, der den Kopf schüttelte. »Vince?«

»Nein, danke.«

Kurz nachdem die beiden den Raum verlassen hatten, piepste der Dampfstrahler. Keller nahm ihn in die Hand, schnappte sich das Skalpell und machte sich ans Werk.

»Denkst du, die haben es geschluckt?«, fragte er. »Ich meine die Geschichte mit dem Wasserschaden, und dass du die Software neu installieren musstest?«

»Keine Ahnung«, antwortete Hunter. »Was anderes ist mir auf die Schnelle nicht eingefallen.«

»Das war doch clever«, meinte Keller. »Meine Sorge ist nur … noch mal: Es tut mir leid, dass ich mich hier in was einmische, was mich nichts angeht … Aber was, wenn diese ›Stimmen‹ versuchen, Miles Sitrom noch mal zu kontaktieren, um sich Gewissheit zu verschaffen?«

»Das Risiko besteht«, räumte Hunter ein. »Aber ich glaube nicht, dass sie das tun werden.«

»Wieso nicht?«

»Ich wette, dieser Chatroom ist der einzige Kanal, über den sie miteinander kommunizieren. Schließlich ist es im Interesse aller Beteiligten, Anonymität zu wahren.«

»Stimmt«, sagte Keller.

»Sobald wir uns eingeloggt hatten«, fuhr Hunter fort, »haben die Stimmen gesagt, dass sie nicht damit gerechnet hätten, so schnell wieder von uns zu hören. Wahrscheinlich weil sie wissen, dass es mehrere Tage Vorbereitungszeit braucht, bis der Täter ihre Wünsche erfüllen kann.«

»Was für Wünsche denn?«

Hunter atmete aus. »Die Opfer müssen bestimmten Kriterien entsprechen.«

Keller sah Hunter durch seine Vergrößerungsbrille an.

»Und der Mörder ist ja nicht nur damit beschäftigt, ein neues Opfer aufzutreiben, er muss sich auch um das Problem seines verlorenen Tagebuchs kümmern. Insofern bin ich mir ziemlich sicher, dass er sich in den nächsten Tagen nicht im Chat blicken lassen wird.«

»Und wenn das mit dem Sender funktioniert«, ergänzte Keller, »habt ihr ihn sowieso bald geschnappt.«

»Hoffen wir's«, sagte Hunter.

Wenig später kehrten Garcia und Captain Blake zurück. Keller war es in der Zwischenzeit gelungen, einen etwa vier Zentimeter langen Streifen Kleber abzulösen.

»Und?«, erkundigte sich Blake. »Wie läuft es?«

»Ich glaube nicht, dass wir auf der Rückseite auch geheime Infos finden werden«, sagte Keller, ohne aufzublicken.

»Und warum nicht?«, fragte Garcia, während er auf die Werkbank zutrat.

»Der Kleber vorne ist deutlich schneller geschmolzen als der hier. Das hat mich eben schon stutzig gemacht. Es sagt mir, dass der Kleber früher schon mal abgelöst wurde. Hier auf der Rückseite sitzt der Einbandspiegel deutlich fester.«

»Das ist doch gut, oder?«, fragte Captain Blake.

»Vermutlich. Warten wir es ab.«

Keller benötigte neunundzwanzig Minuten, bis der Kleber an drei Rändern abgelöst war. Als er das Leder zurückschlug, atmeten alle erleichtert auf. Es war, wie er vorausgesagt hatte: Auf der Innenseite des hinteren Buchdeckels stand nichts geschrieben.

Keller inspizierte den Einband eine geschlagene Minute lang, ohne ein Wort zu sagen.

Die anderen warteten.

»Das mit dem Sender dürfte nicht allzu schwierig werden«, verkündete er schließlich. »Ich muss nur ein winziges Scheibchen von der Pappe rausschneiden, dann kann ich einen aktivierten Vierundzwanzig-Stunden-Tracker einsetzen. Vollkommen unsichtbar. Sie können mit der Hand über den Einband streichen und werden nichts merken.«

»Und wie lange brauchen Sie dafür?«, fragte Captain Blake.

»Etwa eine halbe Stunde, um den Sender zu bauen, und dann vielleicht noch mal eine halbe Stunde, um ihn einzusetzen und das Leder wieder festzukleben, aber wie gesagt …« Er hob einen Finger. »Damit der Sender dünn genug wird, darf er weder einen Aktivierungsschalter noch einen Akku haben, der Energie für mehr als vierundzwanzig Stunden liefert.« Keller nickte in Hunters und Garcias Richtung.

»Ja, schon klar«, sagte Garcia.

»Außerdem ist der Sender aufgrund seiner Bauweise nicht besonders stark. Wenn die Zielperson die U-Bahn nimmt, ein Gebäude betritt oder sich mehr als ein Stockwerk unter der Erde befindet, fällt das Signal aus.«

»Verstanden«, sagte Hunter.

»Tja, dann. Wenn ihr das Tagebuch nicht dringend braucht und der Mörder sich erst um fünf wieder melden will, würde ich vorschlagen, dass wir noch bis drei oder vier warten, ehe wir den Sender einsetzen und aktivieren, in Ordnung?« Es war kurz vor ein Uhr mittags. »Wenn wir ihn gleich aktivieren, verschenken wir wertvolle Stunden.«

»Sehr gut mitgedacht«, lobte Captain Blake.

»Das Leder vorne kann ich jetzt schon wieder ankleben, das spart Zeit«, fuhr Keller fort. »Und ich lege auch gleich mit dem Bau des Senders los. Nur mit dem Rest würde ich noch warten.«

»Ihre Entscheidung«, wandte Captain Blake sich an Hunter. »Sie sind derjenige, der sich nachher mit diesem Drecksack auseinandersetzen muss.«

»Bist du denn sicher, dass für alles genug Zeit ist, wenn du so lange wartest?«, wollte Hunter von Keller wissen.

»Hundertprozentig.«

»Okay. Dann machen wir es so, wie du gesagt hast.«

60

Kaum im Police Administration Building angekommen, kehrte Captain Blake in ihr Büro zurück, während Hunter und Garcia sich wieder an ihre Schreibtische setzten, um sich die restlichen Tagebucheinträge vorzunehmen.

Obwohl nun streng genommen kein Anlass mehr dazu bestand, las Hunter weiterhin jeden Eintrag langsam und konzentriert durch. Sie wussten zwar jetzt, weshalb das Buch dem Täter so wichtig war, trotzdem konnten die Texte wertvolle Informationen über seine Identität enthalten, ihnen einen möglichen Aufenthaltsort oder vielleicht sogar einen Hinweis darauf liefern, wer sich hinter den »Stimmen« verbarg.

Die Minuten verstrichen, und je mehr sie lasen, desto größer wurde ihr Entsetzen. All diese Morde – all diese bestialischen, sadistischen, in ihrer Grausamkeit geradezu grotesken Bluttaten – waren nicht von einem triebgesteuerten, wahnsinnigen Serienmörder verübt worden. Es handelte sich um Folter, Sadismus und Grausamkeit auf Bestellung. Die Opfer waren brutal gequält und ermordet worden, weil es Menschen gab, die ihnen dabei zusehen wollten ... die inzwischen ihre widerwärtigen Gewaltfantasien an ihnen ausgelebt hatten.

»Weißt du was?«, fragte Garcia irgendwann und unterbrach Hunters brodelnde Gedanken. »Ich kann nicht mal mehr sagen, wen ich eher in die Finger kriegen will – dieses Schwein mit seinem Mordtagebuch oder die feigen Arschlöcher, die ihn dafür bezahlen – die ihre kranken Fantasien hegen und pflegen, aber nicht das Zeug haben, sie selber in die Tat umzusetzen. Stattdessen müssen sie jemanden beauftragen, der die Drecksarbeit für sie erledigt, während sie selbst gemütlich zu Hause vor dem Bildschirm sitzen und sich dabei wahrscheinlich noch einen runterholen.«

»Vielleicht hast du recht«, sagte Hunter. »Vielleicht machen sie es, weil ihnen der Mut fehlt – aber vielleicht sind sie auch einfach nur klug. Sie gehen keinerlei Risiko ein und hinterlassen keine Spuren. Falls jemand für die Morde geschnappt wird, dann der Killer. Sie selbst sind nur Geister im Cyberspace. Gesichtslos. Unauffindbar. Wahrscheinlich weiß nicht mal der Täter, wer diese Leute in Wahrheit sind.«

Garcia schnaubte zornig.

»Oder vielleicht kommt das Szenario ihrer Fantasie auch gerade entgegen. Vielleicht wollen sie einfach nur zuschauen, statt selbst aktiv zu werden. Ob du es glaubst oder nicht, so was gibt es.«

»Trotzdem.« Garcia schüttelte den Kopf. »Sie sind genauso schuldig wie der Mörder selbst.«

»Das ist wahr«, pflichtete Hunter seinem Partner bei.

Garcia ließ entmutigt die Schultern hängen. »Die ganze

Welt hat den Verstand verloren. Ihren Sinn ... ihre Würde.« Voller Verachtung schüttelte er den Kopf. »Das hier ist doch kein Videospiel. Das ist das wahre Leben ... das sind echte Menschen.«

Hunter schwieg. Er empfand genauso wie sein Partner – mit dem einzigen Unterschied, dass er schon vor langer Zeit zu dem Schluss gelangt war, dass die Welt den Verstand verloren hatte.

Nach einer kurzen Pause machten sie sich wieder an die Arbeit. Hunter hatte den Eindruck, als würde das Ausmaß an sadistischer Brutalität sich mit jedem Eintrag steigern. Die Opfer dieses Killers hatten einige der entsetzlichsten Foltermethoden über sich ergehen lassen müssen und waren die qualvollsten Tode gestorben, die man sich überhaupt vorstellen konnte. Es gab Verstümmelungen, Enthauptungen, historische Foltertechniken mit Instrumenten, die der Täter aus Holz und Eisen eigens hatte bauen müssen. Einigen Opfern waren bei lebendigem Leib die Gliedmaßen abgetrennt worden, andere waren verbrannt oder von Ratten gefressen worden. Es wurde von Seite zu Seite schlimmer. Mit wenigen Ausnahmen endeten die Einträge stets mit den Koordinaten für die Stelle, an der der Täter die sterblichen Überreste seines Opfers entsorgt hatte. Die Leichen des Pärchens aus Eintrag Nummer drei waren im Meer versenkt worden, man würde sie vermutlich niemals finden. Ein weiteres Opfer, eine zweiundzwanzigjährige Studentin an der UCLA, hatte der Täter erst verbrannt, um danach ihre Asche in der Toilette herunterzuspülen. Wie sollten sie das den Eltern des Mädchens sagen? Hunter graute bereits davor.

»Mir ist schlecht«, sagte Garcia irgendwann. »Ich könnte nur noch kotzen.« Er stand auf und legte sich eine Hand auf die Brust, während er das Gesicht verzog. »Wo bist du?«

»Gerade mit Nummer zehn fertig«, sagte Hunter. »Sechs noch. Und du?«

»Noch nicht ganz so weit. Hast du denn schon irgendwas

entdeckt? Irgendeinen Hinweis, der uns weiterhelfen könnte?«

Hunter schüttelte langsam und nachdenklich den Kopf. »Nichts. Die Leute hinter den Stimmen im Chatroom verwischen ihre Spuren, indem sie nur in der Anonymität des Darknets auftreten, und der Killer verwischt seine, indem er extrem vorsichtig ist mit dem, was er aufschreibt.«

»Die Sache mit dem Peilsender«, sagte Garcia, während er sich die Brust massierte. »Das *muss* funktionieren. Wir müssen diesen Kerl kriegen.«

Hunter nickte schweigend. Ihn plagten dieselben Bedenken. Wenn ihr Plan fehlschlug, würden sie womöglich nie wieder etwas von dem Killer hören. Er und die Stimmen würden den Chatroom im Darknet auflösen und irgendwo einen anderen mit einer neuen Adresse einrichten. Oder der Mörder würde in eine andere Stadt umziehen – in eine Metropole wie Chicago, New York oder Dallas. Von wo aus er arbeitete, machte letzten Endes keinen Unterschied. Er konnte überall Opfer finden.

»Ich brauche irgendwas mit Zucker«, verkündete Garcia, der immer noch gegen seine aufsteigende Übelkeit ankämpfte. »Eine Dr. Pepper oder so. Soll ich dir auch was mitbringen?«

»Nein, für mich nichts«, sagte Hunter. »Danke.«

Kurz nachdem Garcia auf den Gang getreten war, klingelte Hunters Handy. Er warf einen Blick auf das Display – Angela? Das konnte nicht sein. Er hatte ihr doch die SIM-Karte abgenommen.

»Hey«, kam die Stimme der jungen Frau aus der Leitung. »Na, wie geht's?«

»Angela. Was ist passiert?« Sein Herz schlug schneller.

»Was? Nichts. Was soll hier schon passieren?« Sie klang gelangweilt. »Ich wollte bloß fragen, wann Sie mir endlich das Tablet vorbeibringen, das Sie mir gestern versprochen haben?«

»Moment mal. Von wo aus rufen Sie an?«, fragte Hunter. »Wessen Telefon benutzen Sie?«

»Na ja … mein eigenes natürlich.«

»Was? Aber Sie haben mir doch Ihre SIM-Karte gegeben.« Reflexartig fuhr Hunter mit der Hand in seine rechte Jackentasche. Keine SIM-Karte.

»Tja … Das stimmt schon. Aber dann habe ich sie mir zurückgeholt.«

»Was? Wann?« Seine Finger tasteten immer noch erfolglos in der Tasche herum.

»Als wir draußen auf der Veranda gesessen haben. Ich habe geraucht, erinnern Sie sich?«

Hunter war fassungslos.

»Warum tun Sie so was? Haben Sie nicht begriffen, *weshalb* ich Sie nach der SIM-Karte gefragt habe? Dieser Mörder könnte Sie jetzt gerade orten. Sie müssen sofort auflegen.«

Hunter hielt kurz inne und atmete einmal tief durch. Er wusste, dass es auch sein Fehler gewesen war. Er hätte ihr das Handy abnehmen sollen statt nur die Karte. Jetzt verfluchte er sich im Stillen dafür.

»Klar habe ich das begriffen – aber mal im Ernst, dieser Typ ist nicht 007. Man kann nicht einfach so das Handy von jemandem orten. Außerdem werde ich doch von den *Besten der Besten* bewacht, oder nicht? Das haben Sie selbst gesagt. Der Kerl mit dem Tagebuch ist ja wohl nicht lebensmüde, und bestimmt hat er auch nicht das Bedürfnis, den Rest seiner Tage im Gefängnis zu versauern. Wie auch immer, regen Sie sich ab. Wir telefonieren ja noch gar nicht lange. Eigentlich wollte ich auch nur ein paar Songs hören, um besser in den Tag zu starten. Ich brauche Motivationsmusik, sonst komme ich morgens nicht aus dem Bett.«

»Musik?« Hunter sprang auf. »Angela, wann haben Sie die SIM-Karte wieder eingelegt?«

»Heute Morgen. Nach dem Aufwachen. Aber ich habe nur

zwei Songs gehört. Ich habe nicht mal zehn Minuten gestreamt.«

»Mein Gott, Angela!«

»Schon gut, schon gut. Ich nehme sie wieder raus. Aber vergessen Sie das mit dem Tablet nicht, okay?«

Im selben Moment, unmittelbar bevor Angela auflegte, hörte Hunter aus der Leitung ein leises Geräusch, bei dem es ihm eiskalt den Rücken hinunterlief. Es klang wie eine Türklingel.

»Was war das?«, fragte er alarmiert – doch es war schon zu spät. Angela hatte aufgelegt.

61

Fast im selben Moment betrat Garcia den Raum. Er setzte seine Dr.-Pepper-Dose an die Lippen und trank einen großzügigen Schluck.

»Nein, legen Sie nicht auf ...«, rief Hunter in heller Panik. »Angela ...? Angela!« Er schaute auf das Display. Die Verbindung war beendet.

»Du hast Angela angerufen?«, fragte Garcia und lachte leise, ehe er zu seinem Schreibtisch trat. »Die ist immer noch ganz schön zickig, was? Der muss dringend mal jemand ein paar Manieren beibringen.«

Doch Garcias Worte verhallten ungehört. Hunter scrollte durch seine Anrufliste, hob das Handy ans Ohr und wartete.

»Der Teilnehmer ist vorübergehend nicht erreichbar«, kam eine automatische Ansage aus der Leitung.

Angela musste das Handy ausgeschaltet haben.

Hastig suchte er unter seinen Kontakten die Nummern der zwei SIS-Agenten. Als Erstes rief er Martin an. Es klingelte einmal ... zweimal ... fünfmal ... dann sprang die Mailbox an. Hunter hinterließ eine knappe, aber drängende Nachricht – »Rufen Sie mich umgehend zurück!« –, ehe er auflegte und es bei Jordan versuchte. Das Ergebnis war dasselbe.

»Du willst mich wohl verarschen!«, schimpfte er, ehe er auch ihm auf die Mailbox sprach, dass er sich dringend bei ihm melden solle.

»Was ist denn los, Robert?«, fragte Garcia.

Rasch erzählte Hunter ihm von seinem Telefonat mit Angela.

»Bist du denn ganz sicher, dass es die Klingel war?«

»Ja«, sagte Hunter. »Aber warum geht niemand ans Telefon?«

Darauf wusste Garcia auch keine Antwort.

Hunter versuchte es erneut bei Angela. Es kam dieselbe Ansage wie zuvor.

Martins Handy – Mailbox.

Jordans Handy – Mailbox.

Noch einmal versuchte er es bei allen dreien. Ohne Erfolg.

»Das darf nicht wahr sein«, sagte er und sah auf seine Uhr – halb zwei. Er griff nach seiner Jacke.

»Wo willst du hin?«, fragte Garcia.

»Zum Safehouse.«

Auch Garcia sah auf die Uhr. »Wo liegt das noch gleich? Calabasas?«

»Ja.«

»Wenn wir Glück haben und nicht viel Verkehr herrscht, brauchen wir eine Stunde«, gab Garcia zu bedenken. »Das bedeutet, wir sind vielleicht erst um vier wieder zurück. Meinst du nicht, dass das zu knapp wird? Wir können das Sheriffbüro in Malibu verständigen und sie bitten, einen Einsatzwagen zum Haus zu schicken. Die können in zehn, maximal fünfzehn Minuten dort sein.«

»Ich weiß.« Hunter strebte zur Tür und wählte im Gehen Shannon Hatchers Nummer. »Wir machen beides.«

62

Hunter wusste, dass Garcias Vorschlag vernünftig war. Ein kurzer Anruf beim Sheriffbüro in Malibu, in dessen Zuständigkeitsgebiet das eingemeindete Calabasas fiel, genügte. Man würde umgehend einen Streifenwagen zum Safehouse schicken. Der Verkehr in Calabasas war mit dem in L. A. nicht zu vergleichen, Hunter hätte also in maximal fünfzehn Minuten Gewissheit. Doch er versuchte so pragmatisch wie möglich zu sein. Diese fünfzehn Minuten konnte er entweder im Büro herumsitzen und vor Ungeduld die Wände hochgehen, oder er konnte die Zeit nutzen und sich selbst auf den Weg zum Safehouse machen – nur für den Fall, dass seine schlimmsten Befürchtungen sich bewahrheiten würden.

Dass keiner der beiden Männer von der SIS ans Telefon ging, hatte in Hunter eine nagende Angst geweckt. Das Regelbuch der SIS für das Vorgehen im Zeugenschutz war eindeutig: Die Agenten hatten rund um die Uhr erreichbar zu sein. Versäumte es einer von ihnen, ans Telefon zu gehen – egal wann und aus welchem Grund –, klingelten sofort überall die Alarmglocken. Wenn gleich beide nicht erreichbar waren, schwoll dieses Alarmklingeln auf die Lautstärke einer Luftschutzsirene an.

Auf dem Weg zum Wagen rief Hunter in der Zentrale an und bat sie, ihn mit dem Sheriffbüro in Malibu zu verbinden. Er sprach direkt mit dem Deputy und wies ihn an, so schnell wie möglich einen Streifenwagen zum Safehouse zu schicken und dort nach dem Rechten zu sehen. Es handle sich um einen Notfall.

Als er sich auf den Beifahrersitz von Garcias Wagen schwang, versuchte er es noch einmal bei Martin und Jordan.

»Immer noch nichts?«, fragte Garcia.
Hunter schüttelte den Kopf.
Da stimmte etwas nicht. Ganz und gar nicht.

63

Sergeant David Brooks und Corporal Sergio Rivera hatten gerade eine große extrascharfe Pizza Toscana gegessen, als der Funkspruch reinkam. Es ging um Amtshilfe für das LAPD. Sie sollten in einem Haus nach dem Rechten sehen, in dem sich möglicherweise eine Straftat ereignet hatte. Äußerste Vorsicht war geboten.

Die Adresse lag weniger als sechs Minuten von ihrem gegenwärtigen Standort entfernt.

»Zentrale?«, sprach Sergeant Brooks ins Funkgerät. »Hier Einheit zwei-drei-acht. Wir sind fünf Minuten entfernt und übernehmen.«

Während Brooks und Rivera in ihren Ford Escape stiegen, gab die Zentrale alle nötigen Informationen durch. Mit Sirenengeheul bog Corporal Rivera, der am Steuer saß, nach rechts in den Paul Revere Drive ein. Dann trat er das Gaspedal durch und beschleunigte bis auf fünfundsechzig Meilen pro Stunde – in einer Wohngegend, in der normalerweise nur fünfunddreißig Meilen pro Stunde erlaubt waren. Bei dieser Geschwindigkeit und mit eingeschalteter Sirene legten sie die kurze Strecke in weniger als vier Minuten zurück. Als sie die Einmündung zur Straße erreichten, drosselte Rivera das Tempo bis auf Schrittgeschwindigkeit und schaltete die Sirene aus.

Die Sackgasse war nicht lang – nur vier Häuser, drei auf der linken und eins auf der rechten Seite. Das Haus, zu dem sie wollten, stand ganz hinten links. Schon aus der Entfernung sahen sie den schwarzen Cadillac ATS, der vor dem Haus parkte.

»Das ist das Fahrzeug der Leute von der SIS«, sagte Sergeant Brooks und deutete mit der linken Hand nach vorn. »Sie müssen also vor Ort sein.«

»Dann hätten sie aber ans Telefon gehen müssen«, gab Rivera zu bedenken.

Brooks nickte zustimmend.

Rivera parkte so neben dem Cadillac, dass er ihm zum Teil den Fluchtweg abschnitt – nur zur Sicherheit.

»Okay«, sagte Brooks. »Gehen wir rein und schauen uns um.«

Die beiden stiegen aus und näherten sich vorsichtig dem Haus. Als sie den Wagen der Agenten umrundeten, legte Rivera eine Hand gegen die Scheibe auf der Fahrerseite und spähte ins Wageninnere. Dort war nichts Auffälliges zu entdecken.

In der Einfahrt stehend, nahm Sergeant Brooks zunächst die Front des Hauses in Augenschein. Das einzige Fenster zur Straße wurde fast vollständig von den großen Sträuchern im Vorgarten verdeckt, doch er konnte sehen, dass die Vorhänge zugezogen waren. Erst dann fiel ihm die Haustür auf. Sie stand einen Spaltbreit offen.

»Die Tür ist offen«, sagte er und löste den Verschluss der Waffe in seinem Holster.

Kein gutes Zeichen, dachte Rivera und nahm sich ein Beispiel an seinem Partner.

Mit gezogenen Waffen näherten sie sich dem Haus. Brooks bezog Position auf der linken Seite der Tür, Rivera auf der rechten.

Brooks betätigte die Türklingel, ehe er rief: »Ist jemand im Haus? Hier ist das Sheriffbüro von Malibu.«

Keine Reaktion.

Er klingelte noch einmal. »Hallo ... ist irgendwer im Haus? Wir kommen vom Sheriffbüro.«

Nichts.

Er versetzte der Tür einen sanften Stoß, sodass diese langsam aufschwang. »Agent James Martin und Agent Darnel Jordan!«, rief er laut. Die Zentrale hatte ihnen die Namen der beiden SIS-Agenten durchgegeben. »Hier ist das Sheriffbüro von Malibu. Wir kommen jetzt rein. Bitte geben Sie sich zu erkennen, falls Sie im Haus sind.«

Totenstille.

Brooks nickte Rivera zu, der in einer routinierten Bewegung einen Schritt nach rechts machte, beide Arme nach vorn ausgestreckt, die Smith and Wessen M&P9 im Anschlag. Sein Blick und die Mündung seiner Waffe gingen sofort nach rechts.

Einen Sekundenbruchteil später folgte Brooks. Auch er hielt seine Waffe, eine Glock 21Gen 3, mit ausgestreckten Armen im beidhändigen Griff. Um die andere Seite des Eingangsbereichs abzudecken, wandte er sich nach links. Beide Officer hielten nach dem kleinsten Anzeichen von Gefahr Ausschau.

Doch sie fanden etwas anderes.

Etwas ungleich Schlimmeres.

64

Als Hunter und Garcia, neunundvierzig Minuten nachdem sie aus dem Büro gestürmt waren, das grüne Haus in Calabasas erreichten, wimmelte es auf der Straße bereits von Mitarbeitern des Sheriffbüros. Vier weitere Einsatzfahrzeuge waren am Ort des Geschehens eingetroffen, und man hatte die Straße direkt an der Einmündung abgesperrt.

Ein junger Corporal hob das schwarz-gelbe Flatterband hoch, damit Garcia darunter hindurchfahren konnte. Er parkte am rechten Straßenrand. Wenige Sekunden später bogen zwei weitere Streifenwagen um die Kurve.

Hunter und Garcia stiegen aus. Instinktiv suchten sie mit wachsamen Blicken die kurze Straße in beide Richtungen ab. Es liefen so viele Polizisten in Uniform herum, dass es den Anschein hatte, als fände ganz in der Nähe eine Konferenz des Sheriffbüros statt.

Ohne weitere Zeit zu verlieren, eilten sie zum letzten Haus auf der linken Seite. Hunters starre Miene verriet seine Wut.

Als sie bei der zweiten Absperrung an der Veranda des Hauses ankamen, wurden sie von einem stämmigen Polizisten mit buschigem grauem Schnauzer und fliehendem Haaransatz in Empfang genommen. Es war Sergeant Brooks. »Sie müssen die Detectives von der UV-Einheit sein.«

»Richtig«, sagte Garcia. Rasch zückten er und Hunter ihre Dienstausweise. »Waren Sie als Erster am Tatort?«

Der Sergeant nickte. »Ja, ich und Corporal Rivera da drüben.« Er deutete zu einem Kollegen, der neben einem Streifenwagen stand, der seinerseits unmittelbar hinter dem schwarzen Cadillac des SIS-Teams parkte. »Wir haben um kurz vor zwei den Funkspruch von der Zentrale reinbekommen. Keine fünf Minuten später waren wir hier.«

Gemeinsam gingen sie die letzten Schritte bis zur Haustür.

»Als wir uns dem Haus näherten«, berichtete der Sergeant, »ist uns aufgefallen, dass die Tür offen stand. Wir sind nach Vorschrift vorgegangen. Weil von drinnen keine Antwort kam ...« Bei der Tür angelangt, blieben sie stehen. »... sind wir rein. Und haben das da vorgefunden.« Er bedeutete beiden, ihm beim Eintreten ins Haus voranzugehen.

Hunter trat als Erster über die Schwelle. Der unbändige Zorn, der in seinem Innern brodelte, drohte überzukochen und vermischte sich mit Trauer.

Garcia folgte seinem Partner. Instinktiv schlug er sich die Hand vor den Mund und fluchte halblaut.

Obschon man ihnen bereits mitgeteilt hatte, was sie im Safehouse erwarten würde, konnten sie es nicht so richtig glauben.

Auf dem Boden, etwa vier Schritte von der Tür entfernt, lag SIS-Agent Darnel Jordan auf dem Rücken in einer Lache seines eigenen Blutes. Er wies zwei Einschüsse in die Brust und einen in den Kopf auf. Seine Neunmillimeterpistole lag etwa einen Meter von seiner rechten Hand entfernt.

Auf dem roten Ecksofa zur Rechten der Haustür lag Agent James Martin. Auch er war zweimal in die Brust und einmal in den Kopf getroffen worden. Seine Pistole lag in Reichweite.

Hunter musste kurz durchatmen. Seine rechte Hand ballte sich zur Faust. »Was ist mit der Frau?«, fragte er Sergeant Brooks und ging an den zwei Leichen vorbei in Richtung der Schlafzimmer.

»Keine Spur von ihr«, antwortete der Sergeant und verzog unbehaglich das Gesicht. »Aber es gibt eine Nachricht.«

Hunter und Garcia blieben wie angewurzelt stehen.

»Eine Nachricht?«, wiederholte Garcia.

Sergeant Brooks nickte. Mit dem Zeigefinger wies er in Richtung Bad. Die Tür stand offen. »Da drin. Ist nicht zu übersehen.«

Die beiden Detectives betraten das Badezimmer. Sofort gingen ihre Blicke zu dem großen Spiegel über dem Waschbecken. Dort stand ein einzelner Satz, in großen roten Lippenstiftbuchstaben geschrieben:

Ich habe Ihnen doch gesagt, Sie können sie nicht beschützen.

Garcia schloss die Augen und ließ den Kopf hängen, bis sein Kinn fast seine Brust berührte.

Hunter hingegen starrte mit weit aufgerissenen Augen auf den Spiegel. Die Emotionen, die ihn in diesem Moment überkamen, waren so heftig, dass er zu zittern begann. Er hatte versagt. Es war seine Schuld. Er atmete tief durch und versuchte sich zu fangen, doch es war zwecklos. Ohne ein Wort zu sagen, drehte er sich um und verließ das Bad. Er ging in Angelas Schlafzimmer. Dort war nirgends Blut zu sehen. Es gab auch keine Anzeichen eines Kampfes.

»Glaubst du, sie ist tot?«, fragte Garcia, der seinem Partner gefolgt und neben dem ungemachten Bett stehen geblieben war.

»Nein. Noch nicht«, antwortete Hunter mit ruhiger, aber beklommener Stimme. »Er hat sein Tagebuch noch nicht zurück. Er wird sie am Leben lassen, um sie als Druckmittel zu benutzen.«

»Wie konnte das überhaupt passieren?«, fragte Garcia, als sie ins Wohnzimmer zurückkehrten. Seine Stimme bebte vor Wut. »Das waren Kollegen von der SIS. Die sind top ausgebildet, die Besten der Besten. Er hier ...« Er deutete auf den toten Darnel Jordan auf dem Fußboden. »... muss die Tür aufgemacht haben.« Er stieg über den Leichnam und die Blutlache hinweg und trat zu der Neunmillimeter – einer HK VP9 Tactical Halbautomatik. Garcia fischte einen Kugelschreiber aus seiner Jackentasche, schob ihn durch den Abzugsbügel und hob die Waffe auf. Er roch daran, ehe er Hunter ansah und den Kopf schüttelte. »Kein Geruch von NC-Pulver. Er hat nicht mal Zeit gehabt, einen Schuss abzugeben.« Er ging zum Sofa und wiederholte die Prozedur mit James Martins Waffe. »Er auch nicht. Wie kann es sein, dass zwei exzellent ausgebildete und erfahrene Männer auf diese Art und Weise exekutiert wurden?«

Sergeant Brooks wusste darauf keine Antwort. Aber er sah so aus, als würde er selbst gern eine hören.

»Der Angriff kam ja wohl nicht aus dem Hinterhalt«, fuhr Garcia fort. »Weil er hier ...« Abermals deutete er auf Darnel Jordan. »... die Tür aufgemacht hat. Trotzdem konnte keiner der beiden auch nur einen einzigen Schuss auf den Angreifer abfeuern. Wie ist das möglich?«

»Unser Killer ist ein eiskalter Profi und wahrscheinlich speziell im Kampf Mann gegen Mann ausgebildet«, sagte Hunter, während er zur Haustür ging. »Er klingelt also.« Er versuchte das Geschehen zu visualisieren. »Ich wette, er hatte sich irgendeine Geschichte zurechtgelegt. So etwas wie: ›Entschuldigen Sie vielmals die Störung, aber ich suche meine Tochter ... oder den Hund meiner Tochter ... oder was weiß ich. Haben Sie sie oder ihn zufällig gesehen?‹«

Sergeant Brooks kratzte sich am Kopf.

»Vielleicht hatte er sogar ein Foto dabei, um seiner Geschichte noch mehr Glaubwürdigkeit zu verleihen«, sagte Hunter. »Der Agent, der an die Tür kam, Darnel Jordan, hat sich wahrscheinlich streng an die Vorschriften gehalten, die Frage verneint und versucht, den Mann so schnell wie möglich wieder loszuwerden. Aber der lässt nicht locker. Er hat Tränen in den Augen, sagt, seine Kleine wär erst fünf, und er soll sich doch bitte wenigstens das Foto anschauen. Irgendwann gibt Jordan nach und wirft einen Blick darauf – nur einen ganz kurzen, aber das reicht dem Killer schon. Wahrscheinlich hatte er seine Waffe bereits gezogen, vielleicht war sie hinter dem Foto versteckt.« Hunter benutzte die Hände, um den anderen zu demonstrieren, wie er sich die Situation vorstellte. »Zwei Schüsse direkt in die Brust. Jordan taumelt rückwärts. Der Killer macht einen Schritt ins Haus.«

Während Hunter die Szene nachstellte, drehten sich Garcia und Sergeant Brooks zum Sofa um.

»Die Haustür öffnet nach links, wenn man sich im Haus befindet«, fuhr Hunter fort. »Beziehungsweise nach rechts, wenn man draußen steht. Der Killer konnte von der Tür aus also den linken Teil des Wohnzimmers einsehen. Er weiß, dass dort niemand ist, dreht sich also gleich nach rechts und macht die nächste Bedrohung ausfindig. Agent Nummer zwei, James Martin. Er sitzt auf dem Sofa, sieht, wie sein Partner getroffen wird, und greift nach seiner Waffe, aber zu spät. Der Killer ist bereits drinnen, und seine Waffe ist schussbereit. Wieder zwei Schüsse in die Brust. Hast du dir die Eintrittswunden angeschaut?«

Garcia nickte. »Zwei Treffer ins Herz, ganz dicht nebeneinander. Bei beiden.«

»Das zeigt uns, was für ein herausragender Schütze er ist. Der Killer weiß also, dass die beiden tot sind, aber er ist darauf trainiert, kein Risiko einzugehen – zwei Schüsse in die Brust und dann noch einen in den Kopf. Das ist eine sehr effektive Technik, auch bekannt unter dem Namen ›Mozambique Drill‹ oder ›Failure Drill‹.«

»Ist das eine Technik, die im Krieg angewandt wird?«, fragte Garcia.

»Und von Auftragsmördern«, sagte Hunter. »Nachdem er also beiden zweimal ins Herz geschossen hat, geht der Täter zurück zu Agent eins.« Hunter trat zu Jordans Leiche im Eingangsbereich. »Und schießt ihm noch einmal in den Kopf. Dann macht er dasselbe bei Martin.«

»Schalldämpfer?«, fragte Garcia.

»Mit Sicherheit.«

»Angela hat also nur die Klingel gehört?«, spekulierte Garcia.

»Keine Ahnung«, sagte Hunter. »In jedem Fall ist der Rest für ihn ein Kinderspiel. Er geht zum Schlafzimmer, klopft an die Tür, sie macht auf, er setzt sie außer Gefecht. Das war's. Wir haben verloren.«

65

Hunter hatte recht. Es war alles so schnell gegangen, dass Angela keine Zeit gehabt hatte, sich zu wehren.

»Ich muss jetzt«, sagte sie zu Hunter und beendete die Verbindung, ohne ihm Gelegenheit zu geben, noch etwas zu erwidern. Einen Sekundenbruchteil ehe sie auflegte, läutete es an der Tür.

Angela wusste, dass Hunter sie wahrscheinlich sofort zurückrufen würde, deshalb schaltete sie umgehend ihr Handy aus.

DINGDONG.

Schon wieder die Klingel.

Sie sah auf die Uhr. Es war kurz vor halb zwei.

»Haben die etwa Essen bestellt, ohne mich zu fragen, ob ich auch was möchte?«, sagte sie laut, ehe sie mit Hilfe der Büroklammer aus Hunters Auto, die sie nach längerem Suchen in der Tasche ihres Hoodies gefunden hatte, die SIM-Karte aus dem Handy holte und sie beiseitelegte.

»Blödmänner.« Sie kramte ihre Tennisschuhe unter dem Bett hervor. Sie ging nicht gerne barfuß. »Ich hätte jetzt auch Lust auf eine Pizza ... oder Fried Chicken.«

Sie band sich die Schuhe zu und stand auf. Sie würde Martin und Jordan sagen, was sie davon hielt, nicht nach ihren Essenswünschen gefragt worden zu sein. Doch sie kam nicht weit. Gleich darauf hörte sie, wie jemand dreimal rasch hintereinander an ihre Tür klopfte.

»Aha, *jetzt* kommt ihr und fragt mich, ob ich was abhaben will«, brummelte sie und öffnete.

Ihr Gehirn brauchte eine Sekunde, um zu registrieren, dass der große Mann, der auf der Schwelle zu ihrem Schlafzimmer stand, keiner ihrer beiden Bewacher war.

Das war eine Sekunde zu viel.

Als ihre Blicke sich trafen, war die Spritze, die der Mann in der Hand hielt, bereits auf halbem Weg zu ihrem Hals. Die Nadel stach ihr in die Haut und injizierte zwei Milligramm des schnell wirkenden Sedativums Flunitrazepam in ihren Körper.

Sie hatte keine Zeit zu reagieren.

»Ganz ruhig«, sagte der Mann und hielt mit der linken Hand ihren Kopf. »Es dauert nicht mehr lange. Bald ist alles vorbei ...«

66

Auf der Fahrt zurück zum PAB sprachen Hunter und Garcia kein Wort, sondern starrten mit ernsten, betroffenen Mienen vor sich hin.

Als sie das Hauptquartier des LAPD erreichten, war Hunter speiübel, also machte er, während Garcia zurück ins Büro ging, erst noch einen Abstecher zur Toilette. Dort spritzte er sich eine Ladung kaltes Wasser ins Gesicht, ehe er sein Gesicht im Spiegel anstarrte. Seine Augen sahen müde und stumpf aus. Er wollte dem Mann, der ihm aus dem Glas entgegenblickte, gerade etwas sagen, als das Telefon in seiner Jackentasche klingelte. Er ging ran, ohne vorher nachzuschauen, wer der Anrufer war.

»Detective Hunter, UV-Einheit.«

»Robert, hier ist Vince. Es ist so weit alles fertig. Der Sender ist eingebaut, ich muss ihn nur noch aktivieren und dann das Leder wieder befestigen, aber das ist in zwanzig Minuten erledigt. Den vorderen Buchdeckel habe ich schon repariert, meiner Meinung nach sieht man keinen Unterschied zu vorher.«

»Sehr gut«, sagte Hunter und warf einen Blick auf seine Uhr. Es war vier. »Du hast gesagt, der Sender hat genug Saft für ungefähr vierundzwanzig Stunden, richtig?«

»Genau.«

»Okay. Dann aktivieren wir ihn jetzt.«

»Wird gemacht«, sagte Keller. Er wollte gerade auflegen, als Hunter ihn davon abhielt. Ihm war gerade eine neue Idee gekommen. Sie war ziemlich gewagt, aber vielleicht konnte sie eine Art Rückversicherung für ihn sein.

»Vince, warte kurz«, sagte er. »Ich brauche noch was anderes.«

»Klar.«

»Einen Plan B.«

»Okay. Woran hast du gedacht?«

Hunter setzte ihm seine Idee auseinander.

Keller schwieg einige Sekunden lang, dann sagte er: »Bist du dir hundertprozentig sicher?«

»Nein, nicht hundertprozentig«, räumte Hunter ein. »Aber lass es uns trotzdem machen. Vielleicht könnte es ein Leben retten. Angela ist seine Rückversicherung. Das hier ist meine.«

»Wer ist Angela?«

»Egal.« Hunter wischte die Frage beiseite. »Kriegst du das hin? Haben wir noch genug Zeit?«

»Sicher. Kein Problem. Ich lege sofort los.«

»Ich komme um zwanzig vor fünf vorbei, um das Tagebuch abzuholen.«

»Okay, bis dann. Ach so, und vergiss nicht, dein Telefon mitzubringen. Ich gebe dir ein Tablet mit der Tracking-App, aber ich kann sie auch auf deinem Smartphone installieren.«

»Keine Sorge. Ich bringe es mit.«

67

Um exakt zwanzig Minuten vor fünf standen Hunter und Garcia wieder einmal vor dem Empfangstresen im Piper Tech Building. Diesmal mussten sie nicht warten, da Keller sämtlichen Mitarbeitern die Instruktion erteilt hatte, beide Detectives sofort durchzulassen.

Im Labor Nummer zwei im zweiten Stock war er soeben mit seiner Arbeit fertig geworden, als Hunter und Garcia in der Tür auftauchten.

»Wow«, sagte Keller. »Das nenne ich perfektes Timing. Vor nicht mal einer Minute bin ich mit dem Tagebuch fertig geworden.« Er winkte sie näher. »Hier, schaut mal.«

Die beiden traten an die Werkbank heran. Keller reichte Hunter das Tagebuch mit aufgeschlagenem hinterem Einband.

Hunter strich mit den Fingern über das Leder. Es gab keine Unebenheiten – nichts, was darauf hingedeutet hätte, dass jemand sich daran zu schaffen gemacht hatte. Als Nächstes betastete er die Ränder, wo Keller neuen Kleber aufgetragen hatte. Perfekt. Hunter sah zu, wie Garcia ebenfalls den Einband prüfte, ehe er das Buch vorne aufschlug. Auch hier sah alles so aus wie vorher.

»Sehr gut«, sagte er und klappte das Tagebuch zu.

»Danke.« Keller schien stolz auf seine gute Arbeit zu sein. Er wandte sich wieder seiner Werkbank zu und nahm zwei Tablets, die neben dem Tagebuch gelegen hatten. »Ich weiß noch, dass euer Captain meinte, ihr hättet ein SWAT-Team und eine SIS-Einheit dabei, deshalb habe ich die Tracking-App auf den beiden Geräten hier installiert.«

Als Keller beide Tablets einschaltete, öffnete sich die Tracking-App von selbst. Man sah einen blinkenden roten Punkt auf einer Karte.

»Wie gesagt, das Signal ist nicht besonders stark, und der Sender nutzt Funkmasten. Das bedeutet, Zuverlässigkeit und Reichweite sind ungefähr mit einem Mobiltelefon vergleichbar. Dort, wo ein Handy kein Netz hat, wird auch der Sender nicht funktionieren.«

»Verstanden«, sagte Hunter.

»Habt ihr eure Telefone dabei?«, fragte Keller. »Die App zu installieren dauert nur eine Minute.«

»Klar.«

Hunter und Garcia reichten Keller ihre Smartphones. Er ging mit den beiden zurück in sein enges, vollgestopftes Büro, verband die Telefone mit seinem Rechner und lud die Tracking-App darauf.

»Bitte sehr«, sagte er und gab sie ihnen zurück. »Fertig und einsatzbereit.«

»Danke, Vince.«

»Robert«, rief Keller, als Hunter und Garcia schon an der Tür waren. Hunter drehte sich noch einmal um. »Viel Glück. Ich hoffe, der Plan funktioniert.«

»Ich auch«, sagte Hunter, ehe er die Tür hinter sich schloss.

68

Um sechzehn Uhr dreiundfünfzig kamen Hunter und Garcia wieder im Police Administration Building an – sieben Minuten vor Ende des Ultimatums. Captain Blake erwartete die beiden bereits in ihrem Büro, allerdings war sie diesmal nicht allein.

»Detective Hunter, Detective Garcia«, sagte sie, als die beiden den Raum betraten. »Dies ist Agent Terrance Shaffer, Leiter des SWAT-Teams ...« Sie deutete auf einen sehr großen, sehr schlanken Mann mit Dreitagebart zu ihrer Linken. »Und das hier ist Agent Trevor Silva, Einsatzleiter bei der SIS.« Sie wies auf den Mann zu ihrer Rechten. Er war etwa eins fünfundachtzig groß, dunkelhaarig und muskelbepackt, sodass man ihn leicht für einen professionellen Linebacker hätte halten können. »Beide haben jeweils ein Team aus sechs Leuten, das Sie während der Operation die ganze Zeit im Auge behalten wird, egal was dieser mordende Drecksack mit Ihnen vorhat.«

»Unsere Teams sind einsatzbereit und können sofort loslegen«, meldete Agent Silva, während er und Shaffer die beiden Detectives mit Handschlag begrüßten. Der Zorn, der in ihren Augen flackerte, übertrug sich durch ihre Arme in ihren Händedruck. Mit ein bisschen mehr Kraft hätten sie wahrscheinlich Knochen zermalmen können.

Die Nachricht, dass am Vormittag zwei Kollegen von der SIS getötet worden waren, hatte sich wie ein Lauffeuer im gesamten Los Angeles Police Department verbreitet. Es stimmte zwar, dass einige Abteilungen innerhalb des LAPD nicht gut aufeinander zu sprechen waren und eine gewisse Rivalität sogar als normal galt. Aber alle Streitigkeiten waren sofort vergessen, wenn Kollegen in Ausübung ihrer Pflicht ums Leben kamen. Gegenseitiger Respekt war genauso selbstverständlich wie gegenseitige Konkurrenz.

»Danke«, sagte Hunter, ehe er den beiden je eins der Tablets aushändigte, die Keller ihnen mitgegeben hatte, und ihnen die Vor- und Nachteile des Peilsenders erläuterte.

»Unsere Teams sind in Zivilfahrzeugen unterwegs«, sagte Agent Silva, nachdem er Hunters Erklärung zur Kenntnis genommen hatte. »Zwei Agents pro Fahrzeug oder auch zu Fuß, je nachdem, was die Situation erfordert. Wir versuchen den gesamten Umkreis so gut wie möglich abzudecken.« Er tippte mit dem Zeigefinger auf den Bildschirm des Tablets. »Natürlich aus sicherer Entfernung. Aber für den Fall, dass der Sender versagt, weil er die U-Bahn nimmt oder sich irgendwo im Untergeschoss aufhält, kann ich Ihnen garantieren, dass immer eins unserer Teams innerhalb von maximal dreißig Sekunden vor Ort sein wird. Die anderen brauchen nur unwesentlich länger. Wir haben auch Luftunterstützung angefordert, die hält sich ebenfalls bereit.«

»Das hier brauchen Sie auch noch«, sagte Agent Shaffer, der Hunter ein nierenförmiges In-Ohr-Mikrofon reichte. »Es müsste bequem sitzen. So können wir uns gegenseitig verständigen.«

Hunter steckte sich das Mikrofon ins linke Ohr.

»Und? Wie fühlt es sich an?«, erkundigte sich Shaffer.

»Passt.«

»Wie immer«, übernahm Blake die weiteren Erläuterungen, »versuchen wir umgehend jeden Anruf zu orten, der auf einem Ihrer Handys eingeht – ob privat oder beruflich. Nicht, dass ich davon ausgehe, dass er dumm genug sein wird, uns auf diese Weise seinen Aufenthaltsort zu verraten, aber ...« Sie zuckte die Achseln, wie um zu sagen: *Man weiß ja nie.*

»Oh, ich hoffe sehr, dass er dumm genug ist«, knurrte Silva.

Hunter musterte den Mann, dessen Wut mit jeder Minute größer zu werden schien.

»Glauben Sie mir, niemand will diesen Täter so sehr fassen wie ich«, sagte er. »Trotzdem möchte ich betonen, dass Sie nicht autorisiert sind, tödliche Schüsse auf ihn abzugeben. Er hat eine Geisel in seiner Gewalt – Angela Woods, einundzwanzig Jahre alt. Solange wir sie nicht in Sicherheit gebracht haben, hält der Täter alle Karten in der Hand, und wir müssen wohl oder übel nach seinen Regeln spielen.«

Agent Silva hielt Hunters bohrendem Blick stand. »James und Darnel waren nicht nur Kollegen«, sagte er mit schmerzerfüllter, aber fester Stimme. Seine Lider waren halb gesenkt, was ihm etwas Verschlafenes verlieh. Doch das täuschte. Trevor Silva war einer der klügsten und fähigsten Männer der SIS. »Sie waren auch meine Freunde. Und sie hatten beide Familie ... Kinder, die ihre Väter nie wiedersehen werden ... Frauen, die jetzt nie mehr neben ihren Männern schlafen können.« Er hielt inne und riss sich zusammen. »Haben Sie Familie, Detective Hunter? Eine Frau oder Kinder?«

»Nein.«

Agent Silva nickte bedächtig. »Dann haben Sie auch keine Ahnung ...«

»Hören Sie«, ging Captain Blake dazwischen. »Ich verstehe, dass die beiden Ihre Kollegen waren, und ja, vielleicht kannten wir sie nicht so gut wie Sie. Aber sie waren Officer des LAPD, deshalb ist es auch für uns eine persönliche Angelegenheit, den Täter zu fassen. Wir alle haben einen Eid abgelegt, zu schützen und zu dienen. Detective Hunter hat recht: Unsere oberste Pflicht ist es, das Leben einer unschuldigen Zivilistin zu schützen, und das bedeutet, dass der Einsatz tödlicher Mittel erst erlaubt ist, wenn wir die Geisel in Sicherheit wissen. Haben wir uns verstanden?« Captain Blake sah Silva mit zusammengezogenen Brauen drohend an. Ihr Blick war laserscharf, als wollte sie den Teamleiter der SIS damit enthaupten.

Er schwieg.

»Haben wir uns verstanden, Agent Silva?« Ihre Stimme klang wie Donnergrollen.

»Ja.«

Als Nächstes wandte sie sich an Agent Shaffer.

»Jawohl, Ma'am.«

»Wir müssen zwar die Geisel retten ...«, wiederholte Blake, ehe sie mit den Schultern zuckte. »Aber was danach passiert, ist mir ziemlich egal.«

»Wir sollten diese unsinnige Diskussion jetzt lieber beenden«, mahnte Garcia mit einem Blick auf die Uhr. »Es ist sechzehn Uhr neunundfünfzig. Noch eine Minute.«

Genau in dem Moment klopfte es an der Bürotür.

»Herein«, sagte Hunter.

Die Tür wurde geöffnet, und ein junger Polizist in Uniform kam herein. Er hatte einen kleinen FedEx-Umschlag bei sich.

»Detective Hunter?«, fragte er von der Tür her.

»Ja«, meldete sich dieser. »Das bin ich.«

»Das hier ist gerade für Sie angekommen.« Der Officer betrat das Büro und übergab Hunter den Umschlag. »Da steht *eilig* drauf.«

Hunter runzelte die Stirn. Er erwartete keine Lieferungen.

»Für mich? Jetzt eben?«
»Richtig, Sir.«
Hunters Blick ging in die Runde.
Obwohl die anderen genauso ratlos dreinschauten, wussten sie alle, dass dies unmöglich ein Zufall sein konnte.
Hunter nahm den Umschlag, riss ihn auf und ließ den Inhalt in seine rechte Handfläche gleiten.
Ein Smartphone.
Siebzehn Uhr.
Das Gerät klingelte in Hunters Hand.

69

Auf dem Display stand »unbekannter Teilnehmer«, aber alle im Büro wussten, wer der Anrufer war, noch bevor Hunter abnahm.
»Sie hätten die beiden nicht töten müssen«, sagte Hunter, nachdem er den Anruf auf Lautsprecher gestellt hatte. Nur mit Mühe gelang es ihm, seinen Zorn zu zügeln und mit halbwegs gefasster Stimme zu sprechen.
Die anderen scharten sich um ihn.
Hunter behielt das Handy in der Hand.
»Ach, Detective«, kam es aus der Leitung. Es war dieselbe heisere, tonlose Stimme wie tags zuvor. »Ich habe Ihnen doch gleich gesagt, dass Sie sie nicht beschützen können, stimmt's?«
»Sie hätten sie nicht töten müssen«, sagte Hunter noch einmal.
»Wirklich?«, entgegnete der Anrufer. »Was hätte ich denn Ihrer Meinung nach machen sollen? Freundlich darum bitten, dass sie mir das Mädchen aushändigen? Irgendwie hatte ich das Gefühl, dass das nichts bringen würde.«

Aus dem Augenwinkel sah Hunter, wie sich Agent Silvas Miene verdüsterte. Sofort hob er die Hand, um ihn davon abzuhalten, etwas zu sagen.

Agent Shaffer tätschelte seinem Kollegen beschwichtigend die Schulter.

»Also, jetzt wissen Sie, wie die Dinge stehen«, fuhr der Anrufer fort. »Reden wir darüber, was wirklich wichtig ist. Haben Sie es?«

Hunter ließ den Kopf hängen und atmete tief ein. »Ja«, sagte er.

»Gut.«

Gleich darauf war die Leitung tot.

Verwirrt schaute Hunter auf das Display. Der Anrufer hatte aufgelegt.

»Was zur Hölle?«, sagte er mit einem Kopfschütteln.

»Was ist denn?«, kam Garcia den anderen zuvor.

»Er hat einfach aufgelegt.«

»Er hat was?«, fragte Captain Blake bestürzt. »Wieso?«

»Ich weiß auch nicht ...«, begann Hunter, wurde jedoch von einem erneuten Klingeln unterbrochen. Allerdings war der Rufton diesmal ein anderer.

Hunter betrachtete das Smartphone.

Ein Videoanruf.

Er warf einen Blick in die Runde.

Wie auf Kommando nickten alle gleichzeitig, um ihm zu verstehen zu geben, dass er den Anruf entgegennehmen solle.

Hunter wischte mit dem Daumen über das Display. Gleich darauf erschien das Bild. Ganz oben am Bildschirm leuchtete ein kleines grünes Licht auf, das anzeigte, dass die Kamera am Handy aktiviert worden war.

Das Bild, das Hunter sah, war dunkel und körnig. Alles, was er erkennen konnte, war eine unverputzte weiße Wand. Der Anrufer schien sich in einem Keller zu befinden.

Die anderen stellten sich hinter ihn, um ebenfalls einen

Blick auf den kleinen Bildschirm werfen zu können, doch Hunter drehte sich hastig herum. Er ließ das Telefon kurz sinken und schüttelte eindringlich den Kopf.

Garcia und Agent Silva nickten zum Zeichen, dass sie verstanden hatten.

Hunter hielt sich das Telefon wieder vors Gesicht.

»Zeigen Sie es mir«, sagte der Anrufer.

Hunter betrachtete aufmerksam die weiße Wand.

»Es Ihnen zeigen?«, fragte er.

»Ja. Sie haben mir gerade gesagt, dass Sie es bei sich haben. Also zeigen Sie es mir. Jetzt.«

Abermals ließ Hunter das Telefon sinken. Er trat an den Tisch, nahm das Buch in die Hand und hielt es auf Brusthöhe in die Kamera.

Trotz des ungünstigen Winkels konnte er am Display eine Bewegung ausmachen. Kurz darauf tauchte jemand mit einer Werwolfmaske im Bild auf.

»Schlagen Sie es auf«, befahl der Werwolf.

»Irgendeine bestimmte Seite?«

»Überraschen Sie mich.«

Hunter öffnete das Tagebuch auf einer Seite in der Mitte.

Der Werwolf betrachtete sie fünf Sekunden lang.

»Zeigen Sie mir eine andere Seite«, befahl er.

Hunter schlug das Buch weiter hinten auf.

Wieder verstrichen mehrere Sekunden.

»Seltsam, dass alles viel schneller geht, sobald man jemanden als Druckmittel hat, nicht wahr?«

»Ich hatte das Buch bereits«, konterte Hunter. »Sie hätten die Männer nicht töten müssen. Sie hätten Angela nicht entführen müssen.«

»Aber jetzt wissen Sie auch, dass Sie besser nicht auf dumme Gedanken kommen«, gab der Werwolf zurück. »Womit wir beim wahren Grund für meinen Anruf sind. Fangen wir mit den Regeln an. Erstens: Ich gebe die Befehle, Sie führen sie aus. Ohne Fragen. Ohne Wenn und Aber. Wenn Sie irgendwas von dem, was ich sage, anzweifeln, stirbt die diebische Schlampe.« Eine kurze Pause. »Zweitens: Ich stelle Ihnen gleich eine Reihe von Aufgaben. Jede Aufgabe hat ein Zeitlimit. Wenn Sie auch nur eine Sekunde zu spät sind, stirbt die diebische Schlampe.«

Die anderen im Raum wechselten besorgte Blicke.

»Drittens«, fuhr der Werwolf fort. »Ich weiß, dass Sie Leute haben, die Ihnen folgen. Ich wäre dumm, wenn ich das nicht vorausgesehen hätte. Ich habe kein Problem damit, aber falls einer von denen bei einer der Aufgaben dazwischenfunkt, stirbt die diebische Schlampe.« Abermals eine kurze Pause. »Das war's. Drei ganz einfache Regeln. Haben Sie diese Regeln verstanden, Detective Hunter?«

»Ja.«

Agent Silva kratzte sich im Nacken.

»Dann kommt hier Ihre erste Aufgabe. Sind Sie bereit?« Der Werwolf wartete nicht auf Hunters Antwort. »Wissen Sie, wo das Downtown Independent Theater ist?«

Hunters Augen wurden schmal. »Ja, natürlich. Es liegt gleich um die Ecke.«

»Ganz genau. Nehmen Sie das Tagebuch und machen Sie sich zu Fuß auf den Weg zum Kino. Kaufen Sie an der Kasse ein Ticket für die Vorstellung, die in zehn Minuten beginnt, und gehen Sie zu Platz K16 in der letzten Reihe.«

»Was, wenn K16 schon besetzt ist?«, wollte Hunter wissen.

»Dann bitten Sie denjenigen, der dort sitzt, den Platz zu wechseln«, sagte der Werwolf. »Und Detective, seien Sie bitte kein Arschloch und fuchteln Sie nicht mit Ihrer Marke herum. Kaufen Sie sich eine Eintrittskarte so wie jeder andere auch.«

Hunter nickte. »Okay.«

»Sie haben fünf Minuten. Diese fünf Minuten beginnen ... jetzt.«

Der Bildschirm wurde schwarz.

70

Kaum dass der Werwolf aufgelegt hatte, hängten sich Shaffer und Silva an ihre Funkgeräte und instruierten ihre Teams, sich sofort in die Nähe des Downtown Independent Theaters zu begeben.

»Robert«, sagte Captain Blake. »Sie haben fünf Minuten, worauf warten Sie noch? Gehen Sie. Na los!«

Hunter prüfte noch ein letztes Mal seine Armbanduhr, dann wirbelte er herum und griff nach dem Tagebuch. In diesem Moment klingelte das Telefon erneut. Alle blieben wie angewurzelt stehen.

»Was ist das denn jetzt noch?«, fragte Garcia.

Hunter schaute auf das Display. Ein weiterer Videoanruf.

Er nahm ihn an.

Als das Bild erschien, sah er wieder den Werwolf.

»Eins noch, Detective Hunter. Ich möchte Ihnen was zeigen.«

»Was denn?«

»Schauen Sie einfach auf den Bildschirm.«

Hunter gehorchte. Sekunden später schwenkte die Kamera langsam nach rechts. Hunter verfolgte das Geschehen dermaßen gebannt, dass die anderen ihn stirnrunzelnd beäugten.

»Was ist da los?«, flüsterte Garcia.

Hunter winkte die anderen mit einer Bewegung seines Zeigefingers näher heran.

Sie versammelten sich hinter ihm, und ihr verständnisloses Stirnrunzeln schlug in Entsetzen um.

»Was zur Hölle hat er vor?«, murmelte Agent Shaffer halblaut.

Sie sahen einen jungen Mann von Anfang zwanzig. Vermutlich hätte er attraktiv ausgesehen, wäre sein erbarmungswürdiger Zustand nicht gewesen. Seine mittellangen schwarzen Haare waren schmutzig und ungekämmt. Der schweißnasse Pony klebte ihm an der Stirn, einige Strähnen waren ihm ins linke Auge gefallen. Seine dunklen Augen waren gerötet, und die dicken Tränensäcke darunter verrieten, dass er entweder tagelang nicht geschlafen oder aber viel geweint hatte – oder beides. Die Bartstoppeln auf seinen Wangen deuteten darauf hin, dass er sich mindestens drei Tage nicht mehr rasiert hatte. Seine Lippen waren spröde und aufgesprungen.

»Wer ist das?«, raunte Captain Blake Hunter ins Ohr.

Der zuckte lediglich mit den Achseln und schüttelte den Kopf.

Die Kamera zoomte weiter weg, und man sah, dass der junge Mann auf einem stabilen Metallstuhl saß. Seine Arme waren hinter seinem Rücken an die Stuhllehne gefesselt, die nackten Füße an den Stuhlbeinen fixiert. Das weiße T-Shirt, das er trug, war genauso schmutzig und verschwitzt wie seine Haare.

»Kopf hoch«, befahl der Werwolf dem jungen Mann. »Schau in die Kamera.«

Langsam hob der Mann den Kopf.

Der Werwolf zoomte näher an das Gesicht des Mannes heran, bis man die Todesangst in seinen Augen sehen konnte.

»Nicht so schüchtern«, sagte der Werwolf. »Stell dich dem Detective vor.«

Dem jungen Mann schossen Tränen in die Augen, doch Hunter sah, dass bei dem Wort »Detective« auch ein Funken Hoffnung darin aufglomm.

»Bitte, helfen Sie mir«, flehte er mit tränenerstickter, kaum hörbarer Stimme.

»Bleiben Sie ruhig«, sagte Hunter fest. »Wir holen Sie da raus, vertrauen Sie mir.«

»›Bitte, helfen Sie mir‹ ist nicht dein Name, oder?«, sagte der Werwolf.

Der verängstigte Blick des Mannes zuckte kurz umher, ehe er wieder in die Kamera schaute.

»Sag ihm deinen Namen«, befahl der Werwolf barsch.

»Ich heiße Clay ...«, stieß der junge Mann unter Tränen hervor. »Clay Heath.«

Sofort notierte Garcia sich den Namen.

»Und jetzt sag ihnen, wo du wohnst«, befahl der Werwolf. »Wie lautet deine Adresse?«

»Ich ... ich wohne noch bei meinen Eltern in ...« Clay hielt kurz inne, als hätte er seinen eigenen Wohnort vergessen. »Apartment fünfzehn, 2098 Butler Avenue, West L. A.«

Garcia schrieb sich alles auf.

»Jetzt sag ihnen, was du machst.«

»Was ich mache?«, fragte Clay verwirrt.

»Ja«, sagte der Werwolf. »Was machst du beruflich?«

Clay schüttelte den Kopf und sah seinen Peiniger verständnislos an. »Ich habe keinen Beruf. Ich bin noch ... Ich studiere an der UCLA.«

»Sag es der Kamera, nicht mir.«

Clay schaute in die Kamera und wiederholte, was er gerade gesagt hatte.

»Clay«, sagte Hunter. »Versuchen Sie, ruhig ...«

»Halten Sie die Schnauze, Detective«, schnitt ihm der Werwolf das Wort ab. »Das hier ist keine Unterhaltung. Es ist eine Lektion.«

»Eine Lektion?«, fragte Hunter.

Das Stirnrunzeln der anderen vertiefte sich.

»Ja. Passen Sie gut auf.« Der Werwolf richtete das Wort wieder an Clay. »Sag ihnen, was du studierst.«

»Ähh ...« Auch diesmal hatte Clay Mühe mit der Antwort. »Mein Hauptfach ist ...« Er brauchte eine Weile, bis es ihm wieder einfiel. »Chemie.« Inzwischen konnte er kaum noch sprechen. »Helfen Sie mir ... bitte ... Hilfe ...«

Die Aufnahme wackelte einen Moment lang, dann war ein Klicken zu hören, und das Bild stabilisierte sich wieder.

Der Werwolf hatte das Handy in einer Halterung oder auf einem Stativ befestigt.

Auf Hunters kleinem Display sahen sie, wie Clay den Kopf hob und ihn langsam nach links bewegte. Er schien dem Werwolf zu folgen, als dieser hinter dem Handy hervortrat.

Blitzschnell drehte Hunter sich weg, damit er die anderen im Büro nicht sah.

Gerade noch rechtzeitig. Im nächsten Moment tauchte der Werwolf hinter Clays Stuhl auf. Da die Kamera auf dessen Gesicht ausgerichtet war, konnte man vom Werwolf nur einen Teil des Oberkörpers sehen. Wer auch immer er war, er wirkte gut durchtrainiert.

»In Ordnung«, sagte der Werwolf. »Zurück zu unserer Lektion, ja?« Drei Sekunden verstrichen. »Bestimmt haben Sie die Regeln verstanden, die ich Ihnen vorhin erklärt habe. Und bestimmt ist Ihnen auch klar, welche Konsequenzen es hat, sollten Sie sie brechen oder eine der Aufgaben nicht in der vorgegebenen Zeit lösen.«

»Ja, ich habe alles verstanden«, sagte Hunter mit einem Blick auf seine Armbanduhr.

»Also, die Lektion ist folgende ... Versuchen Sie nicht, mich reinzulegen, Detective. Wenn Sie es doch tun, passiert der diebischen Schlampe dies.«

Die behandschuhte linke Hand des Werwolfs packte Clay an den Haaren, riss seinen Kopf nach hinten und entblößte seinen nackten Hals. Einen Sekundenbruchteil später tauchte auch seine rechte Hand im Bild auf. Sie hielt ein großes Jagdmesser. Die scharfe, blinkende Klinge fuhr so schnell über Clays Kehle, dass Hunter im ersten Moment gar nicht begriff, was geschah.

»Nein!«, rief er, doch es war bereits zu spät. Das Messer glitt durch Haut wie durch Butter. Innerhalb eines Wimpernschlags hatte sie Clays Gurgel von links nach rechts aufgeschlitzt. Blut sprudelte aus der klaffenden Wunde hervor und lief dem jungen Mann über die Brust.

Hunter sah, wie sich Clays Augen vor Überraschung und Entsetzen in ihren Höhlen verdrehten. Gleich darauf erlosch jeder Funke Hoffnung darin.

Niemand würde kommen.

Niemand würde ihn retten.

Das wusste er jetzt.

Sein Mund öffnete sich, und sein Körper begann instinktiv ums Überleben zu kämpfen. Er rang keuchend nach Luft und stieß einen gurgelnden Schrei aus, der den im Büro Anwesenden eine Gänsehaut über den Körper jagte. Doch all sein Kämpfen, all seine Verzweiflung waren vergeblich. Es gelangte kein Sauerstoff mehr in seine Lungen, weil seine Luftröhre durchtrennt worden war.

Der Werwolf hielt Clays Kopf fest, sodass die offene Wunde an der Kehle des jungen Mannes auf obszöne Weise aufklaffte. Das Blut ergoss sich wie ein träger roter Wasserfall über seine Brust.

Clay blinzelte langsam – einmal ... zweimal ... dreimal ... dann wurde er still.

Sein Körper gab den Kampf auf.

Sein Röcheln verstummte.

Das Leben des jungen Mannes war erloschen.

»Du verdammtes Dreckschwein!«, rief Agent Silva. In diesem Moment war es ihm scheißegal, ob der Werwolf seine Anwesenheit bemerkte.

Doch den Werwolf schien es nicht zu interessieren, ob außer Hunter noch andere mitgehört hatten.

»Lektion beendet«, sagte er eisig und ließ Clays Kopf los. Sein lebloser Körper sackte nach vorn. Noch immer lief das Blut aus der Wunde. Es bedeckte ihn wie ein scharlachrotes Grabtuch.

»Sie haben ... noch zwei Minuten und achtundvierzig Sekunden, um die erste Aufgabe zu erfüllen«, sagte der Werwolf. »An Ihrer Stelle würde ich mich sputen.«

Im nächsten Moment hatte er aufgelegt.

71

Trotz seiner Verzweiflung und seines Entsetzens über das, was er soeben mit angesehen hatte, wusste Hunter, dass ihm jetzt keine Zeit blieb, um wütend oder angewidert zu sein. Er musste sich beeilen, wenn er noch rechtzeitig ins Independent Theater kommen wollte.

Er schnappte sich das Tagebuch, stopfte das Smartphone in seine Hosentasche und stürmte im Laufschritt aus dem Büro.

Er brauchte neununddreißig Sekunden, um das Großraumbüro des Raub- und Morddezernats zu durchqueren und die sechs Etagen bis ins Erdgeschoss zu laufen.

Noch zwei Minuten und neun Sekunden.

Statt den Haupteingang an der West 1st Street zu nehmen, lief er an dem großen Empfangstresen im Foyer vorbei und eine andere Treppe hinauf, ehe er an der Ostseite des Gebäudes in einen kleinen Garten gelangte, der auf die South Main Street hinausführte.

Noch eine Minute und vierundvierzig Sekunden.

Unter Missachtung der »Nicht betreten«-Schilder setzte Hunter über den Rasen und nahm am Ende des Gartens die Außentreppe, die ihn nach unten zur Straße führte. Siebzehn Sekunden später landete er auf der South Main Street neben einem mexikanischen Restaurant namens Señor Fish.

Noch eine Minute und siebenundzwanzig Sekunden.

Von hier aus waren es einhundertsiebzig Meter zum Downtown Independent Theater. Ohne auch nur Atem zu holen, rannte er los wie ein olympischer Sprinter. Als er die West Second Street bei Rot überquerte, zwang er einen Motorradfahrer, hart nach links auszuweichen, wodurch er um ein Haar einen Unfall verursacht hätte.

»Hast du einen Knall, du Arschloch?«, hörte er den Biker

brüllen, kurz bevor er den Gehsteig auf der anderen Seite erreicht hatte.

Noch einhundert Meter.

Eine Minute und sechzehn Sekunden.

Gott sei Dank war der Gehsteig verhältnismäßig leer, und er legte die verbliebene Strecke in sechzehn Sekunden zurück, sodass ihm noch exakt eine Minute Zeit blieb, um eine Eintrittskarte zu lösen, in den Kinosaal zu gelangen und Sitz K16 zu finden.

Hunter hatte Glück. Als er bei der Kasse ankam, war nur ein junges Pärchen vor ihm. Der Film, der gezeigt wurde, trug den Titel *Send me to the Clouds*.

Das Pärchen kaufte seine Tickets und ging hinein.

»Einmal, bitte«, sagte Hunter hastig, als er an den Schalter trat. »Gibt es feste Sitzplätze?«

Der Kassierer, ein dünner Mann jenseits der sechzig, sah Hunter mit müden Augen an.

»Ja, gibt es«, antwortete er und drehte seinen Computerbildschirm herum, sodass Hunter den Saalplan sehen konnte. »Alles, was blau ist, ist noch frei.« Seine Stimme klang so, als hätte er den Großteil seines Lebens geraucht und den Blues gesungen. »Die roten sind belegt.«

»Sitz K16 ist schon vergeben?«, fragte Hunter und blinzelte den Sitzplan an.

»Ist er rot?«, fragte der alte Mann.

»Ja«, sagte Hunter.

»Dann ist er vergeben.«

Der nächste freie Sitzplatz in Reihe K war Platz Nummer vierzehn.

»Gut, dann nehme ich K14«, sagte Hunter und schaute auf seine Uhr – noch achtunddreißig Sekunden.

»Das macht dann sechzehn fünfunddreißig, bitte.«

Hunter gab dem alten Mann einen Zwanziger. »Der Rest ist für Sie.« Er riss ihm ungeduldig das Ticket aus der Hand und stürzte ins Kino.

Noch neunundzwanzig Sekunden.

Im Vorbeieilen warf Hunter dem Kartenabreißer sein Ticket zu.

»Sir!«, rief der junge Mann ihm nach. »Sie brauchen noch den Abriss mit Ihrer Sitznummer!«

Doch Hunter hörte nicht hin. Er war bereits um die nächste Ecke gebogen und in einen kurzen Flur gelangt. Zwei Sekunden später stieß er die Türen zum Kinosaal auf, in dem *Send me to the Clouds* lief.

Vierundzwanzig Sekunden.

Der Film hatte noch nicht angefangen.

Hunter hetzte die Stufen zur letzten Reihe hinauf – Reihe K. Vom Gang aus brauchte er vier Sekunden, um zu seinem Platz K14 zu gelangen. Doch er setzte sich nicht hin. Stattdessen wandte er sich an die Frau, die auf Platz K16 saß.

»Entschuldigen Sie?« Er zeigte ihr seine Dienstmarke. »LAPD. Ich brauche Ihren Sitz.«

»Wie bitte?«, sagte der Begleiter der Frau und sah Hunter stirnrunzelnd an.

»Es tut mir sehr leid, aber ich brauche Platz K16«, erklärte Hunter noch einmal. »Es handelt sich um eine laufende Ermittlung.«

Siebzehn Sekunden.

»Sie brauchen den Platz meiner Freundin wegen einer laufenden Ermittlung?« Der Mann stand auf. Sein Ton schwankte irgendwo zwischen spöttisch und belustigt.

Noch vierzehn Sekunden.

»Genauso ist es«, sagte Hunter.

»Ach«, sagte der Mann. »Und was soll das für eine Ermittlung sein?«

Elf Sekunden.

Hunter hatte keine Zeit für Fragespielchen. Statt dem Mann zu antworten, öffnete er die linke Seite seiner Jacke und ließ ihn einen Blick auf seine Waffe werfen.

»Ich möchte Sie bitten, unverzüglich den Sitzplatz zu räumen.«

Noch acht Sekunden.

Der Mann hob in einer Geste der Kapitulation die Hände. Seine Freundin hingegen stieß einen erschrockenen Schrei aus und schoss in die Höhe.

Die Köpfe aller anderen Kinobesucher drehten sich zu ihnen um.

»Es ist gut. Nichts passiert«, beschwichtige Hunter die anderen.

Noch zwei Sekunden.

»Hier bleibe ich nicht«, sagte die Frau entrüstet, sah ihren Freund an und drängte sich an Hunter vorbei.

Der Freund versuchte Hunter böse anzusehen.

»Ich brauche Ihren Namen«, sagte er. »Ich werde mich ...«

Die Zeit war um.

Auf einmal klingelte irgendwo ein Handy. Wieder reckten alle die Hälse, um zu ergründen, woher das Geräusch kam.

Es klingelte weiter.

Sie schauten suchend zu Boden.

Hunter drängte sich an dem Mann vorbei, bückte sich und spähte unter Sitz K16.

Wieder klingelte es.

Hunter langte unter den Sitz. Auf der Unterseite war ein Handy festgeklebt. Hunter riss es ab und schaute auf den Bildschirm – ein Videoanruf.

Hunter nahm den Anruf entgegen. Gleich darauf erschien der Mann in der Werwolfmaske auf dem kleinen Display.

»Hallo, Detective«, sagte er. »Wie schön, dass Sie es rechtzeitig geschafft haben.«

»Was soll der Mist?«, sagte der Freund der Frau und sah Hunter grimmig an.

Hunter legte einen Finger an die Lippen. Die Geste war so gebieterisch, dass der Mann unwillkürlich gehorchte.

»Wenn Sie noch das Handy haben, das ich Ihnen vor einigen Minuten zugestellt habe«, fuhr der Werwolf fort, »können Sie es jetzt entsorgen.«

Hunter holte das Smartphone aus der Jackentasche und warf es auf den Sitz.

»Okay«, sagte er. »Und was jetzt?«

»Haben Sie das Tagebuch noch?«

»Natürlich.« Hunter hob es hoch, damit der Werwolf es sehen konnte.

»Ausgezeichnet«, sagte dieser. Dann folgte eine kurze Pause. »Bereit für die zweite Aufgabe, Detective?« Es war eine rhetorische Frage. »Ich will, dass Sie das Kino durch den Notausgang vorne im Saal verlassen.«

Instinktiv hob Hunter den Kopf, um nachzusehen, wo genau sich besagter Notausgang befand – links von der Leinwand.

»Okay, und wo soll ich hin?«

»Kennen Sie den Grand Central Market?«

»Ja, der ist in der South Broadway Street, zwei Blocks von hier.«

»Genau«, bestätigte der Werwolf. »Die Herrentoilette ganz hinten in der Markthalle. Die letzte Kabine auf der linken Seite. Sie haben zweieinhalb Minuten Zeit.« Der Werwolf drückte einen Knopf an seiner Armbanduhr. »Los.«

72

Als Hunter die Stufen des Kinosaals hinunter zum Notausgang rannte, hörte er Agent Shaffers Stimme in seinem linken Ohr.

»Wir haben alles mitgehört, Detective Hunter. Die Teams sind schon auf dem Weg.«

»Sagen Sie ihnen, sie sollen auf Abstand bleiben«, gab Hunter zurück. »Keiner nähert sich den Toiletten am hinteren Ende der Markthalle.«

»Geht klar.«

Unter den verdutzten Blicken der Kinobesucher flog Hunter die Stufen hinunter. Von Reihe K brauchte er neun Sekunden, ehe er den Notausgang ganz unten neben der Leinwand erreicht hatte.

Ihm blieben noch zwei Minuten und einundzwanzig Sekunden für den Weg zur Markthalle.

Der Notausgang führte in eine schmale Gasse, von der aus man zum Parkplatz des Kinos gelangte. Hunter musste sich zwischen den Autos hindurchschlängeln, um bis auf die Westseite zu gelangen, wo er auf sein erstes Problem stieß: Das Tor im Maschendrahtzaun, das den Parkplatz mit der South Spring Street verband, war mit einem Vorhängeschloss gesichert.

»Scheiße!«, keuchte er, während er mit aller Kraft an der Kette zerrte.

»Was ist?«, kam Shaffers dröhnende Stimme aus dem Mikro in Hunters Ohr. »Wieso fluchen Sie? Was ist bei Ihnen los, Detective?«

»Das Tor zur Straße ist abgesperrt. Deshalb wollte er, dass ich den Notausgang nehme. Ansonsten wäre das nämlich der schnellere Weg zum Grand Central Market.«

Noch zwei Minuten und sieben Sekunden.

»Können Sie drüberklettern?«, fragte Shaffer.

»Könnte ich«, sagte Hunter. »Aber ich weiß noch was Besseres.«

Er griff in seine Jacke, zog seine Mark 23 aus dem Halfter, trat einen Schritt vom Tor zurück, zielte auf das Vorhängeschloss und drückte ab. Der Schuss dröhnte durch die Gasse und die umliegenden Straßen, als wäre eine Bombe explodiert, aber die Kugel vom Kaliber 45 besaß eine solche Durchschlagskraft, dass das Schloss in unzählige Stücke zersprang. Einige Glieder der Kette wurden abgesprengt, und sie fiel rasselnd zu Boden. Hunter öffnete das Tor mit einem Fußtritt.

»Was zum Geier war das?«, fragte Shaffer. »Haben Sie gerade das Tor aufgeschossen?«

»Ja«, sagte Hunter, der bereits die South Spring Street in Richtung West Third Street hinuntersprintete. »Könnte man so sagen.«

Er hörte, wie Agent Shaffer seinen Leuten den Befehl gab, sich zurückzuhalten.

Eine Minute und fünfzig Sekunden.

Er hatte die Ecke South Spring Street und West Third Street erreicht und bog in westliche Richtung rechts ab. Er war jetzt noch anderthalb Blocks vom Grand Central Market entfernt.

Eine Minute und neununddreißig Sekunden.

Die nächsten fünfzig Meter legte er noch einigermaßen problemlos zurück, doch er merkte, wie sein Herz immer schneller pumpte und er kaum noch genügend Luft bekam. Schweiß rann ihm über Hals und Rücken, und ein Ziehen in seinen Beinmuskeln kündigte deren beginnende Übersäuerung an.

Ich bin definitiv zu alt für diesen Mist, dachte er, als er sich umsah, um das Verkehrsaufkommen abzuschätzen. Um diese Uhrzeit herrschte Feierabendverkehr, dementsprechend war auf den Straßen die Hölle los.

Er musste irgendwie auf die andere Seite der West Third Street kommen, und zwar schnell. Am Gehsteigrand blieb er stehen und wartete – eine Sekunde ... zwei ... drei ...

Das dauert zu lange.

Vier Sekunden ... fünf ...

Er hatte nur noch eine Minute und einundzwanzig Sekunden.

»Scheiß drauf«, sagte er und sprang auf die Straße.

Sein rechter Fuß berührte den Asphalt, und hätte der

Fahrer in dem blauen Mazda 6 nicht blitzschnell reagiert und eine Vollbremsung hingelegt, wäre Hunter wahrscheinlich mit zwei gebrochenen Beinen im Krankenhaus gelandet.

Das Kreischen der Reifen auf dem Asphalt zog die Blicke sämtlicher Passanten auf sich. Hunters Herz setzte vor Schreck gleich mehrere Schläge aus, und sein Magen stülpte sich von innen nach außen. Instinktiv riss er den Arm hoch, um seinen Körper vor dem Aufprall zu schützen, und um ein Haar hätte er das Tagebuch fallen lassen.

Fünf Zentimeter vor ihm kam der Mazda zum Stehen.

»Bist du noch ganz bei Trost, du Penner?«, schrie der Fahrer ihn durch das heruntergelassene Fenster an.

Das Auto auf der nächsten Fahrspur, ein weißer Kia Optima, bremste ebenfalls, kam aber erst anderthalb Meter später zum Stehen und blockierte Hunters Weg über die Fahrbahn. Kurzerhand sprang er auf die Motorhaube und rutschte auf der anderen Seite wieder herunter. Der Frau hinter dem Steuer fiel die Kinnlade herunter.

Hunter hatte Glück und landete in einer Lücke. Er wagte sich bis zur letzten Spur vor und wartete, bis der Lieferwagen vorbeigefahren war, ehe er endlich die andere Seite erreichte. Jetzt war er nur noch etwa fünfzig Meter vom Grand Central Market entfernt.

Eine Minute und zwei Sekunden.

Allerdings wartete bereits die nächste Schwierigkeit auf Hunter. Um zur Markthalle zu gelangen, musste er auch noch den South Broadway überqueren, und der war viel stärker befahren.

Er warf einen Blick auf die Zeitanzeige der Fußgängerampel – zweiundzwanzig Sekunden bis zur nächsten Grünphase.

»Nein«, sagte er, ehe er ein weiteres Mal an den Fahrbahnrand trat. Diesmal allerdings wartete er auf eine Lücke im Verkehr. Diese tat sich zwei Sekunden später zwischen einem roten Jeep Cherokee und einem schwarzen Ford Fusion auf. Hunter streckte die Hand aus, um dem Fahrer des Fords zu signalisieren, er solle die Geschwindigkeit drosseln.

Das tat der auch, wenngleich nur unter lautem Hupen und wüsten Beschimpfungen.

Noch sechsundfünfzig Sekunden.

Hunter wagte sich bis zur nächsten Fahrspur vor. Er kam sich vor wie in dem Handyspiel, bei dem man versuchen musste, ein Huhn über eine viel befahrene Straße zu steuern. Während er auf den geeigneten Moment wartete, hüpfte er vor lauter Ungeduld auf und ab. Er musste zwei Autos passieren lassen, ehe er auch die zweite Spur überqueren konnte.

Noch neunundvierzig Sekunden.

Hunter hatte mittlerweile die dritte Spur erreicht, und wieder vollführte er seinen seltsamen Tanz, ehe es ihm gelang, sich zwischen einem Van und einem Motorrad hindurchzuschlängeln.

Die vierte Spur war einfacher, da es die einzige Gegenfahrbahn war und die Autos während der Rushhour dort praktisch Stoßstange an Stoßstange standen. Hunter umrundete einen grünen Chrysler 200, ehe er endlich die andere Seite des South Broadway erreicht hatte.

Noch dreiundvierzig Sekunden.

Hunter legte die Distanz bis zum Eingang des Grand Central Market in sieben Sekunden zurück.

Dort angekommen, sah er sich mit dem nächsten Problem konfrontiert. Drei Wochen vor Weihnachten war die Markthalle voller Menschen. Und die Toiletten lagen ganz hinten am anderen Ende.

Hunter blieb keine Zeit zum Nachdenken. Ihm blieb nicht mal Zeit zum Luftholen.

»Das wird hässlich«, sagte er, als er bei voller Geschwindigkeit durch den Eingang in die Markthalle stürzte.

Es gelang ihm noch, dem Paar mit Kleinkind auszuweichen, das gerade ins Freie trat, doch ab da gab es kein Durchkommen mehr. Drinnen drängten sich die Menschen dicht an dicht. Er hatte noch dreiunddreißig Sekunden, um zur letzten Kabine in den Herrentoiletten zu gelangen, und nichts und niemand würde ihn davon abhalten – nicht mal ein Meer aus Weihnachtseinkäufern.

»Entschuldigung!«, rief er laut. »LAPD, ich muss da durch … LAPD, ich müsste da mal durch.«

Wieder und wieder rief er dieselbe Warnung, während er sich im Zickzack durch die Menschenmassen schob. Er tat sein Bestes, Zusammenstöße zu vermeiden, doch diejenigen, denen er nicht mehr ausweichen konnte, stieß er grob zur Seite. Einige stürzten, andere rissen weitere Einkäufer mit sich zu Boden.

Während er sich gewaltsam einen Weg durch die Menge bahnte, hörte er immer wieder wilde Flüche und entrüstete Ermahnungen. Einige riefen sogar den wohl berühmtesten aller amerikanischen Sätze: »Dafür verklag ich dich!«

Das Drängeln, das Schubsen, das ständige Hakenschlagen … all das kostete Zeit, und so brauchte Hunter einundzwanzig Sekunden, bis er endlich die Herrentoilette erreicht hatte.

»Nur noch zwölf Sekunden«, sagte Agent Shaffer unvermittelt in seinem Ohr.

»Ja, ich weiß.« Hunter riss die Tür zu den WCs auf und stürzte hinein, als wäre der Teufel hinter ihm her. Hinter den Urinalen fand er zwei Reihen mit je vier Toilettenkabinen. Die Türen der beiden letzten Kabinen links waren geschlossen.

Hunter rannte zur letzten Kabine und rüttelte an der Tür – abgesperrt.

»Besetzt!«, kam eine hohe Männerstimme von drinnen.

War ja klar, dachte Hunter.

Neun Sekunden noch.

»Sir? LAPD, ich brauche sofort Zutritt zu Ihrer Kabine. Laufende Ermittlungen.«

»Laufende Ermittlungen?«, entgegnete der Mann ungläubig. »Nennt man das jetzt so, wenn man kacken muss?«

Noch drei Sekunden.

»Sir, das ist kein Scherz.«

Die Zeit war abgelaufen.

Plötzlich hörte Hunter gedämpft ein Handy klingeln. Es kam aus der Kabine.

»Was ist das denn jetzt?«, wunderte sich der Mann.

Hunter war fertig mit Erklärungen.

Er nahm einen Schritt Anlauf, so wie er es kurz zuvor beim Tor hinter dem Kino gemacht hatte, und trat mit aller Kraft gegen die Tür. Das Schloss leistete keinen Widerstand. Die Tür wurde aufgeschleudert, wie von der Druckwelle einer Explosion getroffen, und prallte mit voller Wucht gegen die Knie des Mannes, der drinnen auf dem Klo saß.

»Scheiße! Was machen Sie da?«

Hunter betrat die Kabine und sah sich einem sehr verstörten, sehr überraschten übergewichtigen Mann mit heruntergelassenen Hosen gegenüber. In der rechten Hand hielt er ein zusammengeknülltes Stück Klopapier.

»Sind Sie wahnsinnig geworden?«, brüllte er.

Das Handy klingelte immer noch.

Hunter sah sich fieberhaft um, während der Mann auf der Toilette fortfuhr, Hunter zu verwünschen.

»Seien Sie still«, befahl der ihm schließlich und richtete warnend einen Finger auf ihn.

Der Mann verstummte.

Es klingelte.

Hunter sah den Mann an.

Das Klingeln schien von hinter ihm zu kommen.

Hunter neigte sich nach links, um an ihm vorbeizuspähen.

Es kam aus dem Spülkasten der Toilette.

»Entschuldigen Sie«, sagte er und drängelte sich vorbei, wodurch er den Mann zwang, auf die andere Seite der Schüssel zu rutschen. Er nahm den Deckel vom Spülkasten. An dessen Unterseite war mit Klebeband ein weiteres Smartphone befestigt. Hunter riss es ab und schaute auf den Bildschirm.

Videoanruf.

Er nahm ihn an und hielt das Handy so, dass der Werwolf ihn sehen konnte.

»Ich war schon kurz davor, aufzulegen«, sagte der.

»Hier bin ich«, japste Hunter schwer atmend.

»Was zum Teufel geht hier eigentlich vor?«, wollte der Mann auf der Toilette wissen. »Ist das ein Spiel oder was?«

»Oh«, sagte der Werwolf erstaunt. »Ist jemand bei Ihnen?«

»Ich war zuerst hier!«, protestierte der Mann lautstark.

»Na los, Detective, drehen Sie das Handy um, damit ich Ihren neuen Bekannten kennenlernen kann.«

»Tut mir leid«, sagte Hunter, an den Mann gewandt, ehe er gehorchte.

Der Mann wurde rot und hob die rechte Hand, um sein Gesicht zu verdecken.

»Was soll das?«, sagte er wütend. »Ich sitze hier auf dem Klo, verdammt noch mal. Ich habe keine Lust, bei Ihren kranken Spielchen mitzumachen.«

Der Werwolf lachte vergnügt.

Hunter drehte das Telefon wieder herum. »Und jetzt?«

»Haben Sie das Tagebuch noch?«

Hunter zog die Brauen zusammen. »Natürlich habe ich das Tagebuch noch. Dachten Sie, ich hätte es in den letzten zweieinhalb Minuten fallen lassen?«

»Zeigen Sie es mir.«

Hunter tat wie geheißen.

»Müssen Sie Ihre Unterhaltung unbedingt hier führen?«, fragte der Mann auf der Schüssel. »Ich muss wirklich dringend. Ich versuche es einzuhalten, aber lange geht das nicht mehr gut.«

»Entschuldigung«, sagte Hunter aufrichtig. »Ich entschuldige mich nochmals dafür, hier einfach so reingeplatzt zu sein.«

»Jetzt gehen Sie doch bitte endlich!«

Hunter verließ die Kabine und schloss notdürftig die kaputte Tür hinter sich.

»Das war lustig, oder?«

»Ja, zum Totlachen«, gab Hunter tonlos zurück. »Also, was soll ich als Nächstes tun?«

»Werfen Sie das alte Handy weg.«

Hunter langte in seine Tasche, zeigte dem Werwolf das Handy und ließ es in den Abfalleimer fallen.

»Gut. Und nun?«

»Das Westin Bonaventure Hotel, ist Ihnen das ein Begriff?«

»In der South Figueroa Street?«

»Genau das. Fünfeinhalb Blocks von hier. Begeben Sie sich in den vierunddreißigsten Stock und suchen Sie Suite Nummer 3452. Gehen Sie zu Fuß. Wenn Sie im Hotel sind, nehmen Sie die Treppe, nicht den Aufzug. Sie haben zwölf Minuten Zeit. Los.«

Der Werwolf legte auf.

73

Das Westin Bonaventure Hotel and Suites war das größte Hotel in Los Angeles – fünfunddreißig Stockwerke hoch, mit insgesamt tausenddreihundertachtundfünfzig Zimmern und einhundertfünfunddreißig Suiten. Darüber hinaus verfügte es über mehrere erstklassige Restaurants, ein luxuriöses Spa, verschiedene Pools sowie ein sich drehendes Restaurant mit Bar auf der obersten Etage, das den

Gästen eine spektakuläre Aussicht über die Stadt der Engel bot.

»Zwölf Minuten für fünfeinhalb Blocks? Zu Fuß?« Diesmal war es Garcia, der sich über Funk meldete. Offenbar saß er mit Agent Shaffer im Auto. »Und dann noch vierunddreißig Stockwerke rauf? Das ist doch Wahnsinn.«

»Ich kann es nicht ändern«, gab Hunter zurück, der sich bereits auf den Weg gemacht hatte.

»Wenn du die Markthalle durch den Hinterausgang verlässt«, sagte Garcia, »kommst du in der South Hill Street raus. Dann musst du rechts abbiegen, nicht links. Nimm die West Third Street, dann sind es vier Blocks geradeaus bis zur South Flower Street. Da musst du noch mal einen Block nach links, und dann stehst du vor der Rückseite des Hotels. Der hintere Eingang liegt zwei Ebenen unter der Lobby in der South Figueroa Street, aber der Weg ist trotzdem deutlich kürzer.«

»Gute Idee«, sagte Hunter und rannte durch den Notausgang der Markthalle ins Freie. So musste er sich auch nicht ein zweites Mal durch die Menschenmassen quälen.

Ihm blieben noch elf Minuten und einundvierzig Sekunden.

Genau wie Garcia ihn angewiesen hatte, bog er zunächst nach rechts in die South Hill Street ein und legte den halben Block bis zur West Third Street in siebzehn Sekunden zurück.

Noch elf Minuten und vierundzwanzig Sekunden.

An der West Third Street angekommen, waren es vier Blocks bis zur South Flower Street.

Die Straßen zwischen den einzelnen Blocks zu überqueren kostete ihn Zeit, doch es war weniger schlimm, als er befürchtet hatte. Insgesamt verlor er etwa dreiundzwanzig Sekunden. Dafür machte sich mittlerweile ein neues Problem bemerkbar: seine Stiefel. Er trug Cowboystiefel aus Kunstleder mit vier Zentimeter hohen Absätzen, die definitiv nicht fürs Laufen gemacht waren.

Bereits am Grand Central Market hatten ihm die Füße wehgetan, und nachdem er die ersten zwei Blocks in der West Third Street zurückgelegt hatte, schrien sie fast vor Schmerzen. Er merkte, wie er unwillkürlich immer langsamer wurde.

»Ich hätte daran denken sollen, mir andere Schuhe anzuziehen«, keuchte er.

Als er endlich die vier Blocks hinter sich gebracht hatte und an der Ecke zwischen West Third Street und South Flower Street stehen blieb, spürte er, wie sehr die Stiefel die Haut an den Füßen wundgescheuert hatten. Sein Tempo litt merklich darunter. Insgesamt hatte er von der Markthalle sechs Minuten und neunundzwanzig Sekunden gebraucht.

Ihm blieben also nur noch vier Minuten und zweiunddreißig Sekunden. Für fünfunddreißig Stockwerke.

Von der Straßenecke, an der er stand, waren es noch anderthalb Blocks bis zum Westin Bonaventure, aber seine Füße wollten schon jetzt nicht mehr.

»Scheiß drauf«, sagte er.

»Worauf?«, meldete sich ein beunruhigter Agent Shaffer in seinem Ohr.

»Meine Stiefel«, sagte Hunter, ehe er sich an die Hauswand lehnte, beide Stiefel auszog und sie nebeneinander auf den Gehweg stellte. Das kostete ihn weitere sieben Sekunden. »Bitten Sie nachher jemanden, sie einzusammeln. Sie stehen direkt an der Ecke West Third und South Flower.«

»Wie meinen Sie das, jemand soll Ihre Stiefel einsammeln?«, wollte Shaffer wissen. »Haben Sie die etwa stehen lassen?«

»Ja«, sagte Hunter, ehe er in Socken losrannte. »Die hätten mich sonst umgebracht.«

Ohne das hinderliche Schuhwerk gelang es ihm zwar, das Tempo wieder etwas zu steigern, doch von seiner Bestform war er weit entfernt. Seine Füße waren bereits so wundgelaufen, dass er eigentlich nicht einmal mehr richtig gehen konnte – geschweige denn rennen.

Er versuchte die Schmerzen, so gut es ging, zu ignorieren und legte die letzten anderthalb Blocks in einer kurios anmutenden Mischung aus Humpeln und Sprinten zurück.

»Ich bin jetzt am Hotel«, stieß er durch zusammengebissene Zähne hervor.

»Sie haben noch drei Minuten und vierundfünfzig Sekunden«, sagte Agent Shaffer.

Das wusste Hunter selbst, aber er wollte sich den Atem sparen. »Na super«, keuchte er, während er erst am Mann vom Parkservice und dann am Portier vorbeieilte und auf die hintere Lobby zuhielt.

Natürlich war der Portier sofort auf den Mann mit der seltsamen Gangart aufmerksam geworden, der mit nichts als – mittlerweile fast durchgelaufenen – Socken das Hotel betreten wollte.

»Sir«, rief er laut und heftete sich an seine Fersen.

»Polizeiliche Ermittlungen«, warf Hunter über die Schulter zurück, ohne sich umzudrehen.

Ehe der Portier ihm folgen konnte, wurde er von einer schlanken, dunkelhaarigen Frau abgefangen, die ihm fest eine Hand auf die Schulter legte. Sie zeigte ihm diskret die Marke in ihrer linken Hand, während sie ihm gleichzeitig einige Worte ins Ohr raunte.

Der Portier beäugte die Marke und runzelte erst die Stirn, dann riss er erschrocken die Augen auf.

Eine Sekunde später war die Frau im Hotel verschwunden.

Als sie die hintere Lobby betrat, hatte Hunter bereits zwei Etagen hinter sich gebracht und befand sich auf dem Level der Hauptlobby.

Pro Stockwerk musste er zwei Treppenabsätze zu je vierzehn Stufen überwinden. Er nahm zwei, manchmal auch drei Stufen auf einmal. Bei seiner gegenwärtigen Geschwindigkeit schaffte er einen Absatz in vier bis fünf Sekunden.

»Drei Minuten und siebenundzwanzig Sekunden«, teilte Garcia ihm überflüssigerweise mit.

»Nicht gut«, sagte Hunter, der gerade im ersten Stock angekommen war. »Gar nicht gut.« Mit großen Schritten eilte er weiter, doch er wusste bereits, dass er es nicht rechtzeitig schaffen würde.

Als er das sechste Stockwerk erreichte, fingen seine Beine an zu brennen. Seine Muskeln waren übersäuert, was ihn zusätzlich verlangsamte.

Zwei Minuten und zweiundvierzig Sekunden.

Vom neunten Stock an musste er sich am Geländer hochziehen, um seine schmerzenden Beine zu entlasten.

»Noch genau zwei Minuten, Robert«, sagte Garcia wenig später. »Wo bist du?«

»Kurz vor dem elften.«

»Scheiße!«

»Sehr hilfreich«, entgegnete Hunter. »Danke.«

Er wusste, selbst wenn er die nächsten zehn Stockwerke in einer Minute schaffte, würde er es nicht rechtzeitig bis in den vierunddreißigsten Stock schaffen. Trotzdem war er wild entschlossen, sein Bestes zu geben.

Die nächsten zehn Stockwerke kamen ihm vor wie ein Marathonlauf. Irgendwo tief in seinem Innern fand er die Kraft, sie in einer Minute und elf Sekunden zurückzulegen.

Noch neunundvierzig Sekunden und dreizehn Stockwerke.

Er flehte seine Beine an, ihn jetzt nicht im Stich zu lassen. Nur noch ein Stückchen weiter. Inzwischen benötigte er etwa elf Sekunden pro Stockwerk.

Zweiundzwanzigste Etage – noch achtunddreißig Sekunden.

Dreiundzwanzigste Etage – noch siebenundzwanzig Sekunden.

Vierundzwanzigste Etage – noch sechzehn Sekunden.

Fünfundzwanzigste Etage – noch fünf Sekunden.

Seine Beine begannen zu zittern. Sein Herz pochte wie ein Presslufthammer.

Vier ... drei ... zwei ... eins ...

Hunter war zwischen dem fünfundzwanzigsten und sechsundzwanzigsten Stock, als es in seiner Tasche klingelte. Es war das Handy, das er aus dem Spülkasten gefischt hatte.

Mit zitternden Fingern fischte er es heraus. Er konnte sich schon vorstellen, was der Werwolf zu ihm sagen würde.

Er nahm den Videoanruf an.

»Ts, ts«, machte der Werwolf kopfschüttelnd, sobald sein Gesicht auf dem Display sichtbar wurde. »Sagen Sie mir bitte, dass das nicht stimmt, Detective. Für mich sieht es nämlich so aus, als hätten Sie es nicht rechtzeitig in die vierunddreißigste Etage geschafft.«

Hunter stapfte verbissen weiter. Das Telefon in seiner Hand wackelte, während er mehrere Stufen auf einmal hinaufstieg.

»Das war eine ...«, japste er. Er war in der sechsundzwanzigsten Etage angelangt und auf dem Weg in die siebenundzwanzigste. »... vollkommen unmögliche Aufgabe ... Und das wissen Sie auch.«

»Sind Sie immer noch am Treppensteigen?«

Hunter gab keine Antwort.

Siebenundzwanzig. Auf zum nächsten Stockwerk.

»Wow. Ich muss zugeben, ich bewundere Ihre Entschlossenheit.«

Achtundzwanzig.

»Wollen Sie ... Ihr Tagebuch ... noch haben ... oder nicht?«, stieß Hunter hustend hervor.

Neunundzwanzigster Stock.

»Ha, ha.« Der Werwolf lachte humorlos. »Bitte, Detective. Sagen Sie nicht, dass Sie versuchen, mit mir zu verhandeln.«

Dreißigster Stock.

»Na ja ... wenn Sie es ... wiederhaben wollen ... Ich ... habe es ... dabei.«

Einunddreißig.

»Ich mag Sie, Detective Hunter. Sie geben nicht auf, selbst wenn der Kampf längst verloren ist.«

Zweiunddreißigster Stock.

»Das respektiere ich bei einem Menschen. Wo sind Sie gerade?«

»Dreiunddreißig ...« Hunters Stimme war ein kraftloses Flüstern.

»Was, wirklich?«

Hunter röchelte und versuchte verzweifelt, mehr Sauerstoff in seine Lungen zu bekommen. Seine Beine fühlten sich an wie Pudding und drohten unter ihm nachzugeben. Er musste sich an der Wand abstützen.

»Nein«, sagte er. »Nicht dreiunddreißig ... Ich bin ... im vierunddreißigsten.«

Hunter drehte das Telefon so, dass der Werwolf die Nummer an der Wand neben der Tür lesen konnte – 34.

74

Hunter blieb an der Tür stehen, die das Treppenhaus mit dem vierunddreißigsten Stock verband. Er war so außer Atem, dass er fast glaubte, einen Herzinfarkt zu erleiden. Er hustete abermals. Diesmal schmeckte er Galle im Mund und musste würgen.

»Ist alles in Ordnung mit Ihnen, Detective?«, erkundigte sich der Werwolf. »Das klingt gar nicht gut.«

»Ging mir nie besser«, sagte Hunter, dem der Speichel aus dem Mund flog. Endlich hatte er die Kraft, die Treppenhaustür aufzuziehen und in den Flur zu treten. »So ... ich bin da ...«

»Wirklich?«

»Ja … Etage vierunddreißig …«

»Aber Sie waren zu spät, Detective.«

»Kommen Sie …«, flehte Hunter, der endlich ein bisschen freier atmen konnte. »Jetzt bin ich doch hier.«

»Wo ist *hier*?«

»Im vierunddreißigsten Stock.«

»Okay, aber sind Sie in der Nähe von Suite 3452?«

Hunter war so darauf fixiert gewesen, das vierunddreißigste Stockwerk zu erreichen, dass er ganz vergessen hatte, dass er zu einem ganz bestimmten Zimmer gehen sollte. Er hob den Kopf und schaute den langen, hell erleuchteten Korridor hinunter. Er schien in beide Richtungen schier endlos weiterzugehen, ehe er irgendwann abknickte. Sein Blick ging zu dem Schild, auf dem stand, welche Zimmer in welche Richtung lagen. Zimmer 3452 lag links von ihm. Er atmete noch einmal tief durch und lief dann, so schnell ihn seine krampfenden Beine trugen, den Flur hinunter.

Das erste Zimmer auf der rechten Seite trug die Nummer 3426. Zimmer 3452 war also nicht mehr weit.

»Sie rennen wieder, Detective?«

Wenige Sekunden später hatte Hunter Zimmer 3452 erreicht.

»Ich bin schon da. Sehen Sie?«, sagte er und richtete die Handykamera auf die Nummer an der Tür. »Zimmer 3452. Ich habe es geschafft.«

»Ja, das sehe ich«, sagte der Werwolf. »Aber wie gesagt, Sie waren zu spät. Sie erinnern sich doch noch an Regel Nummer zwei, oder? Wenn Sie eine Aufgabe nicht in der vorgegebenen Zeit erfüllen, stirbt die diebische Schlampe. Und nach meiner Uhr sind Sie zu spät gekommen.«

»Ich bitte Sie«, flehte Hunter erneut. »Niemand hätte es in zwölf Minuten von der Markthalle bis hierher schaffen können. Das war vollkommen unmöglich.«

»Sie irren sich, Detective. Mir fällt eine Handvoll Leute

ein, die es mit Leichtigkeit geschafft und am Ende sogar noch Zeit übriggehabt hätten.«

Hunter füllte seine Lungen mit Luft.

»Lassen Sie mich raten ...«, sagte er. Im ersten Moment zögerte er, ob er weitersprechen sollte. Aber was hatte er schon zu verlieren? »Sie reden bestimmt von Ihren Kameraden aus der Armee.«

Der Werwolf schwieg. Selbst auf dem kleinen Bildschirm des Smartphones konnte Hunter sehen, wie sich der Fokus in den Augen des Killers verschärfte.

Er fragte sich, ob er einen fatalen Fehler begangen hatte.

»Ich bin beeindruckt«, sagte der Werwolf, nachdem einige Sekunden verstrichen waren. »Und ja, einige meiner Kameraden aus der Armee hätten die Aufgabe in zehn Minuten oder weniger geschafft. Sie haben also versagt, Detective Hunter. Die Schlampe muss sterben.«

»Wenn Sie sie töten, sehen Sie Ihr Tagebuch nie wieder. Haben Sie mich verstanden?«

»Drohen Sie mir etwa, Detective?«

»Das ist keine Drohung. Das ist die Realität. Sie wollen das Buch. Wir wollen die Frau. Ein simpler Austausch. Ich stehe hier vor Zimmer 3452. Also, lassen wir doch das ganze Drumherum und tun das, worum es hier eigentlich geht.«

Genau in dem Moment sah Hunter aus dem Augenwinkel, wie das erste Zweierteam durch die Treppenhaustür trat. Einen Moment später tauchte ein zweites Team aus dem Fahrstuhl auf. Mit derselben Hand, in der er das Tagebuch hielt, signalisierte er ihnen, auf Abstand zu bleiben. Der Werwolf war nicht dumm. Er hätte sich niemals in einem Zimmer im vierunddreißigsten Stock eines Hotels verschanzt. Hinter dieser Tür würde Hunter höchstwahrscheinlich seine nächste Aufgabe vorfinden.

»Sie haben recht, Detective«, sagte der Werwolf irgendwann. »Ich will mein Buch wirklich wiederhaben. Und da Sie auf der Treppe nicht aufgegeben haben, selbst nachdem die Zeit abgelaufen war, nehme ich mir Ihre Worte zu Herzen und komme zum Wesentlichen.« Wieder eine Pause, diesmal ein bisschen länger. »Rechts von Zimmer 3452 befindet sich eine Tür, die nicht nummeriert ist. Sehen Sie die?«

»Ja.«

»Sie ist nicht abgeschlossen. Ich will, dass Sie sie öffnen. Halten Sie die Kamera so, dass ich sehen kann, was Sie tun.«

Hunter richtete die Kamera auf die Tür, streckte die Hand aus und drehte den Knauf. Die Tür öffnete sich nach innen.

»Gut«, sagte der Werwolf. »Der Lichtschalter befindet sich auf der rechten Seite.«

Hunter schaltete das Licht ein. Der Raum war mittelgroß, und der Großteil des Platzes wurde von drei großen Wäschewagen eingenommen. Alle drei Wagen waren leer.

»Das hier ist die Wäschekammer der vierunddreißigsten Etage«, teilte der Werwolf ihm mit. »An der hinteren Wand finden Sie eine große Luke. Das ist der Wäscheschacht. Öffnen Sie die Luke und werfen Sie das Tagebuch hinein. Tun Sie es jetzt.«

»Scheiße!«, hörte Hunter Agent Shaffer fluchen. »Er ist unten in der Wäscherei. Alle Teams in die Wäscherei, SOFORT!«

Clevere Finte, dachte Hunter.

»Jetzt, Detective«, befahl der Werwolf noch einmal.

»Was ist mit Angela?«, wollte Hunter wissen. »Das Tagebuch gegen Angela, das war die Abmachung.«

»Die Abmachung war auch, dass Sie jede Aufgabe in der dafür vorgesehenen Zeit erledigen. Ich diskutiere nicht mit Ihnen, Detective. Werfen Sie das Buch in den Schacht, dann kriegen Sie das Mädchen. Darauf haben Sie mein Wort. Andernfalls kriegen Sie jeden Tag für die nächsten zwei Monate ein neues Stück der kleinen Schlampe vor die Haustür geliefert, haben Sie mich gehört? Sie haben drei Sekunden. Eins ... zwei ...«

Hunter konnte nicht länger Zeit schinden. Er würde Angelas Leben nicht für das Tagebuch aufs Spiel setzen. Er lief zur Luke, öffnete sie und ließ das Tagebuch in den Schacht fallen.

»Es war mir ein Vergnügen, Geschäfte mit Ihnen zu machen«, sagte der Werwolf, ehe er die Verbindung beendete.

75

»Scheiße!« Auch die anderen hörten Shaffers Fluch. »Er ist unten in der Wäscherei. Alle runter in die Wäscherei, SOFORT!«

Die drei Teams der SIS bekamen exakt denselben Befehl von ihrem Anführer Silva. Das Problem war nur, dass zwei der sechs Teams sich am Fahrstuhl beziehungsweise an der Treppe im vierunddreißigsten Stock postiert hatten. Ein Team befand sich im Stockwerk darunter, ein weiteres ein Stockwerk höher, für den Fall, dass der Werwolf irgendeinen wahnwitzigen Fluchtplan ausgeheckt hatte. Die letzten zwei Teams behielten in der Lobby Vorder- und Hinterausgang im Auge.

Die Wäscherei des Westin Bonaventure lag in Untergeschoss eins. Die vier Teams in den oberen Stockwerken würden viel zu lange brauchen, um nach unten zu gelangen. Die Chancen der beiden Teams im Erdgeschoss standen deutlich besser.

Kaum dass sie den Befehl erhalten hatten, eilten sie durch die große, luxuriöse Lobby und hielten auf das Treppenhaus zu. Doch sie kamen nur wenige Schritte weit, ehe sie durch das schrille Kreischen des Feueralarms gestoppt wurden.

In der Lobby war um diese Tageszeit einiges los. Neue Gäste kamen an, andere checkten aus, wieder andere fragten an der Rezeption nach Informationen, und viele saßen einfach nur so herum und unterhielten sich.

Dementsprechend groß war die Hektik, die auf den Feueralarm hin ausbrach. Alle schauten ratlos um sich, hoben die Hände oder zuckten die Schultern, um zu signalisieren, dass sie keine Ahnung hatten, was los war. Anfangs verhielten sich die Mitarbeiter genauso, doch sobald ihnen aufging, dass es sich nicht um eine Übung handelte, besann sich ein jeder auf seine Aufgabe. Pagen, Concierges und Rezeptionisten, Sicherheitsleute, sogar der Hotelmanager … alle begannen, geschäftig umherzueilen und die Leute dazu zu bewegen, in geordneter Weise das Gebäude zu verlassen. Um einen Stau an den Türen zu vermeiden, hielten die Portiers sie weit offen, während die Gäste, einige von ihnen mit Gepäck, nach draußen strömten.

Bei den Gästen in der Lobby lief das relativ reibungslos ab – allerdings gab es ja auch noch die Gäste auf den Zimmern. Von den tausenddreihundertachtundfünfzig Zimmern im Westin Bonaventure Hotel waren tausendzweihundertzwei belegt, und auch die meisten Suiten waren ausgebucht. Natürlich befanden sich nicht alle Gäste in ihren Zimmern, trotzdem waren es noch genug, um einen mittelgroßen Konzertsaal zu füllen.

Innerhalb weniger Sekunden, nachdem der Alarm losgegangen war, wimmelte es in den langen Fluren nur so von Gästen in den verschiedensten Bekleidungszuständen. Besorgte Stimmen gesellten sich zu dem lauten Alarmgeräusch, und schon bald ging es im ganzen Gebäude zu wie in einem Bienenstock.

Obwohl sie wussten, dass sie keine Chance hatten, schnell genug in der Wäscherei zu sein, eilten die Teams in den oberen Stockwerken augenblicklich zum Treppenhaus, nur um festzustellen, dass auch dieses von Gästen verstopft war.

Die Brandschutzverordnung des Staates Kalifornien schrieb vor, dass Fahrstühle im Brandfall nicht benutzt werden durften, deshalb war der Feueralarm im Westin Bonaventure so programmiert, dass er automatisch die Fahrstühle außer Kraft setzte.

Unten in der Lobby wurden die beiden Teams von einer Wand aus Menschen empfangen, die alle in die entgegengesetzte Richtung drängten. Sie taten ihr Bestes, gegen den Strom anzukämpfen, doch es kamen immer mehr Menschen nach, als auch die Gäste aus den höher gelegenen Stockwerken das Erdgeschoss erreichten.

»So ziemlich jeder, der jetzt das Hotel verlässt, könnte die Zielperson sein«, sagte SWAT-Agent Karl Hudson, Anführer eines der beiden Teams, in sein Funkgerät.

»Aus dem Grund haben wir ja einen Peilsender im Buch versteckt«, gab Agent Shaffer zurück. »Ich bin mit der Tracking-App schon auf dem Weg zu Ihnen.«

Augenblicklich drehten sich Agent Hudson und sein Partner um und spähten zum Haupteingang.

Agent Shaffer war eins fünfundneunzig groß und überragte die meisten der Gäste, die das Hotel zu verlassen versuchten. Garcia mit seinen eins neunzig war ebenfalls nicht zu übersehen. Ihnen auf dem Fuße folgte Trevor Silva. Das zweite Team in der Lobby gehörte zu seinen Leuten.

Die sieben kamen an der Rezeption zusammen.

»Entschuldigen Sie, Gentlemen«, sagte ein kleiner, untersetzter Mann und trat hinter dem Tresen hervor. »Würden Sie bitte auch das Gebäude verlassen? Der Versammlungspunkt liegt gleich auf der anderen Straßenseite neben dem Parkplatz.« Er deutete nach draußen. Auf dem Schild an seinem Sakko stand »Luis Tornado, Concierge«.

»LAPD.« Garcia zeigte ihm seine Marke. Er spielte mit dem Gedanken, dem Concierge zu erklären, dass der Alarm lediglich ein Ablenkungsmanöver war und sie den Mann suchten, der ihn ausgelöst hatte, doch er verwarf den Gedanken schnell wieder. Stattdessen sagte er bloß: »Wir bleiben hier.«

Die anderen sechs sahen den Hotelmitarbeiter streng an.

»Wie Sie wollen«, meinte der, hob die Hände und wandte sich anderen Gästen zu.

In der Lobby herrschte mittlerweile ein Gewimmel wie in einem Elektronikmarkt am Black Friday, weil das Treppenhaus immer neue Gäste ausspuckte.

Silva und Shaffer legten ihre Tablets auf den Rezeptionstresen, um die Position des roten Punkts zu verfolgen.

Es gab keinen roten Punkt mehr.

»Verdammt noch mal, wo ist er hin?«, fragte Silva. »Funktioniert das Ding überhaupt richtig?« Sein Blick ging zu Garcia.

»Vielleicht ist er immer noch im Untergeschoss«, meinte der. »Der Peilsender ist nicht besonders stark. Unter der Erde geht das Signal verloren.«

»Also gut, gehen wir runter und kreisen ihn ein«, schlug Agent Shaffer vor. »Sie beide.« Er zeigte auf sein Team. »Sie gehen ...« Weiter kam er nicht, denn plötzlich erschien der rote Punkt wieder auf der Karte und begann zu blinken.

76

»Was ist los?«, hörten sie Hunters Stimme laut und deutlich über Funk. »Wo ist er hin?«

»Der Peilsender geht wieder«, teilte Garcia ihm mit.

»Okay, und wo ist er?«

Alle starrten gebannt auf die Tablets.

»Jedenfalls nicht im Hotel.« Diesmal kam die Antwort von Agent Silva. »Nicht mehr. Ich glaube, er ist gerade durch einen Personaleingang auf der Rückseite raus.«

Sie tauschten besorgte Blicke.

»Er ist auf der South Flower Street«, meldete Agent Shaffer gleich darauf. »Er hat denselben Ausgang genommen, durch den Sie vorhin reingekommen sind.«

Wieder ein schneller Blickwechsel.

Einen Sekundenbruchteil später wirbelten die sieben herum und rannten los. Das Gewimmel in der Lobby stellte sie vor ein Problem, das sie auf die einzige Art und Weise lösten, die ihnen einfiel. Rücksichtslos stießen und schubsten sie die Gäste aus dem Weg. So brauchten sie etwa vierzig Sekunden bis zur Tür.

»Wohin jetzt?«, fragte Garcia, als sie es endlich ins Freie geschafft hatten.

Shaffer und Silva konsultierten mit angespannten Mienen ihre Tablets.

»Er ist auf der West Fourth Street«, verkündete Shaffer. »Sieht so aus, als wollte er einmal ums Hotel herumgehen, um auf die andere Seite zu kommen.«

»Er will sich unter die Gäste mischen«, sagte Garcia, der den Plan des Werwolfs durchschaut hatte. »Dann kann er in der Menge untertauchen.«

Im nächsten Moment hörten sie in der Ferne die Sirenen der Feuerwehr.

»Worauf warten wir noch?« Agent Silva führte die Gruppe im Laufschritt die West Fourth Street hinauf und dann links um den Block. An der Ecke zwischen West Fourth und South Figueroa Street angelangt, warfen sie abermals einen Blick auf die Tracking-App.

»Sie hatten recht«, sagte Shaffer zu Garcia. »Er hat die Straße überquert und hält sich irgendwo in der Menge versteckt.«

»Wir teilen uns auf und gehen von beiden Seiten auf ihn zu«, entschied Silva. »Sie beide kommen mit mir«, sagte er zu seinen Leuten, ehe er sich an Agent Shaffer wandte. »Wir laufen die South Figueroa runter und nähern uns von links. Sie queren hier die Straße und kommen von rechts. Damit bleiben ihm nur zwei Fluchtrouten – entweder er muss wieder über die Straße, das führt ihn zurück zum Hoteleingang, oder er flüchtet ins Enterprise Building. So oder so, wir kriegen ihn.«

»Alles klar.« Agent Shaffer stellte den Kontakt zu seinen anderen Teams her. »Teams eins und zwei, wo sind Sie?«

»Im dreizehnten«, kam umgehend die Antwort. »Wir beeilen uns, aber hier im Treppenhaus ist die Hölle los.«

Shaffer hörte lautes Stimmengewirr durch sein Funkgerät.

»Machen Sie schneller«, sagte er. »Ich brauche Sie unverzüglich hier unten.«

Agent Silva und sein Team hatten bereits die South Figueroa Street überquert und näherten sich der wartenden Gästeschar.

Shaffer warf noch einen Blick auf die App. »Los«, sagte er dann, ehe er Garcia und sein eigenes Team ebenfalls über die Straße führte.

Die Menge, die sich vor dem Enterprise Building versammelt hatte, war groß und schwoll mit jeder Sekunde an.

Die Feuerwehrsirenen wurden lauter.

»Also, wo ist er?«, fragte Garcia.

»Er ist clever. Er steht irgendwo mittendrin.«

»Gehen wir.«

Die vier begannen, sich durch die Menge zu schieben.

»Wie nah sind Sie dran?«, fragte Silva nach.

»Noch etwa vierzig Meter von der Zielperson entfernt«, gab Agent Shaffer zurück. »Und Sie?«

»Ein bisschen näher – Abstand circa fünfundzwanzig Meter.«

»Okay.« Garcia übernahm die Führung. »Gehen Sie bis auf zehn Meter ran und warten Sie. Ihr Team soll ihm nur den Weg abschneiden, für den Fall, dass er fliehen will. Die Festnahme übernehmen wir.«

»Bitte, lassen Sie mich das machen«, sagte Silva. »Er hat zwei meiner Männer getötet.«

»Hier geht es nicht um Ihren persönlichen Rachefeldzug«, gab Garcia energisch zurück. »Dies ist eine Ermittlung der UV-Einheit. Die Festnahme wird von uns durchgeführt. Bleiben Sie zehn Meter auf Abstand und schwärmen Sie aus, damit Ihre Leute ihm die Fluchtwege abschneiden, haben Sie mich verstanden?«

»Verstanden.« Zufrieden klang Agent Silva allerdings nicht.

Garcia und die drei SWAT-Agenten bahnten sich weiter den Weg durch die Menge.

Noch dreißig Meter.

Zwanzig.

Zehn Meter.

»Sind in Position«, ertönte Agent Silvas Stimme in ihrem Ohr.

Noch fünf Meter.

Ein letzter Blick auf das Tablet. Der rote Punkt befand sich direkt vor Garcia.

»Ich sehe gar keinen Qualm«, meinte eine kleine Frau im weißen Bademantel rechts neben ihm. »Wenn es brennt, warum sieht man dann keinen Qualm?«

Garcia beachtete sie nicht weiter. Im nächsten Moment hatte er die Zielperson ausgemacht. Dort, wo die Menge am dichtesten war, stand ein breitschultriger Mann, den Blick unverwandt auf das Hotel auf der anderen Straßenseite gerichtet. Er war knapp eins neunzig groß und hatte die Statur eines Boxers. Er wirkte unruhig, und sein Blick schweifte immer wieder nervös umher. Er trug Jeans, ein schwarzes T-Shirt und eine Baseballjacke der L. A. Dodgers. Über seiner Schulter hing eine kleine schwarz-weiße Sporttasche.

Agent Shaffer befahl seinen Männern, die Zielperson von links und rechts in die Zange zu nehmen.

Garcia schob die Hand in seine Jacke. Er öffnete den Verschluss seines Holsters und umfasste den Griff seiner Sig Sauer X Five Legion Neunmillimeter. Er entsicherte sie, behielt die Waffe aber vorerst noch unter der Jacke. Er machte einen weiteren Schritt auf den Mann zu, und in dem Moment trafen sich ihre Blicke. Der Mann kniff die Augen zusammen, als hätte er Garcia wiedererkannt.

Die darauffolgenden Sekunden schienen wie in Zeitlupe abzulaufen. Garcia sah, wie der Mann in seine Sporttasche fasste. Er konnte nicht sehen, wonach er griff, weil der Körper des Mannes ihm die Sicht versperrte. Im nächsten Moment schaute er wieder in Garcias Richtung und machte Anstalten, sich zu ihm umzudrehen.

Von Garcia unbemerkt, hatte Agent Shaffer mittlerweile hinter der Zielperson Position bezogen. Sobald er sah, wie der Mann etwas aus seiner Sporttasche holen wollte, setzte er sich in Bewegung. Er reagierte blitzschnell. Während der Mann sich zu Garcia umdrehte, hatte Agent Shaffer bereits zum Sprung angesetzt und flog durch die Luft.

Der Mann sah ihn nicht kommen.

Wäre Shaffers Tackling Teil eines Footballspiels gewesen, hätte es sicher die Auszeichnung für den Spielzug des Jahres gewonnen.

Agent Shaffer kollidierte im Flug mit dem Rücken des Mannes und packte ihn um die Hüften. Zwar war der Mann deutlich schwerer als Shaffer, doch dessen Geschwindigkeit verschaffte ihm zusammen mit dem Überraschungsmoment einen entscheidenden Vorteil. Wer rechnete schon damit, in einer Menge wartender Menschen plötzlich von hinten angesprungen zu werden?

Durch den Aufprall wurde der Mann nach vorne katapultiert. Er riss zwei Hotelgäste mit sich, und alle vier gingen zu Boden, was bei den Umstehenden einen lauten Chor aus Protestrufen auslöste.

Garcia hatte in der Zwischenzeit seine Waffe gezogen, genau wie die zwei SWAT-Agenten, die sich nun von beiden Seiten näherten und auf den Kopf des Mannes zielten.

»Keine Bewegung!«, brüllte Garcia. »LAPD.«

Der Mann war hart auf dem Boden aufgekommen ... sehr hart. Erst mit der linken Schulter, dann mit dem Kopf. Seine offene Sporttasche prallte im Fallen gegen seine Hüfte, sodass ein Großteil des Inhalts herausfiel und auf dem Gehsteig landete.

Obwohl er ganz auf den am Boden liegenden Mann konzentriert war, zuckte Garcias Blick unwillkürlich zu einem der Gegenstände, der dem Mann aus der Tasche gefallen und unmittelbar vor seinen Füßen liegen geblieben war. Er schaute nach unten, blinzelte einmal ... zweimal ... Dann erstarrte er.

»Was um alles in der Welt ...?«

77

Fünf Minuten zuvor – Wäscherei im Untergeschoss des Westin Bonaventure Hotels

»Das hier ist die Wäschekammer des vierunddreißigsten Stocks«, teilte der Werwolf Hunter während des Videoanrufs mit. »An der hinteren Wand finden Sie eine große Luke. Das ist der Wäscheschacht. Öffnen Sie die Luke und werfen Sie das Tagebuch hinein. Tun Sie es jetzt.«

...

»Jetzt, Detective«, befahl der Werwolf erneut.

»Was ist mit Angela?«, fragte Hunter. »Das Tagebuch für Angela, das war die Abmachung.«

»Die Abmachung war auch, dass Sie jede Aufgabe in der dafür vorgesehenen Zeit erledigen. Ich diskutiere nicht mit Ihnen, Detective. Werfen Sie das Buch in den Schacht, dann kriegen Sie das Mädchen. Darauf haben Sie mein Wort. Andernfalls kriegen Sie jeden Tag für die nächsten zwei Monate ein neues Stück der kleinen Schlampe vor die Haustür geliefert, haben Sie mich gehört? Sie haben drei Sekunden. Eins ... zwei ...«

Er sah, wie Hunter zur Luke lief, sie öffnete und das Tagebuch hineinwarf.

Wenige Sekunden später fiel es unten in einen großen Wäschewagen auf einen Stapel schmutziger Laken.

»Es war mir ein Vergnügen, mit Ihnen Geschäfte zu machen«, sagte er, ehe er die Verbindung beendete.

Auf dem Boden zu seinen Füßen stand eine geöffnete Sporttasche. Er fischte das Tagebuch aus der Schmutzwäsche und nahm die Werwolfmaske ab, ehe er in die Tasche griff und ein elektronisches Gerät herausholte, das aussah wie die Metalldetektoren, mit denen Sicherheitsleute am Flughafen die Passagiere kontrollierten. Er schaltete das Gerät ein und bewegte es über den vorderen Einband des Buchs.

Die Nadel schlug nicht aus, und es ertönte auch kein Signal.

Der Mann drehte das Tagebuch um und wiederholte die Prozedur auf der Rückseite. Augenblicklich begann das Gerät laut zu piepsen, während die Nadel bis ganz nach rechts ausschlug.

»Oh, Detective Hunter«, sagte der Werwolf kopfschüttelnd zu sich selbst. »Sie enttäuschen mich. Ein Peilsender? Wirklich?« Er langte in seine Sporttasche. Diesmal holte er einen großen Cutter heraus. »Also gut. Machen wir uns den Spaß.«

Nachdem er das Tagebuch auf der letzten Seite aufgeschlagen hatte, schnitt er mit dem Cutter den hinteren Buchdeckel ab. Das war in wenigen Sekunden erledigt. Danach verstaute er das Tagebuch in seiner Sporttasche, ehe er zur Wand ging und den Feueralarm betätigte.

Augenblicklich waren alle sechsunddreißig Stockwerke des Westin Bonaventure Hotels von einem schrillen Kreischen erfüllt. Sekunden später begannen aufgeregte Gäste und Hotelangestellte, in die Flure und Treppenhäuser zu strömen. Alle waren verwirrt und orientierungslos, und genau das hatte der Werwolf bezweckt.

Er nahm seine Sporttasche und den hinteren Buchdeckel, setzte sich die Kapuze auf und verließ dann mit raschen Schritten die Wäscherei. Die Flure im Untergeschoss waren bereits voller Menschen. Gäste wie Mitarbeiter kamen aus dem Fitnessraum, aus dem Spa und aus den Restaurantküchen, die allesamt im Untergeschoss untergebracht waren.

Der Werwolf mischte sich unter die Leute, die bereits von einem Hotelmitarbeiter ins Freie geführt wurden, der alle anwies, einen der Notausgänge im Untergeschoss zu benutzen, statt über die Treppe nach oben in die Lobby zu gehen. Als der Mann sich dem Strom anschloss, konnte er sein Glück kaum fassen. Wenige Schritte vor ihm ging ein großer, kräftig gebauter Hotelgast, der soeben den Fitnessbereich verlassen hatte. Er trug Jeans, ein schwarzes T-Shirt und eine Baseballjacke und hatte eine Sporttasche über der Schulter, deren Reißverschluss, wie dem Werwolf auffiel, praktischerweise offen stand.

»Perfekt«, wisperte er.

Er beeilte sich, den Gast einzuholen. Im Gedränge hatte er keine Probleme, ihm unauffällig den abgeschnittenen Buchdeckel in die Sporttasche zu stecken.

»Das könnte noch lustig werden«, dachte er, als sich die Gäste durch den Notausgang ins Freie wälzten. Während sich alle nach links in Richtung der West Fourth Street wandten, machte der Werwolf kehrt und ging zurück ins Hotel.

Er hatte noch etwas zu erledigen.

78

Einen Moment lang schaute Garcia den Gegenstand vor seinen Füßen verständnislos an.

Er blinzelte einmal. Erste Zweifel keimten in ihm auf.

Er blinzelte noch einmal. Jetzt begriff er, was das Ding war und weshalb es ihm bekannt vorkam: der Einband des Tagebuchs.

»Was um alles in der Welt?«

Die zwei SWAT-Agenten eilten zu Shaffer, um ihm bei der Festnahme zu helfen. Innerhalb weniger Sekunden hatten sie den Mann am Boden fixiert, seinen Kopf aufs Pflaster gedrückt und fesselten ihm die Hände hinter dem Rücken mit Handschellen.

»Ich verhafte Sie wegen Mordverdachts«, sagte Shaffer und begann gleich darauf, ihn über seine Rechte aufzuklären. »Sie haben das Recht zu schweigen ...«

»Was?«, keuchte der Mann. »Was zum Teufel ist hier los?« Der Ausdruck in seinem Gesicht war eine Mischung aus Wut, Erstaunen und Angst. »Mord? Was für ein Mord denn?«

Agent Shaffer schenkte den Protesten des Mannes keinerlei Beachtung. »Alles, was Sie sagen, kann und wird vor Gericht ...«

Agent Silva und sein Team hatten beobachtet, wie Agent Shaffer den Mann zu Boden gerissen hatte. Auch sie beeilten sich, an den Ort des Geschehens zu gelangen, um ihren Kollegen des SWAT-Teams Rückendeckung zu geben.

Garcia zog währenddessen ein Papiertaschentuch aus seiner Tasche und hob damit den Buchdeckel auf. Er drehte ihn erst in die eine, dann in die andere Richtung und betrachtete ihn fragend.

»Was ist bei euch da draußen los?«, meldete sich Hunter über Funk. »Haben wir ihn?«

»Ja, wir haben den Drecksack«, antwortete Agent Silva. Er war bei dem Mann angelangt und half den Kollegen vom SWAT-Team dabei, ihn auf die Füße zu zerren. Als er den Mann am Arm in die Höhe zog, ging er mit dem Mund ganz nah an sein Ohr heran und zischte: »Tu mir den Gefallen und versuch zu fliehen, damit ich einen Grund habe, dir eine Kugel in den Schädel zu jagen.« Er ließ den Mann los. »Na, komm schon, lauf. Ich weiß, dass du es willst.«

»Robert«, sagte Garcia nach einer Weile. Er starrte noch immer auf den Buchdeckel. »Ich glaube, wir haben ein Problem.«

»Was für ein Problem?«

Shaffer und Silva hatten Garcias Bemerkung und Hunters Reaktion darauf ebenfalls gehört. Sie hoben die Köpfe und drehten sich zu ihm um. Beiden stand die gleiche Frage ins Gesicht geschrieben. *Was für ein Problem?*

Garcia hob den Buchdeckel hoch, um ihn Shaffer und Silva zu zeigen. »Sieht ganz so aus, als wäre der Werwolf unserem Plan zuvorgekommen«, sagte er zu Hunter.

»Welchen Plan meinst du?«

»Den Peilsender«, sagte Garcia. »Jemand hat ihn abgerissen.«

»Abgerissen? Wie meinst du das?«

»Jemand hat den kompletten hinteren Einband des Tagebuchs entfernt, Robert. Der Verdächtige, den wir gerade festgenommen haben, hatte ihn in der Tasche – mitsamt dem Peilsender.«

Sofort ließ Agent Shaffer den Mann los und nahm sich seine Sporttasche vor. Er wühlte eine Weile darin herum, ehe er die Tasche auf den Boden warf. »Kein Tagebuch«, sagte er. »Fuck!«

Die zwei SWAT-Agenten hatten den Mann bereits durchsucht. Er trug keine Waffen bei sich, allerdings fanden sie eine Brieftasche mit einhundertzwölf Dollar in bar, drei Kreditkarten, einem Führerschein sowie einem Foto von einer lachenden dunkelhaarigen Frau mit einem kleinen Jungen, der etwa drei Jahre alt zu sein schien. Der Name auf dem Führerschein war derselbe wie auf den Kreditkarten: Gabriel Quinn.

Inzwischen war die Menschenmenge zurückgewichen und hatte einen großen Platz um den Mann und die Polizisten frei gemacht. Achtundneunzig Prozent der Umstehenden hatten ihre Handys gezückt und filmten das Geschehen.

Agent Shaffer ging zu Garcia und reichte die Brieftasche des Mannes an ihn weiter.

»Dem Anschein nach«, sagte Garcia zu Hunter, doch er musste innehalten, weil die Einsatzfahrzeuge der Feuerwehr die South Figueroa Street erreicht hatten – insgesamt waren es sechs. »Moment ...« Er musste fast eine Minute warten, bis sie die Sirenen abgestellt hatten. »So, jetzt aber. Dem Anschein nach handelt es sich bei der Person, die wir gerade festgenommen haben, um einen gewissen Gabriel Quinn, achtunddreißig Jahre alt, aus Palo Alto.«

»Was soll das heißen – dem Anschein nach?«, rief der Mann mit vor Schreck geweiteten Augen. »Ich *bin* Gabriel Quinn!«

»Das könnte ein Trick sein«, gab Agent Silva zu bedenken und starrte den Mann finster an. »Wir wissen ja, wie schlau der Kerl ist.«

Der Mann hielt Silvas Blicken stand. »Sie können sich schon mal auf den Zivilprozess des Jahrhunderts gefasst machen«, knurrte er ihn herausfordernd an. »Schauen Sie sich bloß mal um. Sehen Sie die vielen Handykameras? Tja, das nennt man Beweise – und genau damit werde ich Sie alle fertigmachen.«

»Mr Quinn«, sagte Garcia, der zu ihm getreten war. Sein Ton war ruhig und versöhnlich. »Ich bin Detective Garcia von der UV-Einheit des LAPD. Sie haben recht, es ist gut möglich, dass es sich lediglich um ein Missverständnis handelt, aber wenn Sie mir bitte zu einem unserer Einsatzfahrzeuge folgen würden, dann können wir die Sache in wenigen Minuten aufklären.« Er hielt inne und betrachtete die Sporttasche des Mannes auf dem Gehsteig. »Außerdem brauchen wir vielleicht Ihre Hilfe.«

79

Nach seinem letzten Funkkontakt mit Garcia brauchte Hunter geschlagene vierzehn Minuten, bis er die letzten Treppen hinter sich gebracht und endlich die Lobby erreicht hatte. Von dort aus dauerte es dann noch einmal anderthalb Minuten, sich einen Weg durch die Menge zu bahnen und sich zu dem Einsatzfahrzeug durchzuschlagen, in dem Gabriel Quinn saß.

Garcia hatte gerade mit Shannon Hatcher telefoniert, als er Hunter auf zerschundenen Socken durch die Menge kommen sah.

»Ich habe mit Shannon gesprochen«, sagte er, als Hunter bei ihm stehen blieb. »Es passt alles. Der Typ auf dem Rücksitz ...« Mit dem Kinn deutete er auf den großen Mann, der im Einsatzfahrzeug saß. »... ist tatsächlich Gabriel Quinn aus Palo Alto. Er ist Webentwickler und wegen einer Konferenz in L. A., die, wie es der Zufall will, hier im Westin Hotel stattfindet.«

Hunter hatte bereits geahnt, dass sie den Falschen erwischt hatten.

»Er kam wohl gerade aus dem Fitnessraum im Untergeschoss, als der Feueralarm losging.«

»Hast du ihn gefragt, ob er sich noch daran erinnert, jemanden gesehen zu haben, der zur selben Zeit aus der Wäscherei kam?«, wollte Hunter wissen.

»Die Wäscherei habe ich nicht erwähnt«, räumte Garcia

ein. »Aber ich habe ihn gefragt, ob auf dem Weg nach draußen jemand versucht hat, ein Gespräch mit ihm anzufangen, oder ob er angerempelt wurde …« Garcia zuckte mit den Schultern. »Mr Quinn hat bloß gelacht. Er sagte, *alle* hätten gerempelt … und jeder hätte mit jedem geredet.«

Hunter nickte und zog vor Enttäuschung die Mundwinkel herunter.

Garcia schüttelte den Kopf. »Wie zur Hölle wusste der Werwolf von dem Sender?«

»*Gewusst* hat er es sicher nicht«, entgegnete Hunter. »Wahrscheinlich hat er geahnt, dass wir irgendwas versuchen würden. Vielleicht hatte er ein Gerät dabei, das Radiowellen misst. Nur so konnte er den Peilsender so schnell finden.«

»Scheiße!«, schimpfte Garcia halblaut. »Und was jetzt?«

Hunter war klar, dass sie in diesem Moment nicht viel tun konnten.

Die Feuerwehr hatte zwischenzeitlich festgestellt, dass es keinen Brandherd gab, sondern eine unbekannte Person in der Wäscherei im Untergeschoss falschen Alarm ausgelöst hatte.

Hunter dachte nach und beäugte währenddessen aufmerksam die Menge, die nun endlich zurück ins Hotel durfte. Er fragte sich, ob der Werwolf noch unter ihnen war und das Schauspiel genoss. Gewundert hätte es ihn nicht.

Er wollte gerade zu Gabriel Quinn gehen und mit ihm reden, als ein Telefon in seiner Jackentasche summte. Er sah Garcia stirnrunzelnd an, ehe er danach griff. Fragend sah er es an. Er kannte das Telefon nicht. Es war weder sein eigenes noch das, das er in der Markthalle aus dem Wasserkasten gefischt hatte. Diesmal war es auch kein Smartphone, sondern ein altes Motorola Doro 6520. Erneut ließ er den Blick durch die Menge schweifen. Irgendwie musste der Werwolf ihm das Gerät beim Verlassen des Hotels in die Tasche gesteckt haben. Das bedeutete, dass er wirklich noch in der Nähe war.

Vermutlich an einem Ort, von dem aus er Hunter in diesem Moment genau beobachten konnte. Leider hatten fast alle der Umstehenden ihr Handy in der Hand.

Im nächsten Moment begriff auch Garcia, was los war. Er sah Hunter mit hochgezogenen Augenbrauen an.

»Nicht im Ernst. Ist er das schon wieder?«

Rasch gesellten sich auch Shaffer und Silva zu den beiden Detectives.

Hunter klappte das Telefon auf – die Nummer des Anrufers war unterdrückt.

Er nahm ab.

»Hallo?«

»Ein Peilsender, Detective Hunter?«, fragte der Werwolf. »Wirklich? Halten Sie mich für einen Amateur? Sie haben das Tagebuch doch gelesen, oder nicht? Habe ich auf Sie den Eindruck gemacht, ein Amateur zu sein?«

Hunter wusste nicht, was er antworten sollte.

»Ich muss Ihnen leider mitteilen, dass Ihr kleiner Trick das Schicksal des Mädchens besiegelt hat.«

»Nein«, sagte Hunter. »Sie haben doch jetzt Ihr Tagebuch. Das war die Abmachung – Sie kriegen das Buch, wir kriegen Angela. Lassen Sie sie gehen ... bitte. Sie zu töten dient nicht dem geringsten Zweck. Lassen Sie sie frei.«

»Das klingt ja ganz so, als würden Sie betteln. Stimmt das, Detective? Flehen Sie einen Mörder an, nicht zu morden?«

Hunter holte tief Luft. »Ja, ich flehe Sie an. Bitte, lassen Sie sie frei. Lassen Sie sie am Leben.«

»Das versaut Ihnen Ihre Erfolgsquote, oder? Ihr Plan mit dem Peilsender geht schief, und deshalb kommt eine zivile Geisel ums Leben. Das hört sich wirklich nicht gut an.«

»Es geht hier nicht um mich«, sagte Hunter. »Und meine Erfolgsquote ist mir egal. Es geht um das Leben einer jungen Frau, die einen Fehler gemacht hat, als sie Ihnen die Tasche stahl. Mehr nicht. Sie hat es nicht verdient, dafür zu sterben.«

»Tja, Detective Hunter, dann lassen Sie mich doch mal sehen, wie Sie betteln.«

»Was?«

»Ich will sehen, wie Sie mich anflehen, sie nicht zu töten. Ich will sehen, wie Sie auf die Knie fallen und betteln.«

Hunters Blick schweifte durch die Menge, die sich im Vergleich zu vorher deutlich ausgedünnt hatte. Der Werwolf konnte ihn nur sehen, wenn er sich irgendwo ganz in der Nähe aufhielt.

Obwohl weniger Leute herumstanden, konnte Hunter niemanden ausmachen, dessen Verhalten Verdacht erregte.

»Ich warte, Detective. Auf die Knie.«

Hunter bewegte sich nicht.

»Auf die Knie ... JETZT.«

Langsam ließ sich Hunter auf die Knie nieder.

Garcia, Shaffer und Silva traten einen Schritt zurück und sahen Hunter irritiert von der Seite an.

»Was machst du da?«, fragte Garcia.

»Und jetzt betteln Sie.«

»Bitte«, sagte Hunter, der immer noch das Handy am Ohr hatte. »Ich flehe Sie an, lassen Sie Angela am Leben.«

Nun fiel bei den anderen der Groschen, und sie begannen ebenfalls, sich in der Menge umzusehen.

»Verdammt«, fluchte Silva und wies seine Leute an, sich wieder unter die Hotelgäste zu mischen und nach dem Täter Ausschau zu halten.

»Wonach suchen wir denn?«, wollte einer wissen.

»Nach jemandem, der sich verdächtig verhält«, lautete Silvas Antwort, ehe er seine Leute losschickte.

»Ich bin sicher, das können Sie besser, Detective. Sagen Sie es lauter.«

Hunter wiederholte seine Worte noch einmal lauter.

»Nein, Detective. Ich will, dass Sie es herausschreien. Lassen Sie die ganze Welt wissen, dass Sie um das Leben des Mädchens kämpfen.«

Hunter atmete ganz tief ein.

»BITTE, ICH FLEHE SIE AN, LASSEN SIE ANGELA AM LEBEN!«

Alle Umstehenden wandten die Köpfe und beäugten den Verrückten, der auf dem Gehsteig kniete und sich die Lunge aus dem Leib schrie.

»Noch mal.«

Hunter tat es.

»Noch mal.«

Auch diesmal gehorchte er.

»Sie haben eine kräftige Stimme, Detective.«

Eine kurze Pause trat ein, als müsse der Werwolf über etwas nachdenken.

»Nein«, sagte er schließlich. »Die Schlampe muss sterben. Aber ich melde mich später noch mal, um Ihnen zu sagen, wo Sie ihre Leiche abholen können ... beziehungsweise das, was noch davon übrig ist.«

Dann legte er auf.

Hunter erhob sich von den Knien und sah sich ein letztes Mal unter den verbliebenen Gästen um.

Die Worte des Werwolfs hallten in seinen Ohren wider. Er hatte keine Ahnung, wer oder wo der Killer war, aber eins wusste er mit absoluter Gewissheit: Der Werwolf irrte sich. Er würde Hunter schon viel früher anrufen.

80

Zurück im PAB, wurden Hunter und Garcia umgehend von Captain Blake in deren Büro zitiert.

»Das nenne ich eine Vollkatastrophe«, sagte sie, nachdem Hunter ihr von der fehlgeschlagenen Operation und seinem letzten Telefonat mit dem Werwolf berichtet hatte.

»Er war deutlich besser auf uns vorbereitet«, sagte Garcia, »als wir auf ihn.«

»Ach, meinen Sie wirklich?« Ihre Stimme troff nur so vor Sarkasmus. »Er hat Sie alle an der Nase herumgeführt – Sie beide, das SWAT und die SIS.«

Hunter hatte den Blick zu Boden geheftet und schwieg.

»Verdammt noch mal«, schimpfte Blake und kam hinter ihrem Schreibtisch hervor. »Ich weiß, wir reden hier von einem der aktivsten Serienmörder, die dieses Land je gesehen hat ... Aber Sie sind einer der erfolgreichsten *Jäger* von Serienmördern. Und trotzdem haben Sie sich von dem Kerl nach Strich und Faden verarschen lassen.«

Jetzt hob Hunter den Blick und sah Captain Blake an.

»Sie tun so, als ginge es hierbei nur um unseren guten Ruf, Captain.« Er machte aus seinem Ärger keinen Hehl.

»Nein, das stimmt nicht. Ich tue so, als ginge es hier um einen riesengroßen, folgenschweren Fehlschlag, und genau das ist der Fall. Wie konnte das passieren?«

»Er hat uns die Regeln diktiert. Wir mussten nach seiner Pfeife tanzen und seinen Befehlen folgen. Er war die ganze Zeit über im Vorteil, weil er genau wusste, was kommt ... Er wusste immer, wie der nächste Schritt aussehen würde, weil er derjenige war, der ihn geplant hat.«

Captain Blake schloss die Augen und massierte sich mit den Fingerspitzen die Brauen. »Und dieses arme Mädchen – Angela Wood ... Sie ist dann wohl so gut wie tot.«

Garcia starrte zu Boden. In ihm brodelte der Frust, doch er widersprach Blakes Aussage nicht.

Ganz im Gegensatz zu Hunter.

»Vielleicht auch nicht«, sagte der.

»Wie meinen Sie das?«, wollte Blake wissen.

»Wir müssen erst seinen Anruf abwarten.«

»Ach, Sie meinen den Anruf, in dem er Ihnen mitteilt, wo wir ihre Leiche finden? Denn genau das hat er Ihnen doch angekündigt, nicht wahr?«

»Ja«, räumte Hunter ein. »Aber ich habe …« Er zuckte fast unmerklich mit den Schultern. »Ich habe da so ein Gefühl, dass er noch nicht mit uns fertig ist.«

»Großartig!« Captain Blake rang die Hände. »Sie und Ihre gottverdammten *Gefühle* – davon kriege ich irgendwann noch mal ein Magengeschwür, Robert.«

81

Nachdem sie Captain Blakes Büro verlassen hatten, verbrachte Hunter die nächste Stunde damit, die Aufnahmen der Überwachungskameras aus dem Untergeschoss des Westin Bonaventure Hotels zu sichten. Er beschränkte sich dabei auf die Zeitintervalle, kurz bevor und nachdem der Feueralarm ausgelöst worden war. Beide Male hatten die Kameras einen Mann, von dem sie glaubten, dass es sich um den Werwolf handelte, beim Betreten beziehungsweise Verlassen der Wäscherei eingefangen. Das Dumme war nur, dass der Mann seine Hausaufgaben gemacht hatte. Er schien genau zu wissen, wo sich die Kameras befanden, denn alles, was Hunter und Garcia erkennen konnten, war eine große Gestalt mit tief in die Stirn gezogener Kapuze. Nicht ein einziges Mal blickte er auf, geschweige denn in die Kamera.

Nachdem Hunter seinen alten Buick auf dem zu seinem Apartment gehörigen Stellplatz geparkt hatte, nahm er sich einen Moment Zeit, um den Weihnachtsschmuck zu bewundern, mit dem einige seiner Nachbarn ihre Fenster dekoriert hatten. Es gab blinkende Lichterketten, Kunstschnee, bunte Sterne, Rentiere, Weihnachtsmänner, ein Christkind und die Heiligen drei Könige, ja sogar einen lebensgroßen Homer Simpson im Weihnachtsmannkostüm, der im fünften

Stock aus einem Fenster hing. Hunters eigenes Fenster hingegen war leer. Er feierte schon lange kein Weihnachten mehr. Ganz früher, als seine Mutter noch gelebt hatte, war Weihnachten immer ein schönes Fest gewesen, doch nachdem seine Mutter in der Weihnachtszeit an Krebs gestorben war, hatte sein Vater es nicht über sich gebracht, mit ihm zu feiern. Hunter war ohne festlichen Lichterglanz aufgewachsen – kein Christbaum, kein Weihnachtsschmuck, keine Kerzen. Allerdings hatte sein Vater ihm jedes Jahr ein Geschenk gekauft und ihm gesagt, es komme von seiner Mutter.

Hunter atmete tief ein und aus, bis die Erinnerung verblasst war, dann warf er einen Blick auf sein Handy – keine Nachrichten, keine verpassten Anrufe. Er sah auf die Uhr. Es war fünf vor neun.

Er war zu Tode erschöpft. Seine Füße waren wundgelaufen, und sein ganzer Körper schmerzte nach der Anstrengung des Tages. Er schloss die Augen, lehnte den Kopf nach hinten gegen den Sitz und versuchte das schreckliche Gefühl abzuschütteln, das sich seiner bemächtigt hatte und ihn zu ersticken drohte. Er konnte einfach nicht aufhören, an Angela zu denken – und an die wahrscheinlichen Konsequenzen dessen, was er getan hatte.

War sie womöglich schon tot?

Hatte der Werwolf impulsiv gehandelt, statt erst in sein Tagebuch zu schauen?

Zunächst hatte Hunter sich geweigert, das zu glauben, doch mit der Zeit war seine Gewissheit den Zweifeln gewichen, und nun wichen die Zweifel langsam, aber sicher der Angst. Er war so sehr damit beschäftigt, diese Angst in Schach zu halten, dass er es kaum registrierte, als jemand die hintere Tür auf der Beifahrerseite öffnete.

Als er sich umdrehte, um nachzusehen, wer es war, war es bereits zu spät.

82

Eine Minute zuvor

Von der anderen Straßenseite aus hatte der Mann geduldig hinter dem Steuer seines Lieferwagens gewartet. Als er Hunters Buick endlich in die Seville Avenue einbiegen sah, lächelte er, zog sich die Mütze etwas tiefer in die Stirn, prüfte den Sitz seiner Lederhandschuhe und stieg aus.

Im Schutz der Dunkelheit bewegte er sich schnell und lautlos. Er überquerte die Straße und hielt sich immer im Schatten. Als Hunter geparkt und den Motor ausgeschaltet hatte, kauerte der Mann bereits hinter einem blauen SUV zwei Stellplätze entfernt. Er zog eine Neunmillimeter Halbautomatik aus seinem hinteren Hosenbund und machte sich bereit.

Der Mann hatte damit gerechnet, dass Hunter sofort aussteigen würde, doch stattdessen blieb der Detective am Steuer sitzen und starrte unbewegt auf das Gebäude vor ihm.

Der Mann duckte sich und schlich näher, um sich hinter Hunters Auto zu verstecken. Er wartete noch einige Sekunden ab, doch Hunter bewegte sich nicht.

»Komm schon, komm schon. Steig aus, Detective«, murmelte er halblaut.

Der Mann war sich absolut sicher, dass Hunter ihn nicht bemerkt hatte. Dazu war er zu gut, zu erfahren. Er machte keine Fehler.

Spontane Planänderung.

Wenn er nicht rauskommt, gehe ich eben rein.

Der Mann bewegte sich nach rechts zur Beifahrerseite, entsicherte seine Waffe und streckte die Hand nach dem hinteren Türgriff aus. Er zählte bis eins.

In einer Bewegung, die so schnell war, dass man sie kaum

wahrnahm, zog er die Tür auf und schlüpfte lautlos wie eine Spinne auf die Rückbank.

Der Detective sah ihn nicht kommen.

Das Spiel war aus.

83

Aus Reflex drehte Hunter sich nach rechts in Richtung des Geräuschs.

Zu spät.

Ehe er auch nur blinzeln konnte, blickte er in die Mündung einer Neunmillimeterpistole mit Schalldämpfer.

»Detective Hunter«, sagte der Mann, den Hunter sofort an seiner monotonen Stimme wiedererkannte. »Wie schön, dass wir uns endlich mal persönlich begegnen.«

Hunters Blick ging von der Waffe zum Gesicht des Mannes.

Das ist also der Mann hinter der Werwolfmaske, dachte er. *Der Mann, der seine Morde im Darknet anbietet.*

Er war etwa Anfang vierzig und trug eine schwarze Wollmütze, die er sich tief in die Stirn gezogen hatte. Seine Augen waren dunkel wie eine sternenlose Nacht und so kalt, dass sie einem Kadaver hätten gehören können. Quer über seinen Nasenrücken – der ihm dem Aussehen nach schon mindestens einmal gebrochen geworden war – verlief eine gezackte Narbe. Und es war nicht die einzige. Am Kinn hatte er eine weitere, die vom linken Mundwinkel in einem halbmondförmigen Bogen bis hin zum Unterkiefer reichte. Diese Narbe war nicht sauber verheilt, die Haut war dick und ledrig. Das Gesicht des Mannes war eckig, seine Lippen fleischig, seine Brauen dicht, sein Kiefer kantig. Er hatte einen muskulösen Körperbau, aber es waren keine Muskeln, wie man sie sich im Fitnessstudio antrainierte. Nein, es waren harte, sehnige Muskeln, die man nur von harter körperlicher Arbeit bekam. Er trug einen mitternachtsschwarzen Kampfanzug und schwarze Armeestiefel.

Er sah aus wie der Held aus einem klassischen Actionfilm, fand Hunter. Alles, was noch fehlte, war der Dreitagebart.

»Okay«, fuhr der Mann fort. »Sie machen jetzt Folgendes, Detective: Ich will, dass Sie sich wieder nach vorne umdrehen, und dann nehmen Sie beide Hände nach hinten – einen Arm auf jeder Seite, als wollten Sie den Sitz umarmen. Wird's bald?«

Hunter hielt dem Blick des Mannes noch eine Sekunde lang stand.

Der Mann lud seine Pistole durch.

»Jetzt, Detective.«

Hunter drehte sich nach vorn und tat, was der Mann gesagt hatte.

Blitzschnell und mit großer Geschicklichkeit fesselte dieser Hunters Handgelenke mit einem Kabelbinder.

»Okay«, sagte Hunter. »Und was jetzt?«

Statt einer Antwort stieg der Mann auf der Fahrerseite aus und öffnete Hunters Tür.

Hunter blickte neugierig zu ihm auf.

Noch immer auf sein Gesicht zielend, griff der Mann in Hunters Jacke, um ihm Dienstwaffe, Handy, Marke und seine Handschellen abzunehmen.

»Wow«, sagte er, als er Hunters Pistole betrachtete. »Eine Heckler & Koch Mark 23? Ich sehe, Sie kennen sich aus, Detective.« Er nickte. »Gefällt mir. Etwas altmodisch, aber hierzulande die bevorzugte Waffe militärischer Spezialeinheiten.« Der Mann steckte sie sich hinten in den Hosenbund. »Zweitwaffe?«, fragte er.

»Nein«, antwortete Hunter. »Keine.«

»Na ja.« Der Werwolf zuckte die Achseln. »Ich vergewissere mich lieber selbst.«

Er betastete Hunters Oberkörper, seine Beine und Knöchel. Er fand nichts.

»Glücklich?«, wollte Hunter wissen.

Der Werwolf schenkte ihm ein kaltes Lächeln. »Ich weiß nicht mal mehr, was das bedeutet.«

Diese Worte ließen den Psychologen in Hunter aufhorchen.

Der Mann warf Hunter die Handschellen in den Schoß, ehe er in eine seiner Taschen griff und ein Kampfmesser herausholte. »Wir zwei machen jetzt eine kleine Spritztour, Detective«, sagte er, während er mit dem Messer den Kabelbinder um Hunters Handgelenke durchschnitt. Seine Pistole war immer noch auf Hunters Kopf gerichtet.

Hunter sah dem Mann in die Augen und rieb sich die Handgelenke.

»Jetzt«, fuhr der Werwolf fort und trat einen Schritt zurück, »nehmen Sie die Handschellen und fesseln sich die Hände hinter dem Rücken. Sie brauchen dafür nicht auszusteigen. Beugen Sie sich einfach ein Stück nach vorn. Tun Sie es jetzt, und zwar schön langsam.«

Hunter folgte den Anweisungen des Mannes.

»Eine Spritztour?«, fragte er. »Wohin denn?«

»Wir besuchen Ihre kleine Freundin, die diebische Schlampe.« Er bedeutete Hunter, aus dem Wagen auszusteigen.

Hunter tat es.

»Gehen Sie vor mir her«, befahl der Mann und wies mit einer knappen Bewegung seines Kopfes zur Straße. »Sehen Sie den dunklen Lieferwagen da drüben? Zu dem gehen wir jetzt hin. Wenn Sie auch nur eine falsche Bewegung machen, wird es das Letzte sein, was Sie tun. Habe ich mich klar ausgedrückt?«

»Glasklar.«

Langsam und schweigend gingen sie zum Lieferwagen. Dort angekommen, öffnete der Mann die Schiebetür.

»Drehen Sie sich mit dem Gesicht zum Wagen«, befahl er.
Hunter gehorchte.

Der Werwolf schnalzte geräuschvoll mit der Zunge und schüttelte den Kopf. »Sie hätten das wirklich nicht machen sollen, Detective. Wegen Ihres dummen kleinen Tricks muss ich Ihnen jetzt zeigen, wozu ich fähig bin. Ich will nicht nur, dass Sie sehen, was ich mit der kleinen Schlampe mache. Ich will, dass Sie hautnah dabei sind. Ich will, dass Sie ihre Angst riechen. Ich will, dass Sie ihre Schreie hören. Ich will, dass Sie ihr Blut schmecken. Aber vor allem will ich, dass Sie hinterher ihre Einzelteile aufsammeln müssen.«

Der Mann schlug mit dem Griff seiner Pistole hart gegen Hunters Hinterkopf.

Alles wurde schwarz.

84

Als Angela Wood aus einem traumlosen Schlaf hochschreckte, setzte fast augenblicklich die Verwirrung ein. Hektisch sah sie sich um. Ihr Kopf bewegte sich ruckartig und abgehackt, wie der eines Huhns, das nach Futter sucht. Doch es herrschte vollkommene Dunkelheit – eine Dunkelheit, die so dicht und undurchdringlich war, dass sie im ersten Moment glaubte, ihre Augen wären noch geschlossen. Doch sie wusste, dass sie offen waren.

Plötzlich begann sie am ganzen Leib zu zittern – vor Angst und vor Kälte. Sie schlang sich die Arme um den Körper und rieb sich die mit Gänsehaut überzogenen Arme so fest sie konnte. Sie war nicht nackt, aber ihre Kleider waren feucht. Sie zog am Kragen ihres T-Shirts und roch daran. Schweiß war es nicht.

»Scheiße. Wo bin ich?«

Kaum dass sie dies ausgesprochen hatte, setzte ein brennender, beinahe unerträglicher Schmerz in ihrem Hals ein. Sie zuckte zusammen, und in einer reflexartigen Bewegung flog ihre Hand an ihren Hals. Da fiel es ihr wieder ein: das Safehouse, das Klopfen an der Schlafzimmertür, der Mann, der schmerzhafte Stich in den Hals.

Lange Zeit saß sie einfach nur so da. Sie atmete schwer. Das Zittern wurde immer schlimmer. Sie zog die Knie an die Brust und machte sich so klein wie möglich, in der Hoffnung, ein bisschen Körperwärme zu konservieren. Erst dabei stellte sie fest, dass sie nicht gefesselt war. Sie fror, und ihre Sachen waren nass, aber bis auf die Schmerzen im Hals ging es ihr gut. Ihr war nicht einmal schwindlig. Sie streckte die Beine aus und zog sie wieder an. Keine Schmerzen. Sie machte dasselbe mit ihren Armen – auch die waren unversehrt.

Sie setzte sich auf und wartete. Kein Schwindelgefühl, kein Kopfweh. Sie holte tief Luft und versuchte nachzudenken.

Als Erstes musste sie herausfinden, wo sie war. Ihre Muskeln fühlten sich ein wenig steif an, weil sie zu lange auf einem harten Untergrund gelegen hatte. Sie tastete ihn mit den Händen ab und befühlte jeden Zentimeter um sich herum – ein schmales Bett mit Eisenrahmen und einer dünnen Matratze.

Angela schwang die Beine auf den Boden, bis ihre nackten Zehen kalten Zement berührten.

Sie saß auf der Bettkante, und einen Moment lang zögerte sie. Ihre Furcht kämpfte gegen ihren Drang, sich irgendwie zu befreien.

Der Freiheitsdrang siegte.

Sie stand auf, rührte sich jedoch noch einen Augenblick lang nicht von der Stelle.

Immer noch kein Schwindelgefühl.

Ihre Beine fühlten sich einigermaßen stabil an.

Wie eine Blinde auf einem schlechten Acid-Trip tastete sie

in alle Richtungen nach Hindernissen. Sie fand nichts. Sie wandte sich nach rechts und ging in kleinen Schritten geradeaus. Dabei zählte sie ihre Schritte. Nach acht Schritten gelangte sie an eine gemauerte Wand.

Angela streckte die Arme nach rechts aus und ging weiter, bis sie eine Ecke ertastet hatte. Von dort aus wandte sie sich nach links. Mit dem rechten Arm behielt sie den Kontakt zur Wand, während sie den linken weiterhin tastend vor sich ausgestreckt hielt. Noch einmal acht Schritte, dann hatte sie die nächste Wand erreicht. Abermals wandte sie sich nach links und ging vorsichtig weiter. Diesmal kam sie nur drei Schritte weit, ehe das Mauerwerk aufhörte und sie stattdessen massives Metall unter den Fingern spürte – eine Tür.

Sie tastete die Umrisse ab und fand kein Schloss, keine Klinke. Nichts als eine kalte, glatte Fläche aus Stahl.

Angst stieg ihr in die Kehle, und sie schlug mit der flachen Hand gegen die Tür, zuerst noch zaghaft, beim zweiten Mal mit aller Kraft, dass ihre Handfläche davon brannte.

»Hey!«, schrie sie. »Lass mich hier raus!«

Gleich darauf schrie sie noch einmal – diesmal vor Schreck, als plötzlich von oben eisiges Wasser auf sie herunterzuprasseln begann.

85

Eine Ladung eiskaltes Wasser weckte Hunter aus der Bewusstlosigkeit. Reflexartig riss er den Kopf hoch, begann zu husten und schnappte nach Luft. Die ruckartige Bewegung führte dazu, dass er die Kopfschmerzen bemerkte, die so heftig waren, dass sie einen Toten hätten erwecken können. Das Zentrum lag im Nacken, von wo aus sie sich über seinen gesamten Schädel bis in sein Gesicht ausbreiteten.

»Aufwachen, Schlafmütze.«

Hunter stellte fest, dass er auf einem stabilen, schweren Metallstuhl saß. Seine Hände waren hinter der Rückenlehne des Stuhls mit Kabelbindern aneinandergefesselt, darüber hinaus war noch jede Hand einzeln an der Lehne fixiert. Seine Fußknöchel waren mit jeweils zwei überkreuzten Kabelbindern an den Stuhlbeinen festgebunden. Egal, wie viel Kampfgeist er noch besaß, aus dieser Lage würde er sich niemals aus eigener Kraft befreien können, das wusste er – nicht ohne einen scharfen Gegenstand, um das Plastik durchzuschneiden.

Der Raum, in dem er sich befand, hatte Wände aus Betonziegeln, war relativ groß und quadratisch geschnitten.

Hunter hob das Kinn gerade so weit an, dass er die Decke betrachten konnte. Acht Halogenleuchten tauchten den Raum in kaltes Licht. Gegenüber von seinem Stuhl sah er ein Kontrollpult, an der Wand darüber einen großen Monitor. Rechts neben dem Pult stand ein großes Regal aus Metall, das jede Menge Elektronik enthielt. Daneben gab es auch noch einen Schrank, der abgeschlossen zu sein schien. Links vom Kontrollpult befand sich eine Stahltür. Dagegen lehnte der Mann, den Hunter als den Werwolf kannte. Zu seinen Füßen stand ein Blecheimer.

Hunter hustete abermals, ehe er den Kopf schüttelte, um das Wasser loszuwerden, das ihm aus seinen nassen Haaren in die Augen rann. Durch die Bewegung wurden die Kopfschmerzen noch unerträglicher.

Der Werwolf hob die rechte Hand, um Hunter sein Tagebuch zu zeigen. Der hintere Buchdeckel fehlte.

»Ich brauche die Informationen, die Sie unkenntlich gemacht haben«, sagte er. Seine Stimme klang nach wie vor monoton, trotzdem schwang in ihr jetzt eine unüberhörbare Wut mit.

Er schlug das Tagebuch auf und zeigte, dass das dünne Leder fehlte, mit dem der vordere Buchdeckel innen kaschiert gewesen war. Die vier Zeilen handgeschriebener Text, die Vince Keller am Morgen entdeckt hatte, waren mit einem dicken schwarzen Filzstift durchgestrichen worden, sodass man nichts mehr lesen konnte.

Das war Hunters Plan B.

Sobald er am Nachmittag die Nachricht erhalten hatte, dass der Werwolf die beiden SIS-Agenten im Safehouse getötet hatte, um sich Angela zu schnappen, hatte er sich mit Keller in Verbindung gesetzt und ihn gebeten, die Zeilen unleserlich zu machen. Keller war zunächst skeptisch gewesen. Es war ein riskanter Plan, aber Hunter wusste, dass die Informationen auf der Innenseite des Buchdeckels der einzige Grund waren, weshalb Angela noch lebte, und er hatte geahnt, dass der Werwolf beim Austausch mit einer Überraschung aufwarten würde – falls es überhaupt zu einem Austausch käme. Einen Peilsender im Einband des Buches zu verstecken war eine gute Idee gewesen, aber Hunter durfte nicht riskieren, ohne eine Alternative in den Austausch zu gehen – wie haarsträubend diese auch sein mochte.

Er hatte die Informationen auswendig gelernt. Und er hatte immer noch das Foto.

»Ich brauche sie«, sagte der Werwolf.

»Ich weiß«, sagte Hunter und versuchte sein Bestes, ruhig zu klingen. Er zitterte in seinen nassen Sachen. »Das ist der wahre Grund, weshalb Sie mich hergebracht haben. Weil Sie die Infos brauchen.«

Der Werwolf musterte den gefesselten Detective mehrere Sekunden lang.

»Ah, verstehe«, sagte er schließlich und machte einige Schritte auf ihn zu. »Sie glauben, was Sie getan haben – die Informationen unkenntlich zu machen und sie an einem sicheren Ort aufzubewahren ...« Er hielt inne, und seine Augen wurden schmal. Etwas blitzte in ihnen auf, als sei ihm etwas klar geworden, und er lächelte kalt. »Lassen Sie mich raten. Dieser sichere Ort ist Ihr Kopf, richtig? Sie haben alles auswendig gelernt?«

Hunter schwieg.

»Na klar.« Wieder ein Lächeln vom Werwolf, ohne den leisesten Hauch von Humor. »Glauben Sie, dass Sie damit eine bessere Verhandlungsposition haben, Detective?«

Auch darauf antwortete Hunter nicht.

»Lassen Sie mich noch mal raten«, fuhr der Werwolf fort und legte sein Tagebuch auf das Kontrollpult. »Sie wollen die Informationen in Ihrem Kopf gegen die kleine Schlampe austauschen, richtig?«

»Ich will mich nur an unsere ursprüngliche Abmachung halten«, gab Hunter zurück. Jedes Wort, das er sagte, schmerzte, als würden in seinem Kopf Feuerwerkskörper hochgehen. »Das Tagebuch für Angela, wissen Sie noch? Ich hatte so ein Gefühl, dass Sie sich nicht an Ihre Seite der Vereinbarung halten würden, also habe ich improvisiert.«

Der Werwolf lachte spöttisch. »Sagt der Mann, der einen Peilsender in meinem Tagebuch versteckt hat. Sie haben die Regeln zuerst gebrochen, Detective. Nicht ich. Sie hätten das Mädchen bekommen. Ich hatte Ihnen mein Wort darauf gegeben.«

»Und ich hätte Ihnen einfach so vertrauen sollen?«, fragte Hunter.

Der Werwolf sah Hunter in die Augen. »Ja, hätten Sie.«

In dem Moment hörte Hunter etwas in der Stimme des Werwolfs, mit dem er nicht gerechnet hätte: eine Ernsthaftigkeit, die sich auch in seinen Augen widerspiegelte und die den Eindruck erweckte, als würde der Mann tatsächlich die Wahrheit sagen.

Hunter beschloss, seinen Gegner auf die Probe zu stellen.

»Vertrauen muss man sich verdienen«, meinte er. »Das sollten Sie doch wissen. Das ist doch eine der ersten Lektionen, die man beim Militär lernt.«

Diese Bemerkung schien den Werwolf zunächst etwas aus der Fassung zu bringen.

»Sind Sie sicher, dass Sie diesen Weg gehen wollen, Detective?« Sein Körper war auf einmal angespannt. »Und überhaupt, was wissen Sie schon vom Militär? Sie haben doch nie gedient. Sie waren nie auf einem Auslandseinsatz. Sie haben nie gekämpft.«

Sein Tonfall verriet Hunter, dass er einen Nerv getroffen hatte. Er musste blitzschnell eine Entscheidung treffen, ob er noch einen Schritt weitergehen oder lieber schweigen sollte.

Hunter beschloss, es darauf ankommen zu lassen.

»An der Polizeiakademie lernt man viele ganz ähnliche Prinzipien wie in der Armee«, sagte er. »Und Sie irren sich. Jede Ermittlung, an der ich bisher teilgenommen habe, war wie ein Kampfeinsatz. Jedes Mal, wenn ich einem Verbrecher gegenüberstand – egal, was für ein Verbrecher es war –, musste ich kämpfen. Wir haben beide unserem Land gedient, nur auf unterschiedliche Art und Weise.«

»Glauben Sie das wirklich, Detective? Dass wir zwei gleich sind?«

»O nein, ich glaube keinesfalls, dass wir gleich sind«, entgegnete Hunter. »Es gibt einen riesengroßen Unterschied zwischen uns. Ich bin nicht wahnsinnig. Ich habe nicht das Vertrauen meines Landes missbraucht oder den Eid verraten, den ich vor vielen Jahren abgelegt habe. Ich habe nicht angefangen, Menschen für Geld zu ermorden und Bilder davon im Darknet zu verscherbeln.«

Während er dies sagte, sah Hunter, wie sich abermals etwas in den Augen des Werwolfs veränderte.

In dem Moment wusste er, dass er die falsche Entscheidung getroffen hatte.

Er war zu weit gegangen.

86

Ein wohlplatzierter Schlag gegen den Solarplexus, ein komplexes Nervengeflecht auf Höhe des Oberbauchs, kann dazu führen, dass sich das Zwerchfell krampfartig zusammenzieht und sogar eine kurzzeitige Lähmung eintritt, sodass man das Gefühl hat, keine Luft mehr zu bekommen, und das Herz anfängt zu rasen.

Ungefähr diese Wirkung schienen Hunters letzte Worte auf den Werwolf gehabt zu haben. Der Ex-Soldat rang nach Atem. Er brodelte innerlich vor Zorn, während die beiden einander in die Augen starrten.

Hunter bereute seine Worte. Vielleicht hätte er noch etwas abwarten sollen, bis er diese Karte ausspielte, aber jetzt war es zu spät, um noch zurückzurudern. Er gelangte zu dem Schluss, dass es das Beste war, die Flucht nach vorn anzutreten und einfach weiterzureden.

»Ja«, sagte er mit fester, aber gänzlich unaufgeregter Stimme. »Wir haben rausgefunden, was diese Zeilen bedeuten. Wir haben den Chatroom im Darknet entdeckt. Und die ›Stimmen‹.«

Einen Herzschlag lang sah der Werwolf so aus, als würde er gleich die Beherrschung verlieren.

»Haben Sie sich eingeloggt?«, fragte er gepresst.

Statt eine Antwort zu geben, betrachtete Hunter den Mann schweigend.

»Ob – Sie – sich – eingeloggt – haben?«, stieß der Werwolf durch zusammengebissene Zähne hervor.

»Ja«, gestand Hunter schließlich. »Das habe ich. Schlauer Nickname übrigens. Miles Sitrom. Sehen Sie sich so? Als Soldat des Todes?«

Der Werwolf stand da wie erstarrt.

»Hat sich eine der Stimmen gemeldet?«, fragte er nach

einer ganzen Weile. »Haben Sie mit jemandem gechattet?«

Wieder musterte Hunter den Mann, ohne zu antworten.

»Besser, Sie machen den Mund auf, Detective, sonst stirbt die kleine Schlampe jetzt und hier, das schwöre ich bei Gott.« Der Werwolf deutete auf die Stahltür hinter ihm.

»Ja«, sagte Hunter und nickte. »Mit Stimme 1 und Stimme 2. Sekunden nachdem wir uns eingeloggt hatten, sind sie dem Chat beigetreten.«

Das war Hunters zweiter Schlag gegen den mentalen Solarplexus des ehemaligen Soldaten. Er sah den Zorn in seinen Augen lodern.

»Hören Sie mir gut zu, Detective. Sie müssen sich jetzt genau an den Chat zurückerinnern. Ich muss wissen, was gesagt wurde, und damit meine ich den exakten Wortlaut ... Alles, was Sie und die Stimmen sich geschrieben haben. Das Leben der kleinen Schlampe hängt davon ab.«

»Es hat nicht lange gedauert«, sagte Hunter.

»Es ist mir scheißegal, wie lange es gedauert hat. Ich muss wissen, was Sie geschrieben haben, und zwar *jetzt*!«

Der Ton des Werwolfs verriet den inneren Druck, unter dem er stand.

»Schon gut«, sagte Hunter, ehe er berichtete, was sich am Morgen in Vince Kellers Büro zugetragen hatte. Er erinnerte sich noch an jedes Wort aus dem Chat.

Sobald er den ausgedachten Wasserschaden erwähnte, schloss der Werwolf wie unter Schmerzen die Augen.

»Die Stimmen haben Ihren Rechner zurückverfolgt«, sagte er. »Sie verfügen über die neueste Technik. Sie haben mit Sicherheit gemerkt, dass ich es nicht war.«

»Nein, haben sie nicht«, widersprach Hunter. »Unsere Technologie ist auch auf dem neuesten Stand. Unsere Firewalls verschleiern die IP-Adresse und leiten die Verbindung über mehrere Server um. Außerdem waren wir nicht mal zwei Minuten eingeloggt. Selbst wenn sie die nötige

Technologie hätten, um die IP-Adresse zu entschlüsseln, war die Zeit dazu viel zu kurz. Im Film geht so was vielleicht, aber nicht im echten Leben.«

»Trotzdem hätten Sie das nicht tun dürfen, Detective. Sie hätten sich wirklich nicht einloggen dürfen. Dafür müssen Sie bezahlen.«

Der Werwolf griff nach der Waffe auf dem Kontrollpult und zielte damit auf Hunters Kopf. Der Schalldämpfer war verschwunden.

»Sie sagten doch, auf der Polizeiakademie hätten Sie ganz ähnliche Dinge gelernt wie wir in der Armee?«

Hunter versteifte sich unwillkürlich.

Der Ex-Soldat gab Hunter keine Gelegenheit zum Antworten.

»In dem Fall möchte ich Sie etwas fragen, Detective: Hat man Ihnen dort auch beigebracht, so zu schießen?«

Der Werwolf drückte zweimal blitzschnell hintereinander ab.

87

Angela Wood saß im Dunkeln, den Rücken gegen die kalte, raue Wand gelehnt, die Arme um die angezogenen Beine geschlungen, den Kopf zwischen den Knien, und zitterte am ganzen Leib. Ihre Augen brannten, weil sie so viel geweint hatte.

Sie hatte ganz vergessen, wie anstrengend das Weinen war. Wie sehr es einen auslaugte – körperlich und seelisch. Nach dem Tod ihres Bruders hatte sie monatelang fast nichts anderes getan, als zu weinen. Diese Monate hatten ihr so viel Energie geraubt, dass sie manchmal ohne ersichtlichen Grund ohnmächtig geworden war.

Während sie durchnässt in ihrer dunklen, kalten Zelle saß, fühlte sich Angela so niedergeschmettert, als wäre sie in jene schrecklichen Monate zurückversetzt worden.

Sie wusste, sie hätte jetzt nicht mal die Kraft, um einer Zehnjährigen davonzulaufen. Sie war so verängstigt, dass selbst die kleinste Kleinigkeit – ein Geräusch jenseits der Tür, das Angehen des Lichts, das Summen einer Fliege an ihrem Ohr – zu mehr Tränen führte und ihr Körper unkontrolliert zu zittern anfing.

In der totalen Finsternis und in ihrem überreizten, verzweifelten Zustand hatte sie jedes Zeitgefühl verloren. Sie wusste nicht, ob sie seit Stunden in dieser Zelle saß, seit Tagen oder sogar schon seit Wochen. Ihr Gehirn verarbeitete Informationen nicht mehr so, wie es sollte. Alles, was sie tun konnte, war, sich auf ihre Atmung zu konzentrieren – ein, aus, ein, aus. Aber die Angst machte selbst das zu einem ständigen Kampf.

Angela hatte gerade zum dritten Mal einen warmen Atemzug in ihre Hände geblasen, um sie ein wenig zu wärmen, als plötzlich ...

BANG! ... BANG!

Es knallte zweimal hintereinander, tief und dumpf – so dumpf, dass ihre Zellentür davon erzitterte.

Ihr Herz fing an zu rasen. Sie wusste genau, was das für ein Geräusch gewesen war. Sie hatte es schon mal gehört.

Es waren Schüsse.

88

In dem unterirdischen Kontrollraum hallten die Schüsse aus der Waffe des Werwolfs laut wie Kanonenschläge von den Wänden wider.

Der unverwechselbare Geruch von NC-Pulver erfüllte die Luft. Der Werwolf lächelte. Er liebte diesen Geruch. Unvermittelt brach er in schallendes Gelächter aus.

Hunter saß wie erstarrt auf seinem Stuhl. Er hatte den Blick noch immer fest auf die Waffe gerichtet, während sich sein Brustkorb in einem abgehackten, unregelmäßigen Rhythmus hob und senkte.

»Sie sollten Ihr Gesicht sehen. Gott, das war unbezahlbar.«

An seinem Lachen erkannte Hunter, wie schwer die Psyche des Werwolfs in Mitleidenschaft gezogen war. Er brauchte eine scheinbare Ewigkeit, bis er sich wieder beruhigt hatte.

»Egal«, sagte er dann. »Also. Meine Frage steht noch, Detective: Lernt man auf der Polizeiakademie so zu schießen?«

Die Präzision des Werwolfs war geradezu unheimlich gewesen. Hunter hatte nicht nur die Projektile an seinem Kopf vorbeifliegen hören, er hatte sogar den Luftzug gespürt. Das erste Projektil war weniger als zwei Zentimeter an seinem rechten Ohr vorbeigeschossen, das zweite ebenso dicht an seinem linken.

Er füllte seine Lungen mit Luft und versuchte mit aller Macht, seine Nerven zu beruhigen und seinen Körper am Zittern zu hindern. Sein Herz pochte schmerzhaft in seiner Kehle.

Er wartete einen Moment ab, ob ihm etwas wehtat – nichts. Erst dann wagte er es, den Kopf vorsichtig nach rechts und dann nach links zu drehen. Er sah an sich herunter und hielt Ausschau nach Blut. Nein, er war unversehrt.

»Was Sie nicht wissen, Detective Hunter, ist, dass ich der Beste bin.« Man hörte deutlich den Stolz in seinen Worten. »Mit einer zuverlässigen Neunmillimeter wie dieser hier«, er zeigte Hunter seine Sig Sauer P228, »treffe ich ein bewegliches Ziel von der Größe eines Basketballs auf eine Distanz von zweihundert Metern. Ein ruhendes Ziel bei günstigen Windbedingungen?« Er zuckte die Schultern. »Dreihundert Meter – vielleicht sogar ein bisschen mehr. Ich habe es schon geschafft. Geben Sie mir ein Scharfschützengewehr, und ich schalte ein beliebiges Ziel aus einer Meile Entfernung aus. Das habe ich beim US-Militär gelernt, Detective.«

Hunter konnte nicht umhin zu bemerken, dass der Werwolf im Gegensatz zu vorher nicht mehr ganz so angespannt wirkte. Und er hatte auch eine recht gute Vorstellung davon, weshalb das so war.

Er fand sich nicht zum ersten Mal in einer solchen Situation wieder – von Angesicht zu Angesicht mit einem Mörder, der alle Karten in der Hand hielt und Hunters Leben jederzeit beenden konnte.

Stattdessen hatten die meisten angefangen zu reden.

Es gab immer einen Grund, weshalb ein Serienmörder tötete. Ohne Ausnahme. Dieser Grund oder dieser Komplex von Gründen mochte einem Außenstehenden nicht nachvollziehbar erscheinen, doch es gab ihn immer, und tief im Innern verspürte jeder Mörder das Bedürfnis, sich zu erklären ... Er wollte, dass andere verstanden, warum er tat, was er tat ... Er wollte, dass andere, wenn auch nur für einen kurzen Augenblick, sich in seine Lage versetzten und die Welt durch seine Augen sahen, wie verzerrt dieser Blick auch sein mochte. Doch am allermeisten wollte er der Welt zu verstehen geben, dass er sich selbst keineswegs als wahnsinnig oder geisteskrank betrachtete.

Bei jemandem wie dem Werwolf musste dieses Bedürfnis noch ungleich stärker sein. Der Mann war ein ehemaliger Soldat, ein Kriegsveteran – jemand, der mindestens einen Fronteinsatz hinter sich hatte. Er hatte für sein Land gekämpft, er hatte für sein Land getötet, und er war bereit gewesen, für sein Land zu sterben. Das bedeutete, dass er sich einen Teil seines Lebens einem Verhaltenskodex unterworfen hatte, der als einer der strengsten der Welt galt. Dieser

Kodex ließ sich, für Laien verständlich, im Wesentlichen mit einem Wort zusammenfassen: Ehre.

Hunter wusste, dass es einen triftigen Grund dafür geben musste, dass ein Mann, der bereit gewesen war, im Namen der Ehre zu leben, zu töten und zu sterben, eine derartige Kehrtwendung vollzogen hatte und nun alles verriet, woran er einst geglaubt hatte. Und zweifellos wollte der Werwolf, dass Hunter über diesen Grund Bescheid wusste, zumal ein solch fundamentaler Sinneswandel mit heftigsten Schuld- und Schamgefühlen einhergegangen sein musste.

Hunter wusste um die zerstörerische Kraft dieser beiden Emotionen, und er war erfahren genug, um einen Mörder reden zu lassen, wenn er reden wollte.

»Ganz richtig, Detective«, fuhr der Werwolf fort. »Beim Militär habe ich das Töten gelernt – mit Waffen, mit bloßen Händen ... Und ich war gut darin.« Er hielt inne, als müsse er seine Worte noch einmal überdenken. »Nein, das stimmt nicht. Ich war *herausragend*. Ich war der Beste.«

Hunter erwartete, dass er fortfuhr, doch der Werwolf schwieg. Das war kein gutes Zeichen. Hunter bohrte vorsichtig nach.

»Waren Sie bei den Spezialkräften?«, fragte er.

Der Werwolf lachte spöttisch.

»Verglichen mit dem, was wir getan haben, Detective, sind die Spezialkräfte ein Haufen Amateure.«

Er hielt Hunters Blick mehrere Sekunden lang fest, und während dieser Zeit entspannte sich seine Körperhaltung immer weiter. Dann hob er schließlich die Schultern, als wolle er sagen: *Ach, was soll's?*

»Wir waren eine geheime Einheit«, sagte der Werwolf. »Ein Mordkommando ... eine Todesschwadron ... Nennen Sie es, wie Sie wollen.« Er legte seine Waffe auf das Kontrollpult.

Das war definitiv ein gutes Zeichen.

»Wie haben *Sie* es denn genannt?«, fragte Hunter in ehrlichem Interesse.

Der Werwolf lächelte. »Offiziell hatten wir keinen Namen.« Wieder ein Achselzucken. »Offiziell gab es uns nicht mal. Sie werden keinerlei Unterlagen über uns finden, weder auf Papier noch digital. Wie soll man Informationen über etwas finden, das nicht mal einen Namen hat? Wo fängt man an zu suchen? *Wonach* sucht man überhaupt? Sie haben nie unsere richtigen Namen benutzt. Wir wurden alle unter Decknamen geführt, zum Schutz der Einheit. Aber aus Spaß haben wir uns manchmal ›Mission Impossible‹ genannt, weil man uns gleich zu Anfang gesagt hatte: ›Wenn einer eurer Einsätze schiefläuft ... wenn einer von euch in Gefangenschaft gerät oder ums Leben kommt, wird die Regierung jegliche Beteiligung, jegliches Wissen von dem Vorfall abstreiten.‹« Er hielt kurz inne. »Mission Impossible – verstehen Sie?«

Hunter zog die Augenbrauen hoch.

»Wir wurden nie irgendwo hingeschickt, um den Frieden zu wahren«, fuhr der Werwolf fort, »um Menschen in Bedrängnis zu helfen oder die Schwachen zu beschützen, um feindliches Terrain zu sondieren oder nach Massenvernichtungswaffen zu suchen oder irgendwas von diesem ganzen Bullshit, mit dem die Regierung die Presse und die Öffentlichkeit füttert, wann immer sich unsere Truppen in irgendeinen bewaffneten Konflikt einmischen. Wenn wir irgendwohin geschickt wurden, ging es immer nur um eins: Töten. Manchmal war das Ziel eine einzelne Person, manchmal eine Gruppe. Wir haben keine Geiseln genommen, und wir haben nicht verhandelt. Wir waren dazu da, eine Situation, die – aus welchen Gründen auch immer – außer Kontrolle geraten war, zu beenden. Ja, im Beenden waren wir richtig gut.«

Der Werwolf versank in Schweigen, und abermals animierte Hunter ihn zum Weiterreden.

»Was ist schiefgelaufen?«

Der Werwolf starrte Hunter mit leerem Blick und verständnisloser Miene an. »Wie meinen Sie das?«

»Ich meine: Wie kommt es, dass jemand, der dazu ausgebildet wurde, für sein Land zu töten und zu sterben – ein Mitglied in einer militärischen Eliteeinheit, das sich einem strikten Verhaltenskodex unterworfen hat ... Wie kommt so ein Mensch dazu, Morde im Darknet zu verkaufen?«

Wieder lachte der Werwolf. Diesmal war es kein zynisches, sondern ein ernüchtertes Lachen.

»Tja, wie sich rausstellt, sind die Presse und die zivile Öffentlichkeit nicht die Einzigen, die von unserer Regierung belogen werden.« Er fixierte Hunter, und dieser sah, wie etwas in die Augen des Werwolfs trat, das er nicht zu deuten wusste.

Der Werwolf fuhr sich mit der Hand über den Mund, eine Geste, die beinahe unsicher wirkte, so als überlege er, ob er wirklich ausführlicher schildern sollte, was er gerade angedeutet hatte, oder ob es besser wäre, das Thema fallen zu lassen.

»Ach«, sagte er schließlich und hob in einer beinahe apathischen Geste die Hände. »Möchten Sie wirklich die Wahrheit wissen, Detective ... die ganze Wahrheit?«

»Ja.«

»Also gut. Ich hoffe, Sie sitzen bequem.« Er lachte über seinen eigenen Scherz.

89

Äußerlich ruhig und gefasst, lehnte sich der Werwolf gegen das Kontrollpult und verschränkte die Arme vor der Brust.

»Unsere Einheit war handverlesen«, begann er. »Aber nicht aus bereits aktiven Soldaten, aus Rekruten der Marine oder Kadetten der Army oder den Navy Seals oder irgendwelchen anderen Mitgliedern der Streitkräfte. Nein, wir waren handverlesen aus den Abgeschriebenen.«

Hunter runzelte die Stirn. »Den Abgeschriebenen?«

»So kann man uns am besten bezeichnen. Abgeschrieben, perspektivlos und sehr, sehr wütend. Wir hatten wirklich nichts zu verlieren und noch eine Rechnung mit der Welt offen.«

Hunter verstand immer noch nicht.

»Ich selbst wurde mit vierzehn rekrutiert«, sagte der Werwolf. »Direkt aus dem Jugendknast.« Er lachte. »Ich wette, Sie wussten nicht, dass unser Militär so was macht, hm?«

Hunter schüttelte den Kopf. »Nein, das war mir nicht bekannt.«

»Meine Mutter war alkohol- und drogenabhängig. Immer schon gewesen.« Seine Augen waren voller Zorn und Trauer. »Um an Geld zu kommen – für Drogen und Schnaps, nicht für ihre Familie –, hat sie irgendwann angefangen, sich zu prostituieren. Die meisten Freier kamen zu uns in die Wohnung, die war gerade mal so groß wie ein Schuhkarton. Wir lebten in Edison, Fresno, da komme ich her. Wie auch immer, ich habe es zu Hause *gehasst*. Ich habe es gehasst, ständig Männer kommen und gehen zu sehen, ihre grinsenden Gesichter, die Geräusche, die aus dem Schlafzimmer meiner Mutter drangen ... Ich habe es kaum dort ausgehalten, also habe ich die meiste Zeit draußen verbracht. Man kann sagen, dass ich auf der Straße aufgewachsen bin, in einer der gefährlichsten Gegenden von Fresno, und ich hatte eine unglaubliche Wut im Bauch.« Er hielt inne, um sich erneut mit der Hand über den Mund zu fahren. »Meine erste Begegnung mit der Polizei hatte ich mit zwölf.« Er zuckte die Achseln. »Na ja, eigentlich mit elfeinhalb, aber wer nimmt das schon so genau? Ich wurde beim Ladendiebstahl erwischt. Von da an war ich ein regelmäßiger Gast im Jugendgefängnis.«

»Was ist denn mit Ihrem Vater?«, fragte Hunter vorsichtig.

»Habe ich nie kennengelernt. Keine Ahnung, wer er ist. Ich glaube, nicht mal meine Mutter wusste das.« Er sagte all dies ohne jede erkennbare Emotion.

»Haben Sie Brüder?«, fragte Hunter. »Oder Schwestern?«

»Nein.« Der Werwolf deutete auf sich selbst. »Ein Betriebsunfall war offenbar genug für meine dumme Mutter.«

Hunter versuchte, seine Sitzposition zu verändern, doch mit gefesselten Händen und Füßen war das praktisch unmöglich.

»Mit vierzehn«, fuhr der Werwolf fort, »während ich wieder mal eine kurze Haftstrafe absaß, kriegte ich Besuch von jemandem. Ich kannte ihn nicht, hatte ihn noch nie zuvor gesehen.« Er lachte trocken. »Er nannte sich Atlas. Das war alles. Kein Nachname. Ein großer, muskelbepackter Typ mit hässlichem Schnauzbart und furchtbaren schwarzen Augen, die einem direkt bis in die Seele schauen konnten. Das Erste, was er zu mir sagte, war, dass er schon Hunderte Jungs wie mich getroffen hätte – Jungs voller Aggressionen, vom Leben verraten und ausgerechnet von den Menschen im Stich gelassen, die sie doch eigentlich am meisten hätten lieben sollen. Jungs voller Potenzial, aber ohne Zukunft. Jungs, die entweder gar keine Familie hatten oder eine Familie, die sie nicht wollte. Jungs, die früher oder später immer im Jugendknast landeten. Er sagte mir, dass neun von zehn dieser Jungs unweigerlich zu Schwerkriminellen wurden und mit fünfundzwanzig entweder lebenslang im Knast saßen oder unter der Erde lagen.«

Hunter wusste, dass dies den Tatsachen entsprach.

»Dann hat er mich gefragt, ob ich auch so enden will oder meinem beschissenen Leben lieber eine neue Richtung geben. Ob ich etwas tun will, um anderen zu helfen und Leben zu retten – etwas, das mir eine Aufgabe und einen Sinn gibt. Er hat mich gefragt, ob ich endlich eine richtige Familie haben will – etwas, was ich nie hatte, mir aber immer gewünscht habe.«

Hunter nahm einen neuen Unterton in der Stimme des Werwolfs wahr. Etwas wie Stolz.

»Na ja.« Der Werwolf seufzte. »Atlas war ein guter Redner. Sehr überzeugend. Er wusste genau, welche Knöpfe er drücken musste. Er wusste, was ein vierzehnjähriger Junge, der dabei ist, sich langsam, aber sicher sein eigenes Grab zu schaufeln, hören muss, damit er sich nicht länger wie ein Ausgestoßener fühlt. An dem Tag hatte ich zum ersten Mal in meinem Leben das Gefühl, etwas wert zu sein ... Zum allerersten Mal hatte ich das Gefühl, dass ich kein Fehler bin. Ich habe alles geschluckt, was er mir gesagt hat. Ich habe ihm jedes Wort seiner verfickten Ansprache geglaubt. Gleich am nächsten Tag wurde ich von ihm aus dem Jugendknast geholt und in ein spezielles Ausbildungslager geschickt.«

Ein zorniges Feuer glomm in den Augen des Werwolfs auf, aber es war vermischt mit tiefem Schmerz.

»Ich habe mich kopfüber ins Training gestürzt«, fuhr er fort. »Ich mochte, was sie mir beibrachten.« Er hielt inne und hob entschuldigend die Hand. »Nein, das stimmt nicht. Ich habe es *geliebt* – wie man Menschen Schmerzen zufügt ... wie man tötet. Ich konnte gar nicht genug davon kriegen. Von den Gefühlen, die das in mir auslöste. Von der Macht, die ich dabei empfunden habe.« Er machte eine effektheischende Pause. »Wir wurden auch in Spionageabwehr ausgebildet, im Umgang mit Computern, mit Sprengstoff, mit Überwachungstechnik, Verhörmethoden ... alles, was man sich nur vorstellen kann. Fast fünf Jahre lang haben sie uns geschunden. Wir hatten keinen einzigen freien Tag. Sieben Tage die Woche, zweiundfünfzig Wochen im Jahr, sechzehn Stunden jeden Tag. Sie haben uns nie eine Pause gegönnt, nicht mal an Weihnachten. Fünf Jahre später war ich eine gut geölte, gehorsame Mordmaschine. Dann gingen die Missionen los – Kuwait, Iran, Irak, Somalia, Haiti ... überall auf der ganzen Welt. Wir wurden auch in Länder geschickt, mit denen wir keine bewaffneten Konflikte hatten. Ich wette, auch das wussten Sie nicht, was, Detective?«

Abermals verneinte Hunter.

Der Werwolf massierte sich mit der rechten Hand den Nacken.

»Jahrelang hat keiner von uns irgendeinen unserer Befehle hinterfragt. So waren wir ausgebildet worden. Wir wurden von Tag eins an einer Gehirnwäsche unterzogen. Man hat uns eingetrichtert, dass es bei unseren Einsätzen darum ging, eine unmittelbare Bedrohung für die nationale Sicherheit auszuschalten. Das Komische war, dass mir das von Anfang an irgendwie merkwürdig vorkam. Warum mussten wir manchmal ganze Familien liquidieren? Das kam mir einfach nicht richtig vor. Aber wir haben nie Fragen gestellt. ›Warum‹ war nicht Teil unseres Vokabulars. Bis mir im Rahmen einer unserer Missionen praktisch befohlen wurde, eine Frau zu vergewaltigen.«

Zum ersten Mal seit der Werwolf mit seiner Geschichte begonnen hatte, wandte er den Kopf ab.

»Dieser Befehl, oder wie soll ich es nennen ... diese nachdrückliche Aufforderung hat dazu geführt, dass ich zum ersten Mal den Mut hatte, unser Tun in Frage zu stellen. In dem Moment habe ich zum allerersten Mal nach dem Warum gefragt.«

Abermals schwieg der Werwolf. Man sah ihm an, dass die Erinnerung an diesen Vorfall eine Menge widerstreitender Gefühle in ihm wachrief.

»Und? Haben Sie eine Antwort erhalten?«, wollte Hunter wissen.

Der Werwolf lachte. »Ja. Mir wurde gesagt, dass wir dem Feind eine Lektion erteilen müssten. ›Sie machen es mit uns, jetzt machen wir es mit ihnen.‹ So was in der Art.«

Hunter runzelte unwillkürlich die Stirn.

»Ja, ich weiß«, sagte der Werwolf, der Hunters Gesichtsausdruck richtig gedeutet hatte. »Deshalb war meine nächste Frage: ›Wann hat ein iranischer Soldat jemals eine US-amerikanische Zivilistin vergewaltigt?‹ Darauf bekam ich keine Antwort, mir wurde nur gesagt, dass ich gefälligst nicht ihre Befehle hinterfragen, sondern einfach gehorchen soll.«

»Aber Sie haben sich trotzdem geweigert«, sagte Hunter.

Wieder hielt der Werwolf eine Zeit lang inne. »Sie haben die Stelle im Tagebuch gelesen«, stellte er mit einem freudlosen Lächeln fest.

Hunter nickte.

»Ja, ich habe mich geweigert.« Er schwieg kurz, und sein Blick verschleierte sich. »Seltsam, wie Kindheitstraumata sich auswirken, oder? Ich kann Menschen töten, ohne auch nur mit der Wimper zu zucken. Ich kann ihnen den Bauch aufschlitzen, den Kopf abschlagen, ich kann Foltermethoden anwenden, von denen Sie wahrscheinlich noch nicht mal gehört haben, ich kann jemanden so lange quälen, bis er um eine Haaresbreite vom Tod entfernt ist ... Aber ich könnte *niemals* jemanden vergewaltigen.«

Mehrere Sekunden verstrichen, ehe es dem Werwolf gelang, die dunkle Erinnerung abzuschütteln.

»Wie dem auch sei, man könnte sagen, dass das der Punkt war, ab dem die Probleme losgingen. Aber es gab auch noch andere Mitglieder in unserem Team, die langsam aufwachten und denen klar wurde, was wir da bei unseren Missionen wirklich taten. Dinge, die einfach keinen Sinn ergaben. Dinge, die nicht zu dem passten, was Atlas mir damals erzählt hatte – Menschen beschützen, Leben retten ...« Wieder hob er die Hand. »Verstehen Sie mich nicht falsch, ich weiß, dass wir unserem Land unzählige Male geholfen und für die Sicherheit unserer Bürger gesorgt haben. Aber ich weiß auch, dass einige unserer Missionen Lügen waren ... dreckige, faustdicke Lügen. Bei denen ging es nicht um die Interessen unseres Landes oder die nationale Sicherheit, sondern um die Interessen von Einzelpersonen oder Parteien oder Unternehmen ... Im Grunde machte es keinen Unterschied, denn ganz oben an der Spitze der Nahrungskette stand immer der höchste aller amerikanischen Götter. Der einzige Gott, der wirklich Macht besitzt: das Geld. Aber wir waren gut ausgebildet – oder soll ich sagen: gut manipuliert worden. Es hat lange gedauert, bis uns klar wurde, was wir da eigentlich machen. Und glauben Sie mir, Detective, die Zeichen waren von Anfang an da. Aber besser spät als nie, was?« Er lachte.

Hunter schwieg, also fuhr der Werwolf fort.

»Nachdem uns erste Zweifel in Bezug auf einzelne Befehle kamen, fingen wir auch ziemlich bald an, ganze Missionen in Frage zu stellen. Das war der Anfang vom Ende. Zehn Monate später wurde unsere Einheit aufgelöst. Es spielte keine Rolle, dass wir über dreihundertfünfzig Missionen erfolgreich durchgeführt hatten, mit nur zwei Toten auf unserer Seite. Es spielte keine Rolle, dass wir bereit gewesen waren, für unser Land zu bluten ... zu töten ... und zu sterben. All das war unwichtig, weil die gut geölten, gehorsamen Mordmaschinen auf einmal nicht mehr so gut geölt und gehorsam waren. Die Auflösung unserer Einheit war für uns ein Schock. Eine Katastrophe. Nicht weil wir unsere Arbeit so sehr geliebt hätten, sondern weil wir eine *geheime* Einheit waren. Mission Impossible, wissen Sie noch?«

Hunter ahnte bereits, worauf die Geschichte hinauslief.

90

Der Werwolf wandte einen Moment lang den Blick ab. Seine Augen wirkten glasig, als wäre er mit seinen Gedanken ganz weit weg.

»Tja«, meinte er irgendwann und richtete seine Aufmerksamkeit wieder auf Hunter. »Nach dem Ende kehrten wir auf amerikanischen Boden zurück, und mit einem Schlag waren wir wieder da, wo wir gewesen waren, bevor man uns rekrutiert hatte: abgeschoben, ungewollt, verlassen, betrogen – ausgerechnet von der Familie, mit der man uns am ersten Tag geködert hatte.«

Hunter hörte echten Schmerz in der Stimme des ehemaligen Soldaten.

»Wenn man nicht mehr an der Front ist, passieren seltsame Sachen mit einem ... im Kopf.«

Der Werwolf tippte sich mit dem rechten Zeigefinger an den Kopf – so fest, als wolle er seine Schädeldecke durchbohren.

»Auf unseren Missionen haben wir Dinge gesehen und getan, auf die kein Mensch wirklich vorbereitet ist. Und glauben Sie mir, Detective ... diese Bilder, diese Gerüche und Geräusche ... all das macht einen irgendwann krank. So was zerfrisst den Geist. Die Seele.«

Der Werwolf hielt inne, um Atem zu holen, ehe er fortfuhr.

»Wenige Monate nachdem wir ins Land der Freien zurückgekehrt waren, zeigten sich diese psychischen Verletzungen zum ersten Mal, und sie gingen viel, viel tiefer, als irgendeiner von uns hätte vorhersehen können. Jeder von uns ... wir waren alle völlig kaputt. Wir wussten es bloß nicht.«

Hunter vermochte sich kaum vorzustellen, welch verheerenden psychischen Schaden mehrere Jahre in einem geheimen Mordkommando angerichtet haben mussten.

»Nach einiger Zeit verloren wir vollkommen den Boden unter den Füßen. Unser Leben brach auseinander. Mit unserer psychischen Gesundheit ging es immer weiter bergab. Wir zeigten durch die Bank Symptome von PTBS. Bei mir betraf es das Erinnerungsvermögen, vor allem die letzten fünf bis sieben Jahre.« Wieder tippte er sich an den Kopf, diesmal jedoch nicht ganz so heftig. »Ich vergesse Sachen … wichtige Sachen. Ich vergesse auch Menschen … Gesichter. Aber nicht durchgängig, es lässt sich nicht vorhersehen. Zum Beispiel kann ich mich an gewisse Ereignisse von vor drei Jahren noch genau erinnern, aber andere Dinge aus der Zeit sind wie weggewischt. Dabei bin ich im Vergleich mit dem Rest der Einheit noch gut weggekommen.«

Hunter neigte fragend den Kopf.

»Josh erlitt Depressionen und psychotische Episoden und hat eine schwere Angststörung entwickelt«, sagte der Werwolf. »Milo war chronisch depressiv und litt an Panikattacken. Stu hatte ebenfalls Depressionen, dazu paranoide Wahnvorstellungen. Darren bekam eine bipolare Störung – ich nehme an, Sie wissen, was das ist?«

Hunter nickte.

»Bei den anderen habe ich es vergessen.« Der Ex-Soldat schüttelte verärgert den Kopf. »Ich meine, ich kann mich nicht mal mehr daran erinnern, wer sie waren. Ich kenne ihre Gesichter nicht mehr. Ich weiß nichts mehr über sie.« Er brauchte eine Weile, um sich wieder zu fangen. »Wir wollten nicht viel, wissen Sie? Wir wollten nur, dass unsere Regierung – unser Militär – sich um uns kümmert, so wie es ihre Pflicht gewesen wäre. Nach allem, was wir für dieses Land getan haben … nachdem wir immer wieder und wieder unser Leben aufs Spiel gesetzt haben, wollten wir doch nichts weiter, als dass man uns nicht einfach im Stich lässt. Aber wir waren eine Geistereinheit. Sie hat offiziell nie existiert. *Wir* als Personen haben nie wirklich existiert.«

Der Werwolf atmete wütend aus.

»Wir hatten nichts: keinen Job, kein Geld, keine Krankenversicherung, keine Unterstützung … gar nichts.« Er begann vor Hunters Stuhl auf und ab zu gehen. »Wie gesagt, Detective, wir waren seelisch und mental zerstört … am Ende. Wir hatten so viel Tod gesehen, so viel Leid und Schmerz. Wir waren tickende Zeitbomben, die jederzeit hochgehen konnten. Und sie wussten das. Die Regierung wusste das, aber keiner hat sich einen Scheißdreck für einen von uns interessiert. Es war billiger und einfacher für sie, einfach zuzusehen, wie wir explodieren.«

Der Zorn war jetzt auch in den Bewegungen des Werwolfs zu erkennen – er hatte die Hände zu Fäusten geballt, biss sich auf die Lippe und rieb sich immer wieder das Gesicht.

»Alles, was wir wollten, war, dass uns jemand hilft, mit diesen beschissenen Dämonen da drin klarzukommen.« Wieder stach er mit dem Zeigefinger auf seinen Schädel ein. »Und es gibt Hunderte. Sie sind immer da, jeden Tag, jede Sekunde ... es hört niemals auf.«

»Es gab niemanden aus der Truppe, mit dem Sie reden konnten?«, fragte Hunter. »Was ist mit diesem Atlas?«

Der Werwolf lachte. »Den hatte seit Jahren keiner von uns mehr gesehen. Wir wissen nicht mal, ob er noch am Leben ist. Er hat uns ja auch nie seinen richtigen Namen genannt.«

»Gibt es sonst niemanden?«

»Nein. Und glauben Sie mir, Detective, wir haben es versucht. Mission Impossible. Offiziell waren wir nicht mal Teil der Streitkräfte. Es gibt keinerlei Dokumente über uns.« Er zuckte mit den Schultern. »Ohne Hilfe von der Regierung und ohne Geld, um uns selbst zu helfen, wurde es mit der Zeit zu viel. Irgendwann konnten wir einfach nicht mehr.«

Er schluckte trocken.

»Josh und Milo haben sich den Kopf weggeschossen. Stus Ehe ist wegen seiner psychischen Probleme in die Brüche gegangen. Er konnte keinen Job halten. Er konnte seine Familie nicht ernähren. Wie erniedrigend und beschämend ist das, Detective? Nicht mal für seine eigene Familie sorgen zu können?«

Hunter gab keine Antwort, doch seine Miene sagte genug.

»Eine Woche nachdem seine Frau ihn verlassen hatte, hat er sich einen Strick genommen.«

Jetzt war Hunter derjenige, der seufzte.

»Ich war auch ein paarmal kurz davor, meinem Leben ein Ende zu setzen. Einmal hätte ich es fast getan, aber dann klopfte es auf einmal an der Tür. Es war Darren. Ich weiß genau, dass er es mir angesehen hat … die Verzweiflung. Die Hoffnungslosigkeit. An dem Tag hat er mir das mit dem Darknet vorgeschlagen. Anfangs dachte ich noch, er macht einen Scherz, aber dann hat er mir ein paar Seiten gezeigt, da konnte man Fotos und Videos kaufen, auf denen zu sehen war, wie Leute starben. Einige an Krankheiten, andere im Krieg oder im Krankenhaus. Viele der Aufnahmen waren ganz zufällig entstanden – Menschen, die von Autos angefahren oder von einem Zug überrollt wurden oder von einem Felsen gestürzt sind. Sie wissen, was ich meine, ja?«

Hunter hatte solche Seiten nie mit eigenen Augen gesehen, aber es wunderte ihn nicht, dass es sie gab.

Der Werwolf lachte leise. »Es gibt Leute da draußen, die zahlen Geld, um zu sehen, wie andere sterben – und sie zahlen gut. Wie krank ist das, Detective? Ich gebe zu, ich war schockiert, aber dann hat Darren mich angesehen und gesagt: ›Was, wenn wir das Gleiche anbieten – nur maßgeschneidert?‹«

Hunter hatte das Gefühl, als hätte ein eiskalter Windstoß seinen Nacken gestreift. *Wir*, hatte der Werwolf gesagt. Er arbeitete also nicht allein. Er hatte einen Partner – diesen Darren.

»Und es war ihm ernst«, fuhr der Werwolf fort. »Sehr ernst.« Er hob die Hände in einer Geste der Kapitulation. »Anfangs habe ich ihn für verrückt erklärt. ›Ich kann doch nicht losziehen und für Geld amerikanische Staatsbürger ermorden‹, habe ich zu ihm gesagt. Ich hatte geschworen, sie zu beschützen, nicht sie zu liquidieren. Ich war dazu ausgebildet worden, mein Leben für sie zu opfern, nicht ihnen das Leben zu nehmen. Aber Darrens Antwort auf meinen Einwand war ziemlich überzeugend. Er meinte, so ginge es ihm und allen anderen aus unserer Einheit auch. Und das hätten wir ja auch jahrelang getan. Wie gesagt, Detective – mehr als dreihundertfünfzig erfolgreiche Einsätze. Darren erzählte mir eine ganze Menge, woran ich mich nicht mehr erinnern kann, aber er bestand darauf, dass wir unseren Teil der Abmachung erfüllt hätten. Wir hätten das getan, wofür wir ausgebildet worden waren. Wir hätten dieses Land und seine Bürger lange genug beschützt. Und er hatte recht, Detective. Man kann gar nicht zählen, wie viele Menschen wir gerettet haben. Tausende und Abertausende amerikanische Staatsbürger können unseretwegen nachts ruhig schlafen, sie können liebevolle Beziehungen führen, ihre Kinder küssen, mit ihren Freunden und Familien zusammen lachen ... sie können unbeschwert ihr Leben leben. Und sie wissen nicht mal, dass sie das alles uns zu verdanken haben. Wir haben einfach unseren Job gemacht, und wir haben ihn gut gemacht. Aber was ist für uns dabei rausgesprungen, Detective? Was haben wir davon gehabt? Schauen Sie sich an, wohin es uns gebracht hat, so vielen Menschen das Leben gerettet zu haben. Josh, Milo und Stu sind tot – nicht im Kampf gefallen, sondern durch die eigene Hand gestorben, weil sie es einfach nicht mehr ertragen konnten.« Der Werwolf war mit der Zeit immer lauter geworden. Die letzten Worte schrie er fast. »Sie haben ihn nicht gekannt, Detective, aber Stu war jemand, der vor nichts und niemandem Angst hatte. Er hätte sogar mit bloßen Händen gegen ein Nashorn gekämpft – und wahrscheinlich noch gewonnen. Er war der witzigste Kerl, dem ich je begegnet bin, und er hat sich aufgehängt, weil er kein Geld hatte, um Brot für seine Kinder zu kaufen. Soll das unser gerechter Lohn sein?«

Es war nicht das erste Mal, dass Hunter solche Berichte über ehemalige Soldaten hörte, die nach dem Ausscheiden aus der Armee ignoriert und wie Ausgestoßene behandelt worden waren – ausgerechnet von dem Land, für das sie jahrelang ihr Leben aufs Spiel gesetzt hatten.

»Darren und ich«, fuhr der Werwolf fort, »waren auf dem

besten Weg, so zu enden wie Josh und Milo und Stu. Ich weiß das, weil ich es in seinen Augen gesehen habe ... genauso wie er in meinen. Ihm gingen genau die gleichen Gedanken durch den Kopf wie mir.« Der Werwolf hielt inne und atmete tief ein. »Dann sagte Darren noch zu mir, dass wir die Wahl hätten – das Leben oder den Tod. Und das hat mir zu denken gegeben, Detective. Wir hatten Tausende von Menschen gerettet. Warum konnten wir da nicht ein paar Leben für uns haben – als Bezahlung? Das hatten wir uns redlich verdient. Sie schulden uns was. Dieses Land schuldet uns was. Was erwartet man von uns, wenn die eigene Regierung uns verraten hat?«

Abermals hielt der Werwolf inne und ließ die Knöchel knacken. Seine Augen verschleierten sich, als wäre er tief in seinen Erinnerungen versunken.

»Es hatte einen ganz bestimmten Grund, weshalb ich an dem Tag Schluss machen wollte, kurz bevor Darren kam. Ich bin durch die Innenstadt von L. A. gegangen, und an einer Ecke habe ich einen Kriegsveteranen sitzen sehen – ungewaschen, hungrig, in zerrissenen Kleidern. Er hatte ein Pappschild in der Hand, darauf stand irgendwas wie: ›Obdachloser Veteran. Versuche einfach nur zu überleben. Bitte helfen Sie mir. Ich bin dankbar für jede Spende. Bitte, lassen Sie mich nicht links liegen so wie meine Regierung. Gott segne Sie.‹ An dem Tag kam ich nach Hause, und der einzige Gedanke in meinem Kopf war: Wozu? Es ist besser, tot zu sein, als so zu enden ... Und ich *wäre* auch tot, wenn Darren nicht gekommen wäre.« Er hob die Schultern. »Es war ja nicht so, dass ich etwas tun musste, was ich noch nie getan hatte. Ich bin fürs Töten ausgebildet worden ... darauf programmiert, könnte man sagen. Das ist es, was ich am besten kann. Und wenn man in etwas gut ist – ich meine, *richtig* gut –, dann macht man es eben einfach weiter. Und ich war der Beste.«

Wieder sah Hunter den Stolz in den Augen des ehemaligen Soldaten aufblitzen. Die narzisstische Seite des Psychopathen gab sich zu erkennen.

»Darren hatte wesentlich mehr Erfahrung mit dem Darknet als ich«, fuhr er fort. »Wir haben eine der Seiten genutzt, die er mir am ersten Tag gezeigt hat, um ganz vorsichtig die Fühler auszustrecken, wie unsere ›Idee‹ ankommt.« Er malte mit den Fingern Anführungszeichen in die Luft. »Schon am ersten Tag kontaktierte uns jemand. Man schlug uns vor, einen privaten Chatroom einzurichten.«

»Die Stimmen«, sagte Hunter.

»Genau. Die Stimmen. Nach einer Woche hatten wir schon zehn. Ich hätte von Anfang an Tagebuch schreiben sollen, gleich als wir die erste Anfrage erhalten haben, aber aus irgendeinem Grund habe ich nicht daran gedacht.«

»Wie viele gab es denn?«, fragte Hunter. »Ich meine, bevor Sie das Tagebuch angefangen haben ... wie viele Menschen hatten Sie da schon getötet?«

Der Werwolf lachte. »Glauben Sie wirklich, dass ich mich noch daran erinnere?« Er schüttelte den Kopf. »Ich habe keine Ahnung. Einige. Aber eins kann ich Ihnen sagen, Detective. Ich dachte, im Rahmen unserer Missionen hätte ich alles an Boshaftigkeit und Perversion gesehen, wozu der Mensch fähig ist. Ich dachte, ich kenne jede Form der Folter ... jede Art von Erniedrigung, die man sich nur vorstellen kann. Aber ich hatte mich geirrt. Einige der Sachen, die die Stimmen bei uns anfragten, waren unendlich viel schlimmer als alles, was ich je an der Front gesehen habe.«

»Haben Sie eine Ahnung, wer die Leute hinter den Stimmen sind?«

Der Werwolf lachte. »Ihnen ist doch klar, wie das Darknet funktioniert, oder, Detective? Das sind gesichtslose Menschen – sehr reiche und mächtige Menschen, über den ganzen Globus verstreut. Wir werden niemals rausfinden, wer sie sind, es sei denn, sie geben sich von selbst zu erkennen – und das tun sie garantiert nicht. Aber Darren lag trotzdem falsch. Ein Brot kaufen zu können ... sich selbst und seine Familie ernähren zu können – das hat ihn am Ende auch nicht gerettet. Vor anderthalb Jahren, während einer seiner schlimmsten depressiven Phasen, ist er in Downtown L. A. von einem Hochhaus gesprungen.«

In dem Moment empfand Hunter zwei verschiedene Emotionen. Erleichterung, weil es doch keinen zweiten Killer gab; und Traurigkeit darüber, dass noch ein Kriegsveteran sich das Leben genommen hatte, weil ihm von der Regierung die Hilfe versagt worden war, die er dringend gebraucht und auf die er ein Anrecht gehabt hätte.

»Soweit ich weiß«, sagte der Werwolf, »bin ich der Einzige aus meiner Einheit, der noch übrig ist. Die anderen sind alle tot. Ermordet von dem Land, das wir so tapfer verteidigt haben.«

Es wurde still im Raum. Hunter wusste nicht, was er sagen sollte.

»So. Jetzt wissen Sie die Wahrheit über mich und darüber, weshalb ich töte. Zurück zum Geschäft, Detective. Die Codes. Ich brauche sie, und zwar jetzt sofort.«

Hunter schüttelte den Kopf. »Lassen Sie Angela frei, dann gebe ich Ihnen die Codes. Vorher nicht.«

Der Werwolf sah Hunter fassungslos an.

»Nur weil wir ein bisschen geplaudert haben, glauben Sie, dass Sie mit mir verhandeln können?« Er nahm die Halbautomatik wieder in die Hand, die er zuvor auf das Kontrollpult gelegt hatte.

»Lassen Sie sie gehen, dann bekommen Sie die Codes«, wiederholte Hunter. »Sie haben mein Wort.«

»Okay.« Der Werwolf nickte Hunter ein wenig spöttisch zu. »Die Codes im Austausch für ihr Leben. Klingt wie ein fairer Tausch. Können wir machen. Aber erst tun Sie mir noch einen Gefallen, ja? Schauen Sie sich das hier an.«

Er streckte die Hand nach einem Schalter auf der Konsole aus und legte ihn um.

91

Der große Monitor an der Wand erwachte zum Leben.

Unwillkürlich wandte Hunter den Kopf. Als er das Bild sah, ballte er die gefesselten Hände zu Fäusten, und in seiner Brust tat sich ein gähnendes Loch auf.

Der Monitor zeigte Aufnahmen eines kleinen Raums. Genau wie der, in dem er saß, hatte er Wände aus Betonziegeln und einen Fußboden aus nacktem Zement. An einer Wand stand ein schmales Eisenbett.

Auf dem Bett lag eine Frau. Sie hatte sich ganz klein zusammengerollt und den Kopf in den Armen vergraben. Auch ohne ihr Gesicht zu sehen, wusste Hunter, dass es Angela war.

Plötzlich ging ein Zucken durch ihren Körper, dann versteifte sie sich, ehe sie, scheinbar verwirrt, den Kopf hob. Sie blinzelte ein paarmal. Ihr Blick geisterte eine Weile durch den Raum, dann schaute sie an die Decke und direkt in die Kamera. Ihre Augen waren rot und verquollen.

Ihr Verhalten ließ zwei Schlüsse zu: Erstens war es in ihrer Zelle offenbar bis zu diesem Zeitpunkt dunkel gewesen. Zweitens wusste sie trotzdem genau, wo sich die Kamera befand.

»Sie ist gleich nebenan«, teilte der Werwolf Hunter mit und wies mit dem Daumen hinter sich in Richtung Tür.

»Ich gebe Ihnen die Codes«, beteuerte Hunter noch einmal. »Aber erst müssen Sie sie freilassen. Sie brauchen sie doch gar nicht mehr. Sie ist erst einundzwanzig Jahre alt und versucht wieder Fuß zu fassen, nachdem sie ihren jüngeren Bruder verloren hat.«

Hunter verstummte, als er das Erstaunen in den Augen des Werwolfs sah.

Vielleicht war das genau der Hebel, den er brauchte – um wenigstens Angelas Leben zu retten.

»Angelas Bruder Shawn wurde mit elf Jahren entführt, vergewaltigt und ermordet.«

Hunter verwendete ganz bewusst die Vornamen der beiden, um ihnen ein Gesicht zu geben. Falls der Werwolf noch einen Funken Menschlichkeit besaß, musste Hunter ihn finden und daran appellieren – zumal er in Bezug auf Vergewaltigung eine sehr klare moralische Haltung zu haben schien.

»Shawns verstümmelte Leiche ist erst fünf Wochen später aufgetaucht«, fuhr er fort. »Das hat Angela zerstört und ihre Familie auch. Sie hat sich gerade wieder so weit gefangen, dass sie versuchen kann, ihr Leben wieder in den Griff zu bekommen. Angela ist eine gebrochene Seele, die verzweifelt nach einem Weg sucht, sich selbst zu heilen. So wie Sie und Ihre ehemaligen Kameraden. Geben Sie ihr die Chance dazu.«

»Sie versucht sich selbst zu heilen, indem sie andere Leute bestiehlt?«, sagte der Werwolf. »Als Taschendiebin? Sehr einleuchtend.«

Sagt ausgerechnet der Mann, der im Internet Morde auf Bestellung verkauft, dachte Hunter, sprach es jedoch nicht laut aus.

»Niemand ist frei von Fehlern«, sagte er stattdessen. »Wir sind alle nur Menschen. Wenn die Trauer zu groß ist, steht die Vernunft manchmal auf verlorenem Posten, und die Menschen tun Dinge, die sie sonst nicht tun würden. Dagegen ist niemand gefeit. Das ist ein Teil des Heilungsprozesses. So was gehört dazu, wenn wir versuchen, wieder auf die Beine zu kommen, nachdem ein schlimmer Schicksalsschlag uns zu Boden geworfen hat. Bitte, geben Sie ihr eine Chance, dann wird sie auch bestimmt erkennen, dass sie falsch gehandelt hat. Sie ist ein guter Mensch, sie fühlt sich einfach nur verloren und alleingelassen und weiß nicht weiter, aber ich weiß, dass sie irgendwann ihren Weg finden wird. Bitte ... Sie kriegen die Codes, lassen Sie sie frei. Geben Sie ihr eine Chance.«

Der Werwolf musterte Hunter mit einem durchdringenden Blick.

»Da Ihnen die Kleine so sehr am Herzen liegt«, sagte er, »würde ich Ihnen gern eine Frage stellen, Detective. Wären Sie bereit, Ihr eigenes Leben gegen das des Mädchens einzutauschen?«

Jetzt war Hunter derjenige, der den Werwolf forschend betrachtete. Meinte er das ernst?

»Wären Sie bereit, für sie zu sterben?« Der Werwolf blickte nachdenklich auf die Waffe in seiner Hand. »Wenn ich Ihnen die Möglichkeit gäbe, Ihr Leben gegen das der kleinen Schlampe einzutauschen, Codes hin oder her – würden Sie es tun? Würden Sie sich für sie opfern? Hier und jetzt?«

Es war der entschlossene Blick in den Augen des ehemaligen Soldaten, der Hunter davon überzeugte, dass der Werwolf sein Angebot tatsächlich ernst meinte.

»Würden Sie für sie sterben, Detective?«, fragte er noch einmal.

»Ja«, sagte Hunter mit fester Stimme. »Ja, das würde ich.«

Der Werwolf stutzte und rieb sich mit dem Lauf seiner Waffe die Wange. »Wirklich? Sind Sie ganz sicher?«

»Wenn Sie sie dafür freilassen ... ja.«

»Das heißt, wenn ich verspreche, sie freizulassen«, sagte der Werwolf, »kann ich Ihnen eine Kugel in den Kopf jagen?« Er streckte den Arm aus und zielte auf Hunters Gesicht. »Einfach so?«

»Wenn Sie sie vorher gehen lassen und mir Ihr Wort geben, dass Sie sie in Zukunft nicht mehr bedrohen, würde ich mein Leben für ihres geben, ja.«

Die Augen des Werwolfs wurden schmal. Zwei Sekunden später ließ er den Arm mit der Waffe wieder sinken.

»Warum?«, fragte er. »Warum wollen Sie sich für jemanden opfern, den Sie kaum kennen? Erklären Sie mir das, Detective.« Er klang aufrichtig interessiert.

Hunter versuchte erfolglos, einen Teil der Verspannung abzuschütteln, die sich von seinen gefesselten Gliedmaßen aus in seinem Körper ausgebreitet hatte und mittlerweile bis in seinen Nacken vorgedrungen war, wo sie wie ein dicker, pochender Knoten festsaß.

»Weil ich geschworen habe, zu schützen und zu dienen«, sagte er. »Weil ich schon viel länger auf dieser Welt bin als sie. Ich habe mein Leben gelebt. Ich habe gegen meine Dämonen gekämpft. Gegen einige habe ich gewonnen, gegen andere verloren. Angela ist noch jung. Sie hat ihr ganzes Leben noch vor sich ... Für sie gibt es noch so viel zu sehen und zu entdecken. Sie hat eine Chance verdient. Ich verbringe jeden Tag umgeben von Tod, Schmerz und Leiden. Ich sehe so viel Böses. Die Welt ist schlecht, und ich habe nicht den Eindruck, dass sie besser wird – mitfühlender oder verständnisvoller. Vielleicht habe ich einfach genug. Und wenn ich jemanden retten kann, der sein ganzes Leben noch vor sich hat, dann ist das doch ein guter Tausch, finden Sie nicht?«

Die Aufrichtigkeit in Hunters Ton überraschte den Werwolf.

»Das ist sehr edel von Ihnen, Detective.«

»Im Grunde bin ich doch gar nicht so viel anders als Sie«, meinte Hunter. »Sie waren bereit, sich für die Bürger dieses Landes zu opfern. Für Menschen, die Sie nicht kennen, denen Sie nie begegnet sind. Wildfremde.« Er schüttelte den Kopf. »Sie waren sehr viel tapferer als ich.«

Der Werwolf nickte, während er sich Hunters Worte durch den Kopf gehen ließ. »Eine bewegende Ansprache, Detective. Und wenn Sie sagen, dass Sie genug vom Leben haben, kann ich das sehr gut nachempfinden. Aber falls Sie wirklich bereit sind, Ihr Leben für das der diebischen Schlampe zu geben, habe ich eine kleine Überraschung für Sie.« Er wandte sich ab und tippte einen Befehl in die Tastatur auf dem Kontrollpult ein.

Wieder ging Hunters Blick zum Monitor, und bei dem, was er sah, sträubten sich ihm die Nackenhaare.

Der Monitor zeigte jetzt die Aufnahmen von vier Kameras. Auf den oberen beiden waren zwei Frauen zu sehen, die Hunter nicht kannte. Sie saßen in Zellen, die genauso aussahen wie die von Angela.

Die erste Frau im Bild oben links schien etwa fünfundzwanzig Jahre alt zu sein, mit langen blonden Haaren, die sie zu einem Knoten gebunden hatte. Sie saß mit dem Rücken an der Wand und hatte die Knie an die Brust gezogen.

Das Bild rechts daneben zeigte eine Frau mit kurzen schwarzen Locken. Sie schien etwas älter zu sein, und genau wie Angela hatte auch sie vom Weinen blutunterlaufene, aufgedunsene Augen.

Die Aufnahme links unten zeigte eine leere Zelle. Rechts unten war Angela.

»Wer sind die zwei?«, fragte Hunter, dessen Blick beunruhigt zwischen dem Monitor und dem Werwolf hin und her sprang.

»Wer sie sind, spielt keine Rolle. Wichtig ist, dass Sie begreifen, dass alle sterben werden, wenn Sie mir die Codes nicht geben.« Erneut hob der Werwolf den Arm, um mit der Waffe auf Hunters Kopf zu zielen. »Also, wird's bald, Detective?«

Hunter wunderte sich, dass der Werwolf einen derart dummen Fehler begangen hatte. Er hätte ihm die Aufnahmen zeigen sollen, *nachdem* er die Codes erhalten hatte, nicht schon vorher.

»Nein«, sagte er und hielt dem Blick des Werwolfs stand.

Der ehemalige Soldat stutzte. »Wie war das?«

»Sie haben mir nicht richtig zugehört. Ich tausche die Codes gegen ihr Leben«, sagte Hunter. »Lassen Sie die drei Frauen gehen, und Sie kriegen die Codes. Sie haben dann immer noch mich.«

Der Werwolf lachte. »Sie sind wirklich ganz schön stur.«

Er kratzte sich am Kinn, als müsse er nachdenken. »Also gut«, sagte er schließlich. »Warten Sie hier. Ich bin gleich wieder da.« Mit diesen Worten machte er kehrt und verließ den Kontrollraum durch die Stahltür.

92

Ehe er ging, gab der Werwolf noch einen neuen Befehl in die Tastatur ein. Jetzt war nur noch ein einzelnes Bild auf dem Monitor zu sehen. Es zeigte die junge blonde Frau aus Zelle eins.

Hunter sah, wie die Frau sich die Hand vor die Augen hielt, um sich vor dem plötzlichen Licht zu schützen, ehe sie sich mit ruckartigen Bewegungen ihres Kopfes umsah wie ein kleiner Vogel, der sich in Gefahr wähnt. Ihre Augen füllten sich mit Tränen, sie rollte sich am Kopfende des Bettes zusammen und faltete die Hände, als wolle sie beten. Einige Sekunden verstrichen, dann drehte sie sich auf einmal zur Zellentür herum. Einen Augenblick später wurde die Tür aufgestoßen, und der Werwolf trat ein.

Die Frau beobachtete ihn furchtsam. Als sie die Waffe in seiner Hand sah, wurde ihre Furcht zu Todesangst.

Der Werwolf fixierte die Frau mit einem eiskalten Blick. Ohne etwas zu sagen – ohne eine Erklärung, ohne ein wütendes oder begütigendes Wort –, hob er die Waffe, zielte auf ihren Kopf und drückte ab.

Über den Monitor im Kontrollraum sah Hunter mit an, wie das Projektil die junge Frau in der Stirn traf und ihr Kopf daraufhin explodierte. Eine rote Wolke stieg in die Luft, als hätte der Werwolf auf eine Dose Sprühfarbe geschossen. Im nächsten Moment war die Wand hinter der Frau übersät mit Blut, Knochensplittern, Haut, Haaren und Hirnmasse. Ihr

Körper sackte in sich zusammen, die Arme fielen schlaff in ihren Schoß.

»Nein!«, rief Hunter laut. »Du verdammtes Arschloch! Nein.«

Der Werwolf trat aus der Zellentür, schloss sie hinter sich und kehrte in den Kontrollraum zurück. Dort gab er wiederum einen Tastenbefehl ein, woraufhin zwei Bilder auf dem Monitor erschienen. Das linke Bild zeigte die Frau mit den schwarzen Locken, das rechte Angela Wood.

»Warum haben Sie sie getötet?«, brüllte Hunter. »Warum?«

Der Werwolf quittierte seinen Ausbruch mit einem zynischen Lächeln.

Hunter atmete tief ein. Dann tat er etwas, was er sonst nie tat – er ließ zu, dass der Zorn in seinem Innern die Oberhand gewann.

»Warum haben Sie sie getötet?«, wiederholte er mit bebender Stimme.

»Weil Sie darauf bestehen, mit mir zu verhandeln, Detective.« Im Gegensatz zu Hunter klang der Werwolf ruhig und gefasst. »Sie weigern sich zu begreifen, dass Sie keinerlei Macht besitzen. Vielleicht hat Sie das jetzt überzeugt.« Er hielt inne und legte die Waffe weg. »Also, versuchen wir es noch mal. Die Codes, Detective.«

Hunter kniff ganz fest die Augen zusammen, während er sich krampfhaft bemühte, nicht vollends die Beherrschung zu verlieren. »Es war unnötig, diese Frau zu töten. Wer war sie?«

»Jetzt geht das schon wieder los. Sie müssen sich endlich mal auf das Wesentliche konzentrieren. Vergessen Sie, wer die Frau war. Sie ist tot.« Er zeigte auf den Monitor. »Und dasselbe wird den beiden anderen passieren, wenn Sie mir nicht sofort die Codes geben.«

Hunter konnte dieses Spiel nicht gewinnen, das wusste er, aber der Cop in ihm weigerte sich, das einzusehen. Er *musste* versuchen, Angela und die dunkelhaarige Frau zu retten. Bis zum Letzten.

»Okay«, lenkte er ein. »Die Codes für das Leben der zwei Frauen.«

Der Werwolf machte ein Gesicht, als könne er nicht glauben, was er hörte. »Ich fasse es nicht. Sie versuchen es ja *immer* noch! Sind Sie von allen guten Geistern verlassen? Wollen Sie unbedingt, dass die beiden draufgehen? Mir ist das nämlich vollkommen egal.« Er drehte sich um, nahm abermals die Waffe und machte einen Schritt in Richtung Tür.

»Nein, warten Sie«, sagte Hunter hastig. »Bitte, hören Sie an, was ich zu sagen habe. Es ist ein fairer Tausch. Eins zu eins: der Code gegen die dunkelhaarige Frau, mein Leben gegen das von Angela.«

Der ehemalige Soldat zog fragend die Augenbrauen hoch.

»Mehr können Sie doch nicht wollen«, fuhr Hunter fort. Er wusste, dass er an etwas appellieren musste, womit der Werwolf sich identifizieren konnte. Etwas, das er verstand ... vielleicht das Ehrgefühl, an das er als Soldat früher geglaubt hatte. »Ich bin bereit, mein Leben zu geben. Es ist derselbe Handel, den Sie vor Jahren für dieses Land eingegangen sind. Das ultimative Opfer. Ein Leben für ein Leben. Sie hätten damals Ihr Leben für Ihr Land gegeben. Ich gebe jetzt meins für das von Angela. Sie bekommen die Codes doch trotzdem.«

Der Werwolf presste die Lippen aufeinander, während er sich nachdenklich das Kinn rieb.

»Also schön«, lenkte er schließlich ein. »Nennen Sie mir die Codes, dann haben Sie mein Wort, dass ich die beiden gehen lasse.«

»Nein«, sagte Hunter. »So läuft das nicht. Lassen Sie sie zuerst frei. Danach bekommen Sie die Codes.«

»Dabei gibt es leider nur ein Problem, Detective. Sie haben keine Ahnung, wo wir hier sind. Ich erkläre es Ihnen gern: Wir befinden uns mitten im Nirgendwo. Wenn ich die beiden einfach nur laufen lasse, werden sie nicht weit kommen. Von hier kommt man nicht so leicht weg. Die einzige Möglichkeit ist, dass ich sie sediere und an einem Ort rauslasse, von dem aus sie selbstständig den Weg zurück in die Zivilisation finden. Ich gebe Ihnen mein Ehrenwort als Soldat, dass ich das tun werde. Mehr kriegen Sie nicht von mir. Das ist mein einziges Angebot. Ich habe Ihnen gesagt, Sie hätten mir vertrauen sollen, als ich Ihnen versprochen habe, die diebische Schlampe freizulassen, sobald ich mein Tagebuch wiederhabe. Mein Wort ist so ziemlich das Einzige, was mir noch geblieben ist. Es gilt. Ich habe es noch nie im Leben gebrochen, und ich habe nicht vor, jetzt damit anzufangen.«

Er klang aufrichtig, aber zugleich auch ein wenig resigniert.

Hunter wägte seine Möglichkeiten ab – und musste einsehen, dass es nur eine einzige gab.

»Das ist der Deal«, sagte der Werwolf. »Wenn Sie ihn nicht annehmen, gehe ich noch mal nach nebenan und jage auch der Dunkelhaarigen eine Kugel in den Kopf. Sie können vom Komfort Ihres Sitzes aus zuschauen.« Er deutete auf den Monitor. »Danach komme ich zurück, und wir versuchen das Ganze noch mal.«

Hunters Blick ging zu den zwei Frauen am Monitor. Der Werwolf bluffte nicht, das wusste Hunter. Wenn er die Codes nicht bekam, würde er die Frau ohne Zögern töten. Danach wäre Angela dran. Und als Letztes Hunter selbst.

Außerdem hatte der Werwolf Hunters Smartphone. Wahrscheinlich würde er es hacken, um nachzusehen, was sich darauf befand, und dann würde er das Foto mit den Codes finden.

»Die Codes, Detective.«

Hunter hielt eine Sekunde lang den Atem an.

»Habe ich Ihr Wort, dass Sie sie freilassen und ihnen nie wieder zu nahe kommen?«

Der Werwolf sah ihm in die Augen. »Ja, Sie haben mein Wort.«

In seiner Lage konnte er nichts weiter tun. Egal, wie er es drehte und wendete, das Spiel war aus.

Noch einmal holte er tief Luft, und als er anfing zu reden, versagte ihm fast die Stimme. »Die Adresse des Chatrooms lautet …« Doch der Werwolf unterbrach ihn.

»Die Adresse vom Chatroom und das Log-in-Passwort weiß ich noch«, sagte er, während er sich dem Rechner auf dem Kontrollpult zuwandte und ein Programm oder eine Website öffnete, Hunter konnte es von seinem Platz aus nicht genau erkennen. »Ich nutze sie regelmäßig. Die anderen beiden Codes sind meine …« Er brach ab und suchte nach dem passenden Wort. »Meine ganz besondere Rückversicherung, könnte man sagen. Ich brauche sie jetzt, Detective.«

Hunter schloss die Augen und sagte die Passwörter aus dem Gedächtnis her. »Der erste lautet 122001FOBRhino.«

Der Werwolf notierte sich den Code, ehe er ihn in die Tastatur eingab. Wenige Sekunden später erschien ein Lächeln auf seinem Gesicht. »Sehr gut. Der nächste.«

»15052004MNF-I«, sagte Hunter.

Auch diesen Code schrieb der Werwolf auf, bevor er ihn eingab. Wieder ein zufriedenes Lächeln.

»Jetzt lassen Sie sie frei«, sagte Hunter. »Sie haben mir Ihr Wort gegeben.«

»Das habe ich«, räumte der Werwolf ein, »und ich werde es auch halten, aber erst müssen Sie sterben. Das war der Deal. Die Codes für die Dunkelhaarige und Ihr Leben für das der diebischen Schlampe.«

Hunter schwieg.

Der Werwolf nahm seine Waffe in die Hand.

»Sie sind ein guter Mann, Detective. Sie besitzen Ehrgefühl und Integrität, das ist heutzutage sehr selten. Sie hätten zur Armee gehen sollen. Aus Ihnen wäre sicher ein ganz hervorragender Soldat geworden. Leider sind Sie diesmal an jemanden geraten, der besser ist als Sie ... viel besser. Und in dieser beschissenen Welt überleben nun mal nur die Stärkeren.« Der Werwolf streckte den Arm nach vorn und zielte auf Hunters Stirn. »Leben Sie wohl, Detective.«

In Hunters Innern krampfte sich alles zusammen, bis er glaubte, ersticken zu müssen. Trotzdem hielt er dem Blick des Ex-Soldaten eisern stand. Er würde ihm nicht die Genugtuung geben, vor Angst wegzuschauen.

Er sah, wie sich der Finger des Werwolfs um den Abzug krümmte, und in dem Augenblick fiel ihm siedend heiß etwas ein. *Diesmal sind Sie an jemanden geraten, der besser ist als Sie ... viel besser.*

Da war es wieder, das übersteigerte Ego des Mannes, das nach Anerkennung schrie ... seine narzisstische Seite, die unbedingt wahrgenommen werden wollte.

Hunter hatte zahlreiche ähnliche Fälle studiert und auch selbst schon gegen viele narzisstisch veranlagte Täter ermittelt. Er verstand, wie Narzissten tickten. Er wusste, wie man sie steuern konnte.

Die nächsten Worte kamen ihm beinahe ohne sein Zutun über die Lippen. Es war, als hätte sein Unterbewusstsein die Kontrolle übernommen.

»Ja, das habe ich. Sogar noch besser.«

93

Die Waffe in der ausgestreckten Hand, runzelte der Werwolf verständnislos die Stirn.

»Was war das?«

»Vorhin haben Sie mich gefragt, ob ich auf der Polizeiakademie gelernt habe, so zu schießen wie Sie. Erinnern Sie sich noch?«

»Richtig.« Der Griff um den Abzug lockerte sich kaum merklich.

»Tja, das war meine Antwort«, sagte Hunter. »Ich habe noch besser schießen gelernt als Sie.«

Auf den Zügen des Werwolfs breitete sich ein Lächeln aus. »Tun Sie das nicht, Detective. Das ist beschämend.«

»Was?«

»Wie Sie sich an Strohhalme klammern. Erbärmlich. Sie wissen genau, dass Sie sterben müssen. Sie wissen, dass es für Sie keinen Ausweg gibt. Was bezwecken Sie noch damit? Wollen Sie das Unvermeidliche hinauszögern? Warum?«

»Glauben Sie, was Sie wollen«, gab Hunter zurück. »Aber mit einer Faustfeuerwaffe bin ich ein besserer Schütze als Sie.«

Der Werwolf lachte schallend. »Eine ziemlich kühne Behauptung. Sie haben mich doch eben schießen sehen, oder nicht?«

»Ja, habe ich. Und Sie sind gut, daran besteht kein Zweifel. Aber ich bin noch besser. Geben Sie mir eine Pistole, dann zeige ich es Ihnen.«

Wieder ein lautes Lachen. »Aber klar doch. Warten Sie kurz, ich suche Ihnen was Passendes raus.«

Der Werwolf ließ seine Waffe sinken, drehte sich um und tat so, als wollte er zu dem verschlossenen Schrank in der Ecke gehen. Nach zwei Schritten blieb er stehen.

»Ach so, tut mir leid – das hatte ich ganz vergessen ... Ich kann Ihnen leider keine Waffe geben, weil Sie mich dann vielleicht *erschießen* würden. Kommen Sie, Detective, hören Sie auf mit diesem jämmerlichen Theater. Blamieren Sie sich doch nicht. Es ist, wie Sie sagten: Sie sind schon deutlich länger auf der Welt als die kleine Schlampe. Sie haben Ihr Leben gelebt. Sie haben gegen Ihre Dämonen gekämpft. Gegen einige haben Sie gewonnen, gegen andere verloren. Heute hat dieser Dämon hier gewonnen.« Mit dem Daumen deutete er auf sich selbst.

Hunter hatte keine genaue Vorstellung, worauf er eigentlich abzielte. Niemand würde ihn retten kommen. Er wusste trotzdem, was er zu tun hatte.

Der fundamentalste und stärkste Instinkt des Menschen ist sein Überlebensinstinkt. In Todesgefahr wird der Körper in einen Zustand höchster Alarmbereitschaft versetzt. Rationale Prozesse treten in den Hintergrund, und das Gehirn sendet panische Signale in den Körper. Das ausgeschüttete Adrenalin führt dazu, dass die Muskeln stärker durchblutet werden und die Lunge mehr Sauerstoff aufnimmt. Der Körper ist ein Organismus und als solcher auf Lebenserhaltung gepolt. Er *kann* sich gar nicht kampflos in den Tod ergeben.

Hunter war gefesselt, sein Körper außer Gefecht gesetzt. Er musste das Kämpfen seinem Verstand überlassen.

»Ich glaube, Sie sind hier derjenige, der sich vor der Blamage fürchtet«, sagte er. »Sie reden die ganze Zeit darüber, wie gut Sie sind ... Dabei haben Sie in Wahrheit eine Heidenangst, ich könnte Ihnen das Gegenteil beweisen.«

»Ach, *das* glauben Sie, ja?«

»Es ist doch offensichtlich. Außerdem weiß ich, dass ich besser schieße als Sie.«

Der Werwolf grinste. »Und wie wollen Sie mir das beweisen, Detective? Sollen wir gemeinsam einen Ausflug zum Schießstand machen?«

»Wäre mir recht«, sagte Hunter. »Wir können auch einfach nach draußen gehen und auf Dosen oder Bierflaschen zielen, wenn Ihnen das lieber ist. Mir egal. Ich werde Sie so oder so schlagen.« Inzwischen sprach die nackte Verzweiflung aus ihm. »Wenn Ihnen das lieber ist, können wir auch aufeinander schießen.« Mit diesem Vorschlag erschreckte er sich selbst, trotzdem ließ er sich nach außen hin nichts anmerken.

Der Werwolf zögerte. Sein Grinsen verschwand, und er musterte den Detective eindringlich.

Hunter war klar, wie wahnsinnig seine Idee war, aber so,

wie die Dinge jetzt standen, würde er ohnehin sterben. Da konnte er genauso gut noch einmal alles in die Waagschale werfen.

»Ein Duell«, schob er hinterher. Noch immer war die Verzweiflung stärker als die Vernunft. »Wie im Wilden Westen. Jeder hat nur einen Schuss. Wer trifft, gewinnt.«

Er sah das Funkeln in den Augen des Werwolfs. Der Narzisst in ihm schien die Idee ernsthaft in Erwägung zu ziehen.

Er legte noch einmal nach.

»Haben Sie Angst, Sie könnten sterben?«

Der Werwolf atmete aus und betrachtete Hunter aus schmalen Augen. »Wenn wir das machen, ist unser ursprünglicher Deal vom Tisch. Nachdem ich Sie getötet habe – denn das werde ich tun –, lasse ich die beiden Frauen nicht frei.« Er deutete auf den Monitor. »Entweder ich töte sie gleich nach Ihnen, oder ich biete sie den Stimmen an, dann sterben sie schreiend und unter unvorstellbaren Qualen. Sind Sie damit einverstanden?«

Das Loch in Hunters Magen wurde zu einem gähnenden Abgrund.

»Wenn ich Sie jetzt töte«, sagte der Werwolf, »lasse ich die beiden wie versprochen frei. Sie sind dann zwar tot, aber immerhin haben Sie zwei Frauen das Leben gerettet. Eine edle letzte Tat für einen Detective des LAPD. Wenn ich Sie aber in einem Duell töte, müssen auch die beiden Frauen sterben. Sind Sie sicher, dass Sie sie auf dem Gewissen haben wollen, Detective? Das hier ist nämlich kein Glücksspiel. Sie haben nicht die geringste Chance gegen mich.«

Der Werwolf hatte recht. Hunter konnte entweder zwei Leben retten oder drei aufs Spiel setzen. Andererseits hatte er keine Garantie, dass die Frauen wirklich freigelassen würden, nur das Wort eines ehemaligen Soldaten. Wer konnte schon sagen, wie viel es wert war? Und selbst wenn der Werwolf seinem Versprechen treu blieb und die Geiseln laufen ließ, selbst wenn er sich ihnen danach nie wieder näherte ... würde er trotzdem weitermorden. Er würde weiterhin unschuldige Menschen entführen und sie an die Stimmen im Darknet verkaufen. Wie man es auch betrachtete – auf lange Sicht war das ein schlechter Tausch.

Hunter beschloss, auf sich selbst zu vertrauen.

»Das werden wir wohl rausfinden«, sagte er.

Mit einem weiteren Lächeln ging der Werwolf zum Metallschrank. Er zog einen Schlüssel aus seiner Hosentasche und sperrte ihn auf.

Hunter sah, wie er etwas aus dem Schrank holte, konnte jedoch nicht erkennen, was es war.

»Ich mag Sie, Detective Hunter. Ich respektiere Sie dafür, dass Sie nicht ohne Kampf aus dem Leben treten wollen. Das kann ich Ihnen nicht verübeln, ich würde es genauso machen. Wie gesagt, Sie hätten wirklich zur Armee gehen sollen.«

Als der Ex-Soldat sich wieder zu Hunter umdrehte, konnte dieser endlich sehen, was er aus dem Schrank geholt hatte – eine Ruger SR22.

»Und ich weiß auch schon genau, wie wir es machen werden.«

Der Werwolf legte die Ruger auf das Kontrollpult, ehe er ein weiteres Mal zum Schrank zurückkehrte und noch etwas anderes herausholte. Diesmal war es eine ballistische Schutzweste.

Hunter sah ihn fragend an.

Sobald der Ex-Soldat die Weste angelegt hatte, griff er wieder nach der Ruger. Die SR22 war deutlich leichter und kompakter als seine eigene Sig Sauer P228 Neunmillimeter.

»Das hier ist eine Ruger SR22«, sagte er zu Hunter. »Bestimmt sind Sie mit dem Modell vertraut.« Er löste eine Verriegelung an der Waffe und nahm das Magazin heraus. »Zehn Schuss.«

Mit dem Daumen drückte er einzeln die Patronen aus

dem Magazin. Neun Stück, bis nur noch eine übrig war. Er achtete darauf, dass Hunter sehen konnte, was er tat. Dann legte er das Magazin wieder in die Waffe ein und lud sie durch.

»Ich muss Ihnen wohl nicht erklären, dass eine Kugel vom Kaliber 22 nur minimalen Schaden anrichtet, vor allem im Vergleich hierzu.« Er zeigte Hunter seine P228. »Im Gegensatz zu einer Neunmillimeter hat eine 22er keine nennenswerte Mannstoppwirkung ... es sei denn, man trifft ein lebenswichtiges Organ.«

Er zeigte mit dem Finger zunächst auf sein Herz, dann auf seine Stirn.

»Tja«, fuhr er fort. »Wie Sie sehen, ist mein Herz gut geschützt. Der einzige verwundbare Körperteil ist also mein Kopf. Wir machen es jetzt folgendermaßen, Detective. Ich schneide eine Ihrer Hände los – Ihre Schusshand selbstverständlich – und gebe Ihnen die Ruger. Wie Sie gesehen haben, befindet sich nur eine Kugel im Lauf und keine weitere im Magazin. Sie haben also nur eine Chance, Ihr Ziel zu treffen, und zwar genau hier.« Er wies auf die Stelle zwischen seinen Augenbrauen. »Das ist Ihre einzige Möglichkeit, mich auszuschalten. Eine 22er Kugel in meinem Gehirn ist tödlich. Eine 22er Kugel irgendwo anders ...« Er hob die Schultern.

Die ballistische Weste hatte Hunter nicht mit einkalkuliert.

»Folgende Regeln: Sie kriegen die Ruger mit einem Schuss Munition. Ich habe meine Neunmillimeter Sig Sauer.« Der Werwolf hielt kurz inne. »Sie sollten vielleicht noch wissen, dass ich Hohlspitzgeschosse benutze. Deshalb ist der Kopf der Blondine eben auch explodiert wie eine Wassermelone.«

Hunter atmete aus.

Hohlspitzgeschosse waren so konstruiert, dass sie sich beim Eintritt aufpilzten, manchmal bis zum Zweifachen ihres ursprünglichen Querschnitts. Wenn das geschah, gab die Kugel ihre Energie fast vollständig ans Zielmedium ab, wodurch sie eine deutlich größere Wunde und folglich sehr viel mehr Gewebeschaden verursachte. Hohlspitzgeschosse zählten zu den gefährlichsten Projektilen, die auf dem freien Markt erhältlich waren.

»Wir lassen beide den Arm mit der Waffe seitlich hängen.« Er demonstrierte Hunter, was er meinte. »Ich zähle bis drei. Um Ihnen eine faire Chance zu geben, verspreche ich Ihnen, dass ich ganz still dasitzen werde. Bei drei schießen wir.«

»Und ich soll darauf vertrauen, dass Sie nicht schon vorher schießen?«, wollte Hunter wissen.

»Soll *ich* darauf vertrauen, dass *Sie* nicht schon vorher schießen?«, gab der Werwolf zurück. »Sie haben auch eine Waffe, Detective.«

Hunter schwieg.

»Vergessen Sie nicht, Sie haben nur eine einzige Kugel und sind an einen Stuhl gefesselt. Denken Sie also nicht mal im Traum daran, mich bloß zu verwunden und dann um Hilfe zu rufen.« Er schüttelte unbekümmert den Kopf. »Das wird nicht funktionieren. Eine 22er kann mich nicht aufhalten.«

Der Werwolf legte die Heckler und Koch Mark 23, die er Hunter abgenommen hatte, auf das Kontrollpult – eine Armeslänge entfernt, aber trotzdem zu weit weg, als dass Hunter sie hätte erreichen können.

»Nur, damit Sie nicht auf dumme Gedanken kommen und versuchen, mir die Waffe aus der Hand zu schießen«, erklärte der Werwolf. »Vergessen Sie nicht, Sie sind gefesselt. Nur Ihr Schießarm ist frei. Verwundet oder nicht, ich kann auf jeden Fall noch nach Ihrer Waffe greifen und es beenden, ehe Sie mir was anhaben können. Und ehe Sie fragen: Ja, ich kann mit beiden Händen schießen. Wenn Sie mich nur verwunden wollen, ist das natürlich Ihre Entscheidung, aber *ich* werde schießen, um zu töten. Und diesmal werde ich Ihnen den Kopf wegblasen, das verspreche ich Ihnen. Danach sind die beiden Frauen dran. Entweder an Ort und Stelle, oder ich verkaufe sie im Netz.«

Er lächelte.

»Also. Wollen Sie das wirklich durchziehen?«

Hunter wusste, dass es kein Zurück mehr gab.

94

Noch einmal kehrte der Werwolf zu dem Schrank zurück, aus dem er zuvor die SR22 und die ballistische Weste geholt hatte. Diesmal nahm er ein scharfes Messer aus rostfreiem Stahl heraus und trat damit neben Hunters Stuhl.

»Ich schneide jetzt Ihren Schießarm los und gebe Ihnen die Waffe«, sagte er. Hunter wartete in angespanntem Schweigen. »Wir sitzen einander gegenüber, bei drei heben wir beide den Arm und feuern. Ganz einfach. Ein klassisches Duell, wie im Wilden Westen.« Er zog Hunter das Hemd aus der Hose.

»He, was machen Sie da?«, fragte Hunter alarmiert.

»Ganz ruhig, Detective. Sie sind nicht mein Typ.« Der Werwolf steckte die Ruger vorne in Hunters Hosenbund. »Sie haben mein Wort, dass ich erst bei drei schieße, und ich vertraue darauf, dass Sie es genauso handhaben. Aber ich bin schnell und habe sehr scharfe Augen. Sollte ich vor Ende des Countdowns auch nur das kleinste Zucken Ihres Arms bemerken, drücke ich sofort ab. Wir machen es wie echte Gentlemen, einverstanden?«

Hunter konnte kaum fassen, dass der Werwolf sich als Gentleman bezeichnete.

Der Werwolf trat hinter den Stuhl und durchtrennte erst den Kabelbinder, der Hunters rechten Arm an der Lehne fixierte, ehe er mit einem zweiten Schnitt sein Handgelenk befreite. Der linke Arm war nach wie vor gefesselt, aber immerhin konnte er den rechten nun wieder ungehindert bewegen. Er streckte und beugte ihn mehrmals hintereinander, um die Blutzirkulation anzuregen. Dann machte er dasselbe mit seinen Fingern.

»Ja«, sagte der Ex-Soldat, ehe er den Stuhl umrundete und sich, die P228 fest in der rechten Hand, vor Hunter aufbaute. »Bewegen Sie ihn ein bisschen. Bringen Sie den Blutfluss wieder in Gang. Ich warte gern.«

Mit der Waffe auf Hunter zielend, ging er etwa acht Schritte rückwärts, bis er bei seinem eigenen Stuhl angelangt war.

Er setzte sich. »Sind Sie dann so weit, Detective?«, fragte er nach einer Weile.

Hunter atmete aus. Adrenalin überschwemmte seinen Körper. Ob er bereit war oder nicht, der Werwolf würde nicht länger warten.

Ihre Blicke trafen sich.

»Sie dürfen jetzt Ihre Waffe nehmen.«

Hunter hob sein Hemd an und schloss die Finger um den Griff der Ruger.

»Langsam, Detective. Keine hektischen Bewegungen. Sie wollen doch nicht, dass ich es falsch interpretiere und Sie zu früh erschieße, oder?«

Ganz langsam zog Hunter die Waffe aus dem Hosenbund und spürte ihr Gewicht in seiner Hand. Aufgrund des leeren Magazins war sie ziemlich leicht.

»Gut. Jetzt lassen Sie den Arm locker hängen. Die Kugel ist bereits im Lauf.«

Hunter tat wie befohlen. Er legte den Zeigefinger um den Abzug. Sein Herz raste, während sein Magen sich wieder und wieder krampfartig zusammenzog.

Der Werwolf nickte und nahm ebenfalls den Arm herunter.

»Jetzt ist es also so weit, Detective Hunter«, sagte er ruhig.

Hunter sah ihn unverwandt an. Es erstaunte ihn, dass er im Gesicht des Ex-Soldaten keinerlei Regung wahrnahm. Da war weder Wut noch Mitleid, noch Bedauern. Gar nichts. Hunter blickte in das Gesicht eines Mannes, der in den nächsten Sekunden entweder sterben oder jemanden töten würde, doch er wirkte so unbeteiligt, als ginge es darum, sich eine Schüssel Cornflakes zu bereiten. Auch sein Körper reagierte in keinster Weise auf die drohende Gefahr. Weder waren seine Pupillen geweitet, noch war er blass geworden. Nicht mal seine Atemfrequenz hatte sich verändert.

»Okay«, sagte der Werwolf mit einem Nicken. »Tun wir es.«

Hunter hörte das Blut zwischen seinen Ohren rauschen, so heftig schlug sein Herz.

»Auf drei. Dann zeige ich Ihnen, wer von uns der bessere Schütze ist.«

Hunter atmete durch die Nase ein und versuchte, so viel Sauerstoff wie möglich in seine Lungen zu bekommen, ohne sich dabei mehr als unbedingt nötig zu bewegen. Sein Blick fixierte den Ex-Soldaten, der acht Schritte von ihm entfernt saß.

»Eins.«

Die Miene des Werwolfs war unbewegt, sein rechter Arm hing vollkommen entspannt seitlich an seinem Körper herab.

Hunter fragte sich, ob der Mann wirklich Wort halten oder doch schon früher schießen würde. Aufregung und Anspannung drohten überhandzunehmen, und er spürte ein Zittern im Arm, doch er unterdrückte es mit aller Macht. Ein zitternder Arm war das Letzte, was er jetzt brauchen konnte.

»Zwei.«

Der Werwolf zeigte nicht die kleinste Regung. Er schien nicht einmal mehr zu atmen.

Hunters Finger fühlte den Abzug der SR22. Er entspannte

die Schultern und atmete durch den Mund aus, gerade als der Werwolf »Drei« sagte.

Beide rissen den Arm hoch.

Doch nur einer kam dazu, seine Waffe abzufeuern.

95

Wenige Minuten zuvor

Die beiden Schüsse klangen dumpf und tief wie weit entfernte Bombenexplosionen. Danach fing Angela an, rastlos in ihrer Zelle auf und ab zu tigern.

»Was ist da draußen los?«, murmelte sie.

Sie zitterte am ganzen Leib. Ihr Mund war staubtrocken, und sie bekam kaum noch Luft. Sie hatte das Gefühl, als würden sich die Wände ihrer Zelle um sie schließen wie Finger, die sich zu einer Faust ballten. Sie wusste, was das bedeutete, weil sie es nicht zum ersten Mal erlebte. Es waren die Vorboten einer Panikattacke.

»Nein … bitte nicht«, flehte sie ihren Körper und ihr Gehirn verzweifelt an. »Ich kann das jetzt echt nicht gebrauchen.«

Sie kniff ganz fest die Augen zusammen und versuchte sich auf ihre Atmung zu konzentrieren. Sie musste sich beruhigen, ehe es zu schlimm wurde.

»Atme, Angie«, wisperte sie eindringlich. »Langsam und tief einatmen. Nicht hecheln.«

Das hatte mal ein Arzt zu ihr gesagt.

Es dauerte mehrere Minuten, aber irgendwann zeigte die Übung Wirkung, und es gelang ihr, der Panik Einhalt zu gebieten, ehe sie vollends von ihr Besitz ergriff.

Sobald sich ihre Atmung wieder halbwegs stabilisiert

hatte, hörte sie, wie irgendwo draußen eine Tür zufiel. Dann Schritte.

»Was bedeutet das?«, flüsterte sie, ehe sie sich ihrer Zellentür näherte und das Ohr dagegenpresste.

»Hallo?«, rief sie zaghaft. »Ist da jemand?«

Keine Antwort.

»Hallo?«, versuchte sie es erneut.

Nichts.

Sie wollte ein drittes Mal rufen, doch sie kam nicht mehr dazu.

BANG.

Ein weiterer Schuss fiel, noch viel lauter als die beiden ersten. Er klang, als käme er direkt von nebenan.

Im nächsten Moment regnete eiskaltes Wasser von der Decke.

Die Furcht überrollte Angela wie ein Hochgeschwindigkeitszug. Hastig stolperte sie von der Tür zurück.

Irgendwas Schlimmes ist passiert, dachte sie. *Irgendwas ganz Schlimmes.*

Im nächsten Moment durchzuckte sie ein Gedanke, bei dem ihr fast das Herz stehen blieb.

Was, wenn ich nicht die Einzige hier bin? Was, wenn er noch mehr Gefangene in irgendwelchen Zellen sitzen hat? Was, wenn er wütend ist und jetzt eine nach der anderen umbringt? Was, wenn ich die Nächste bin?

Angela versuchte nachzudenken, aber ihr Gehirn spielte verrückt.

Endlich ging die Sprinkleranlage aus, doch schon im nächsten Moment ...

BANG!

Ein vierter Schuss.

Dieser war wieder leiser, trotzdem raste Angelas Herz, als wollte es zerspringen.

»Ich werde nicht hier sitzen und warten, bis dieser Psycho kommt und mich abknallt«, sagte sie zu sich selbst, während sie zum Bett zurückging. »So wird das nicht enden. Wenn ich schon sterben muss, dann nicht ohne zu kämpfen.«

Angela stellte sich mit dem Gesicht zur Tür und nahm eine Linebacker-Position ein – den Oberkörper nach vorn gebeugt, das linke Bein vorne, das rechte hinten, sodass sie sich mit aller Kraft abstoßen konnte.

»Es gibt nur einen Weg hier rein, du krankes Arschloch«, fauchte sie und atmete ein paarmal tief durch, um sich aufzuputschen. »Sobald die Tür aufgeht, bist du fällig. Kann sein, dass du mich am Ende tötest, aber vorher breche ich dir noch deine verfickten Rippen.«

Sie wusste, dass sie diesen Kampf nicht gewinnen konnte. Der Mann, ihr Entführer, war viel größer und stärker als sie, außerdem hatte er eine Waffe. Selbst wenn es ihr gelang, ihn in den Magen oder – noch besser – in die Rippen zu treffen und ihm die Waffe aus der Hand zu schlagen, würde sie ihn niemals außer Gefecht setzen können. Aber das war ihr inzwischen egal.

In den letzten Sekunden hatte sie versucht, Frieden mit der Tatsache zu schließen, dass sie sterben würde. Im Lauf der vergangenen Jahre hatte sie oft über ihren Tod nachgedacht, allerdings war sie dabei nie auf die Idee gekommen, sie könnte durch die Hand eines Fremden sterben. Wenn dies ihre letzten Augenblicke auf Erden waren, würde sie dem Kerl den Kampf ihres Lebens liefern – sie würde kratzen und beißen und treten und schlagen. Ehe sie für immer die Augen schloss, würde sie diesem kranken Drecksack so viele Schmerzen zufügen wie nur irgend möglich.

Durch den winzigen Spalt zwischen Tür und Zementboden sah sie zwei dunkle Schatten näher kommen – Füße. Jemand war vor ihrer Zelle stehen geblieben.

Das Letzte, woran Angela dachte, war ihr Bruder.

Das ist für dich, Shawn. Es tut mir so leid, dass ich dich im Stich gelassen habe ... Aber bald sind wir wieder zusammen.

»Los geht's.«

96

Sieben Zehntel einer Sekunde – so lange dauerte das Duell zwischen Hunter und dem Werwolf.

Beide rissen zeitgleich den Arm hoch, doch dem Werwolf war von Anfang an klar gewesen, dass er als Sieger hervorgehen würde. Die Ruger war deutlich leichter als seine eigene Waffe. Das verschaffte dem Detective zwar einen gewissen Vorteil, was die Geschwindigkeit anging, doch die Durchschlagskraft seiner eigenen Neunmillimeter im Vergleich zur 22er machte das mehr als wett.

Es war genau, wie er gesagt hatte: Hunter konnte ihn nur mit einem direkten Kopfschuss ausschalten. Das Projektil musste in sein Gehirn eindringen ... und genau da lag das Problem. Selbst aus einer Entfernung von acht Schritten musste Hunter exakt zielen, um zu treffen, wohingegen dem Werwolf ein Körpertreffer genügte. Sein Hohlspitzgeschoss würde überall verheerenden Schaden anrichten. Solange er Hunter nur irgendwo traf – egal ob in Bauch, Brust, Arm, Bein oder Kopf –, bedeutete das im Wesentlichen das Ende für den Detective. Selbst ein Beinschuss wäre aufgrund des großen Wundkanals, der zertrümmerten Knochen, Muskeln und Nerven so schmerzhaft, dass Hunter augenblicklich die Waffe fallen lassen würde.

Wenn die erste Kugel ihn nicht tötete, würde es die zweite tun.

So oder so, sein Schicksal wäre besiegelt.

Das ist viel zu einfach, dachte der Werwolf noch, ehe er mit dem Countdown begann.

Hunter war bereits so gut wie tot. Und mit ihm die beiden Geiseln in ihren Zellen.

97

»Drei.«

Beide rissen den Arm hoch, doch nur einem von ihnen gelang es, einen Schuss abzugeben.

Genau wie der Werwolf war auch Hunter ein ausgezeichneter Schütze – einer der besten im ganzen LAPD. Trotzdem wusste er, dass er es an Präzision nicht mit dem Werwolf aufnehmen konnte. Das hatte dieser eindrucksvoll bewiesen, als er zweimal in blitzschneller Folge haarscharf an Hunters Kopf vorbeigeschossen hatte. Hunter war gut, aber so gut war er nicht.

Er wusste jedoch, dass nicht Präzision über den Ausgang ihres Duells entscheiden würde. Auf eine Distanz von acht Schritten waren beide selbst unter Stress mühelos in der Lage, ihr Ziel zu treffen. Das Problem war nur, dass Hunter der Einzige war, der sein Ziel auch treffen *musste*. Er hatte nur eine Chance, wenn er einen Schuss direkt in die Stirn des Werwolfs platzierte, während diesem ein simpler Körpertreffer ausreichte. Betrug oder Magie – das waren praktisch die einzigen Möglichkeiten, wie Hunter das Duell für sich entscheiden konnte.

Seine Wahl fiel auf Magie.

Kaum dass der Werwolf ihm die SR22 ausgehändigt hatte, hatte Hunter begonnen, mit analytischer Genauigkeit verschiedene Wahrscheinlichkeiten gegeneinander abzuwägen.

Der erste Faktor, den er in Betracht ziehen musste, war das Gewicht der jeweiligen Schusswaffen.

Die SR22 wog mit vollem Magazin etwa sechshundertdreißig Gramm. Aber Hunters Magazin war leer, er hatte nur das eine Projektil im Lauf. Mit leerem Magazin brachte es die SR22 nur noch auf vierhundertfünfzig Gramm. Anders die P228 des Werwolfs. Ungeladen wog diese gut achthundert Gramm, außerdem verfügte sie über ein größeres Magazin, und die einzelnen Projektile waren schwerer als die der SR22. Darüber hinaus war das Magazin des Werwolfs fast voll. Hunter ging davon aus, dass die Waffe mindestens ein halbes Kilo schwerer war als seine eigene.

Der zweite Faktor, den es zu bedenken galt, war das Abzugsgewicht und damit die Kraft, die nötig war, um die Waffe abzufeuern. Die kleine, leichte SR22 hatte ein Abzugsgewicht von gut eineinhalb Kilogramm, während eine Sig Sauer P228 standardmäßig knapp fünfeinhalb Kilogramm benötigte. Viele Profis ließen sich ihre Waffen individuell anpassen, um den Abzug schneller oder geschmeidiger zu machen, doch selbst dadurch konnte man das Abzugsgewicht maximal um zwei Kilogramm reduzieren. Hunters SR22 hatte in jedem Fall ein deutlich geringeres Abzugsgewicht – und ließ sich somit schneller und präziser feuern.

Diese beiden Faktoren allein konnten Hunter in einem Spiel, von dem beide wussten, dass es nicht länger als eine Sekunde dauern würde, einige winzige, aber kostbare Vorteile verschaffen. Diese winzigen Vorteile waren es, worauf er spekulierte, damit seine Magie funktionierte.

Der Trick bestand in der Armbewegung.

Auf drei riss der Werwolf seinen ganzen Arm hoch und visierte sein Ziel an.

Hunter hingegen ließ die Schulter hängen und hob lediglich den Unterarm. Er schoss gewissermaßen aus der Hüfte – eine Position, die ihm sehr lag und die außerdem für eine leicht aufwärts gerichtete Flugbahn der Kugel sorgte.

Der Werwolf hatte die Wahrheit gesagt: Die einzige Möglichkeit, ihn auszuschalten, war ein direkter Stirnschuss, und da sie einander gegenübersaßen, hätte das unter normalen Umständen eine horizontale Schussbahn bedeutet. Aufgrund des leicht aufsteigenden Schusswinkels jedoch reichte es nun, den Mann irgendwo ins Gesicht zu treffen.

Und genau das tat Hunter.

Er traf den Werwolf kurz unterhalb der Nase. Trotz des verhältnismäßig kleinen Kalibers reichte das Momentum der Kugel auf die kurze Distanz aus, um Knochen, Knorpel Fett- und Muskelgewebe zu durchschlagen und durch den Augapfel bis ins Gehirn vorzudringen. Dort durchschlug sie das Mittelhirn und die Hypophyse, ehe sie ihre kinetische Energie verbraucht hatte und im oberen Bereich des Parietallappens stecken blieb.

Die Zerstörung des Gewebes war weitreichend, und das Gehirn des Ex-Soldaten hörte auf zu funktionieren, noch ehe es den Befehl zum Betätigen des Abzugs an seinen Zeigefinger hatte senden können.

Ein Nebel aus Blut spritzte aus der Eintrittswunde und färbte die Luft vor dem Gesicht des Mannes rot. Sein Kopf wurde zurückgeschleudert, und sein Oberkörper prallte gegen die Rückenlehne des Stuhls. Sein Arm, den er zu etwa einem Viertel angehoben hatte, setzte die Aufwärtsbewegung noch eine Weile fort, doch der Griff um die P228 erschlaffte, die Waffe flog ihm aus der Hand in Hunters Richtung. Fast hätte sie ihn am Kopf getroffen.

Danach fiel der Arm des Werwolfs kraftlos herunter. Sein Kopf sackte nach rechts. Seine weit aufgerissenen Augen starrten Hunter an. Selbst leblos war sein Blick noch kalt und entschlossen.

Blut begann aus der kleinen Eintrittswunde zu sickern und rann ihm über Mund und Kinn, ehe es auf seine Brust tropfte. Seine Beine zitterten einige Sekunden lang, dann waren sie still. Das Leben des Werwolfs war zu Ende.

Hunter brauchte annähernd eine Minute, bis er wieder zu Atem gekommen war und sein Herzschlag sich allmählich verlangsamte.

Er war immer noch an den Stuhl gefesselt. Nur sein rechter Arm war frei. Aber der Werwolf war tot.

Hunter atmete noch einmal tief durch, dann warf er sich mit seinem ganzen Gewicht nach vorn, sodass er mitsamt dem Stuhl zu Boden stürzte. Er fing den Sturz mithilfe seines freien Arms ab und robbte über den Boden bis zum Kontrollpult. Schweiß perlte auf seiner Stirn. Er konnte immer noch nicht glauben, dass es ihm wieder einmal gelungen war, dem Tod von der Schippe zu springen.

Er musste kurz verschnaufen, dann angelte er sich das Messer vom Pult, mit dem der Werwolf zuvor seine Kabelbinder durchgeschnitten hatte.

Wenig später war er frei.

Am Gürtel des Werwolfs fand er die Schlüssel zu den Zellen. Er nahm sie und verließ den Raum durch die unverschlossene Stahltür. Der schwach erleuchtete Gang, in dem er sich wiederfand, schien fast unendlich weiterzugehen, ehe er irgendwann weit hinten nach links abknickte. Auf der linken Seite gab es zwei etwa zwanzig Meter auseinanderliegende Türen.

Hunter betrachtete die Schlüssel in seiner Hand. Von den Aufnahmen im Kontrollraum wusste er, dass Angela sich in Zelle Nummer drei befand. Er folgte dem Gang bis zum Ende und bog dann links ab. Zelle drei befand sich direkt vor ihm.

Hunter steckte den Schlüssel ins Schloss. Kaum hatte er die Tür aufgestoßen, wurde er mit solcher Wucht zu Boden geworfen, dass er eine seiner Rippen brechen hörte.

98

Police Administration Building, Sonntag, 13. Dezember

»So«, sagte Captain Blake, als Hunter und Garcia ihr Büro betraten und die Tür hinter sich schlossen. Sie hatte extra ein frühes Treffen anberaumt, weil sie am Nachmittag zu einem Briefing mit dem Polizeichef und dem Bürgermeister erwartet wurde. »Sind Sie und die Spurensicherung endlich fertig mit diesem Haus des Schreckens?«

Wie sie herausgefunden hatten, war das Versteck des Werwolfs ein ehemaliges Seniorenheim am Rande eines kleinen Wäldchens in Santa Clarita, das seit über einem Jahrzehnt leer stand und dem Verfall überlassen worden war. In den letzten Tagen hatten Hunter, Garcia und ein kleines Team von Kriminaltechnikern jeden Quadratzentimeter des Hauses unter die Lupe genommen.

»*Wir* schon«, antwortete Garcia. Er schielte kurz in Hunters Richtung, ehe er sich wieder Captain Blake zuwandte. »Die Spurensicherung braucht wohl noch eine ganze Weile. Bis jetzt ist noch nicht abzusehen, wie viele verschiedene DNA-Spuren es gibt.«

»In Ordnung.« Blake trank einen Schluck von ihrem Kaffee. »Und was haben Sie bisher rausgefunden?«

Garcia lachte trocken. »Genug.« Wieder ging sein Blick zu Hunter, der daraufhin das Wort ergriff.

»Der bürgerliche Name des Täters lautet Dean Turner«, begann er. »Er war zweiundvierzig Jahre alt, gebürtig aus Fresno. Er ist nach L. A. gekommen, nachdem seine geheime Kommandoeinheit aufgelöst wurde.«

Hunter hatte Garcia und Blake bereits über den militärischen Hintergrund des Werwolfs in Kenntnis gesetzt.

»Aber wir haben nach wie vor keine belastbaren Beweise dafür, dass diese Kommandoeinheit wirklich existiert hat, oder?«, wollte Blake wissen. »Wir wissen nicht mal, ob dieser Kerl wirklich beim Militär war, so wie er behauptet hat.«

»Richtig«, sagte Hunter. »Und vermutlich werden wir das auch nie erfahren, Captain. Ich habe es ja bereits erklärt: Es war eine *geheime* Einheit. Kein Codename, kein Rufzeichen ... nichts. Alle Mitglieder wurden unter Decknamen geführt. Weder die Regierung noch das Militär will, dass jemand von der Existenz solcher Einheiten erfährt.«

Captain Blake lehnte sich auf ihrem Stuhl zurück und verschränkte die Finger.

»Wissen wir wenigstens, wie viele Menschen er getötet hat, seit er nach L. A. gekommen ist?«, fragte sie. »Wissen wir, *wann* er nach L. A. gekommen ist?«

»Ich habe ihn gefragt, wie viele Tote es gab, bevor er sein Tagebuch begonnen hat«, sagte Hunter. »Aber er wusste es nicht mehr. Er hat nur gemeint, dass es einige waren.«

»Scheiße«, schimpfte Blake halblaut. »Also sind es definitiv mehr als sechzehn?«

»Zweifellos.«

»Der Bürgermeister wird begeistert sein«, sagte Captain Blake sarkastisch. »Was ist mit den Geiseln in seinem Versteck?«

Hunters Augen verdüsterten sich. Er sah noch die Bilder vor sich, wie der Werwolf in die Zelle der blonden Frau gegangen war und ihr völlig ungerührt ins Gesicht geschossen hatte.

»Die Frau, die er erschossen hat, während ich dort war, hieß Alexandra Berger. Vierundzwanzig Jahre alt, aus Santa Monica. Wir haben ihre Handtasche mit amtlicher Fahrerlaubnis und Hausschlüssel in einem der Räume gefunden. Sie wohnte mit ihrem Freund zusammen, einem gewissen Luke Bradford. Ich habe ihm die Nachricht gestern überbracht.«

Captain Blake nickte mit gesenktem Kopf. Sie wusste nur zu gut, wie schwer es war, Angehörigen die Nachricht vom Tod ihrer Liebsten überbringen zu müssen. »Was ist mit der anderen?«

»Sie heißt Silvia Hinton aus Garland in Texas. Sechsundzwanzig Jahre alt. Ihre Eltern sind hergeflogen, um bei ihr zu sein. Sie steht immer noch unter Schock, deshalb konnten wir bisher noch keine vollständige Aussage von ihr bekommen.«

»Wissen wir, wann sie verschleppt wurde?«

»Vor fünf Tagen«, antwortete Hunter. »Miss Hinton arbeitet als Krankenschwester in der Kinderklinik am Sunset Boulevard. Anscheinend hat er sie sich geschnappt, als sie nach der Spätschicht zu ihrem Auto gehen wollte.«

»Und wie geht es ihr jetzt?«

»Körperlich so weit gut – ein bisschen unterernährt, aber ansonsten fehlt ihr nichts. Seelisch? Sie wird definitiv ein Trauma davontragen. Wie schlimm es ist, wird sich erst mit der Zeit rausstellen.«

»Und Angela Wood?«

»Ziemlich durchgeschüttelt«, sagte Hunter. »Aber im Großen und Ganzen ist sie wohlauf. Sie wird heute Vormittag aus dem Krankenhaus entlassen. Sobald ich hier wegkomme, fahre ich hin und hole sie ab.«

»Und«, fügte Garcia hinzu, »Clay Heaths Leiche wurde im ersten Untergeschoss der Tiefgarage gegenüber vom Westin Bonaventure Hotel gefunden. Die ist gerade wegen Sanierungsarbeiten gesperrt, aber die Arbeit wurde vor ein paar Wochen unterbrochen – es gab irgendwelche finanziellen Probleme –, deshalb wurde seine Leiche erst gestern Abend von einer Gruppe Jugendlicher entdeckt.«

»Er hat dem armen Jungen also die Kehle aufgeschlitzt«, seufzte Blake. »Und dann ist er seelenruhig über die Straße ins Hotel spaziert, um zu warten, dass Robert mit dem Tagebuch auftaucht.«

»Genau so war's«, sagte Garcia.

Captain Blake leerte ihre Kaffeetasse und stand auf. Ihre Miene war besorgt.

»Dieser Chatroom im Darknet«, sagte sie. »Die ›Stimmen‹ – ist es möglich, diese Leute irgendwie aufzuspüren? Kann das FBI oder Interpol nach ihnen fahnden?«

»Vielleicht«, sagte Hunter. »Aber es ist extrem aufwendig. Das ist ja gerade der Reiz am Darknet, Captain. Da ist nichts zurückverfolgbar. Man kann tun und lassen, was immer man will, vollkommen unbehelligt.«

Captain Blake blieb am Fenster stehen und starrte einen Moment lang in den Himmel.

»Wir leben in einer traurigen und sehr finsteren Welt«, lautete Garcias Kommentar. »In der es nicht nur Leute gibt, die solche Sachen im Internet anbieten, sondern auch noch Hunderte ... *Tausende,* die sie kaufen wollen. Und wir sind völlig machtlos dagegen. Das macht mich rasend.«

»Wir können nicht die ganze Welt in Ordnung bringen, Carlos«, sagte Hunter. »Wir können nicht jeden retten, das weißt du. Das Einzige, was wir tun können, ist, weiter unseren Job zu machen und immer unser Bestes zu geben. Die zu retten, die wir retten können. Die zu beschützen, die wir beschützen können ... und die Täter, die wir fassen, hinter Gitter zu bringen.«

»Robert hat recht, Carlos«, sagte Captain Blake und drehte sich zu ihren Detectives um. »Machen Sie Ihren Job. Geben Sie Ihr Bestes, mehr kann niemand von Ihnen verlangen. Und jetzt ziehen Sie nicht so ein Gesicht. Holen Sie sich ein paar Donuts und ein Glas Milch und genießen Sie Ihr Wochenende. Und am Montag kommen Sie wieder und machen das, was Sie am besten können.«

»Absolut umwerfend aussehen?«, fragte Garcia.

»Raus hier«, befahl Blake und zeigte auf die Tür.

99

Während Garcia sich auf den Heimweg machte, stieg Hunter in seinen Wagen und fuhr zum Good Samaritan Hospital am Wilshire Boulevard. Angela wartete zusammen mit einer Schwester am Empfang auf ihn.

»Wie geht es Ihnen?«, fragte er, nachdem er die Entlassungspapiere unterschrieben hatte. Er hatte bei Captain

Blake erreicht, dass das LAPD für ihren Krankenhausaufenthalt aufkam.

»Mir geht's gut«, sagte Angela, als sie zu seinem Wagen gingen. »Ich bin einfach nur froh, da raus zu sein. Dieser Krankenhausfraß geht gar nicht.«

»Sollen wir unterwegs noch irgendwo anhalten, damit Sie was Anständiges essen können?«

»Nein, geht schon. Danke.« Sie schwieg, während Hunter die Beifahrertür seines Buicks aufschloss. »Sie müssen mich auch nicht nach Hause fahren. Ich kann auch den Bus nehmen. Ich wäre schon vor Stunden gegangen, aber es musste noch jemand unterschreiben.«

»Jetzt steigen Sie schon ein.«

Widerstrebend nahm Angela auf dem Beifahrersitz Platz. »Sie sollten echt mal überlegen, ob Sie sich nicht ein neues Auto anschaffen. Die ... Kiste hier fällt ja fast auseinander ... Außerdem riecht es hier drin.«

»Stimmt doch gar nicht«, sagte Hunter und machte ein beleidigtes Gesicht. »Wonach riecht es denn?«

»Weiß nicht. Alt eben.«

Hunter erwiderte nichts, zuckte jedoch unwillkürlich vor Schmerz zusammen, als er das Lenkrad nach links einschlug.

»Wie geht es der Rippe?«, erkundigte sich Angela in deutlich versöhnlicherem Ton, als Hunter es von ihr gewöhnt war.

»Grün und blau«, sagte er. »Und es tut höllisch weh. Aber ich werde es überleben. Sie haben mich gut wieder zusammengeflickt.«

»Das tut mir übrigens *wirklich* leid«, sagte Angela aufrichtig. »Ich wollte nicht Sie angreifen.«

»Das weiß ich.«

»Warum haben Sie nicht meinen Namen gerufen oder so, bevor Sie reingekommen sind? Ich dachte echt, mein letztes Stündlein hat geschlagen.«

»Ja, das hätte ich wohl tun sollen«, räumte Hunter ein.
»Ja, hätten Sie.«
»Wie dem auch sei.« Er lächelte. »Das war ein ziemlich gutes Tackling.«
Angela erwiderte sein Lächeln. »Nur damit Sie es wissen«, sagte sie, als Hunter nach rechts in die West Sixth Street einbog. »Ich höre auf. Mit dem Klauen.«
»Wirklich?«, sagte Hunter erfreut, wenngleich nicht überrascht.
»Ja. Ich habe mir geschworen, wenn ich jemals aus diesem stinkenden Höllenloch rauskomme, höre ich auf. Und ich halte meine Versprechen.«
»Das ist großartig«, sagte Hunter. »Haben Sie denn schon Pläne? Wissen Sie, was Sie stattdessen machen wollen?«
»Nein, noch nicht, aber das kommt schon noch.«
Hunter griff in seine Tasche und fischte einen kleinen Zettel heraus. »Hier.« Er gab ihn Angela.
»Was ist das?«, fragte sie und faltete den Zettel auseinander. Darauf standen ein Name und eine Telefonnummer. »Wer ist Richard Cole?«
»Ein Bekannter von mir, Leiter der Sicherheit bei der Bloomingdale Group. Ich habe ihm von Ihnen erzählt, und er meinte, Sie sollen ihn mal anrufen, damit er einen Termin für ein Vorstellungsgespräch ausmachen kann.«
»Ein Vorstellungsgespräch? Wozu?«
»Na, für einen Job.«
Angela sah Hunter verständnislos an.
»Bei Bloomingdale sind sie wohl der Ansicht«, erklärte er, »dass es besser ist, jemanden mit Ihren Fähigkeiten auf ihrer Seite zu haben. Sie können denen bestimmt ein paar nützliche Sachen beibringen – zum Beispiel, wonach man Ausschau halten muss, wenn man Ladendiebe schnappen will.«
Angela starrte Hunter weiterhin an, aber der Blick in ihren Augen wurde ein wenig weicher.
»Es ist ein guter Job und gar nicht mal so schlecht be-

zahlt«, setzte Hunter hinzu. »Sie sind bestimmt wie gemacht dafür. Rufen Sie ihn ruhig an. Er ist ein anständiger Kerl.«

Angela steckte den Zettel ein. Die nächsten zehn Minuten lang schwieg sie.

»Kann ich Sie was fragen«, sagte sie schließlich.

»Sicher.«

»Warum sind Sie so nett zu mir?«

Hunter blinzelte und warf Angela einen fragenden Blick zu, als würde er nicht schlau aus ihr.

»Ich meine ... ich war so ekelhaft zu Ihnen. Ich weiß das, weil ich zu *jedem* ekelhaft bin. Ich vertraue einfach niemandem, und eine Bitch zu sein ist ein guter Schutz. Aber diesmal hat mein Verhalten zwei Menschen das Leben gekostet, und das ... tut mir so unfassbar leid.« Angelas Augen füllten sich mit Tränen, und ihre Stimme brach. »Ich war dumm und egoistisch ... Das Wort ›Bitch‹ ist da noch untertrieben ... Und jetzt sind sie tot.« Tränen liefen ihr über das Gesicht. »Das werde ich mir nie verzeihen, solange ich lebe. Ich kann gar nicht sagen, wie leid mir das tut.«

Hunter spürte die tiefe Reue in ihren Worten.

»Ich bin kein schlechter Mensch«, fuhr sie fort, während sie sich die Tränen wegwischte. »Wenigstens war ich früher kein schlechter Mensch. Bitte, glauben Sie mir.«

»Das tue ich«, sagte Hunter.

»Ich will wieder die sein, die ich früher war. Ich will noch mal ganz von vorne anfangen. Ich will nicht mehr so sein wie jetzt.«

»Das ist doch gut«, sagte Hunter. »Und ein Job kann Ihnen beim Neuanfang helfen. Rufen Sie Richard an.«

Angela versuchte, Hunters Blick einzufangen, doch er schaute konzentriert auf die Straße.

»Sie haben meine Frage nicht beantwortet«, sagte sie. »Warum sind Sie so nett zu mir?«

»Ich kenne viele Menschen so wie Sie, Angela«, antwortete Hunter nach einem kurzen, nachdenklichen Schweigen.

»Ich war auch mal so, und jeder Mensch, ganz egal, für wie zäh oder stark er sich hält ... Jeder macht mal Fehler, und dann brauchen wir jemanden, der uns hilft, denn keiner kann *immer* stark sein. Glauben Sie mir, ich habe es oft versucht und bin gescheitert.«

Abermals kamen Angela die Tränen.

»Außerdem tue ich doch nichts Außergewöhnliches«, fuhr Hunter sanft fort. »Ich versuche nur, einer Freundin wieder auf die Beine zu helfen, mehr nicht. Das ist einfach nur menschlich.«

Angela zögerte. »Dann sind Sie aber ein viel netterer Mensch als die meisten, die ich bisher kennengelernt habe. Das können Sie mir glauben.«

Wieder schwiegen sie eine Zeit lang.

»Haben Sie das wirklich ernst gemeint, was Sie gerade gesagt haben?«, fragte Angela, während sie sich erneut die Tränen trocknete.

»Das mit dem Job? Natürlich, ich ...«

»Nein, nicht das mit dem Job«, fiel sie ihm ins Wort. »Dass Sie einer *Freundin* helfen wollen. Bin ich für Sie so was wie eine Freundin?«

Diesmal war es Hunter, der Angelas Blick suchte. »Ja, das sind Sie. Ich hatte gehofft, dass es Ihnen vielleicht ähnlich geht.«

Angela lächelte scheu.

»Das finde ich gut. Das finde ich richtig gut.«

Hunter hielt vor Angelas Gebäude und schaltete den Motor aus. »Also – rufen Sie Richard an?«

»Ja, vielleicht mache ich das.«

»Schön. Übrigens, Ihre Tür ist repariert.« Hunter überreichte ihr die Schlüssel zum neuen Schloss.

»Wurde auch Zeit.« Sie nahm die Schlüssel entgegen, zögerte einen Moment, dann lehnte sie sich zu Hunter und gab ihm einen schnellen Kuss auf die Wange. »Danke ... für alles.«

Lächelnd sah er zu, wie sie ins Haus lief und die Treppen hinaufstieg.

Er drehte den Schlüssel im Zündschloss um. Der Anlasser röchelte, ansonsten geschah nichts.

Er versuchte es noch einmal.

Nichts.

Noch einmal.

Wieder nichts.

»Verdammt.« Er ließ sich in seinen Sitz sinken. »Vielleicht sollte ich mir wirklich ein neues Auto anschaffen.«

Danksagung

Während ich an diesem Roman arbeitete, erlitt ich einen tragischen Verlust, der mein ganzes Universum einstürzen ließ und eine Dunkelheit in mein Leben brachte, von der ich gehofft hatte, sie nie wieder erleben zu müssen. Ohne die Hilfe und die Gesellschaft einiger der wundervollsten Menschen, denen ich je begegnet bin, wäre dieses Buch niemals fertig geworden, und ich selbst wäre wahrscheinlich nicht mehr hier.

Helen Mulder, Jair und Lisa Pelegrina, Uwe Lippold, Andru und Tracy Kalker, Lynne Marie Campbell.

Ich danke euch allen aus tiefstem Herzen. Ihr habt mir das Leben gerettet, und ihr bedeutet mir mehr, als ihr überhaupt ahnt.

Danke, dass ihr für mich da seid.

Auch auf beruflicher Ebene möchte ich einigen sehr besonderen Menschen von ganzem Herzen danken: Darley Anderson, dem besten Agenten, den ein Autor sich wünschen kann. Darleys Engeln Mary Darby, Kristina Egan, Georgia Fuller und dem übrigen Team in der Agentur, einfach weil sie so großartig sind. Meinen neuen Lektorinnen Anne Perry und Bethan Jones, die unermüdlichen Einsatz gezeigt haben, um alle Probleme in diesem Buch zu beheben.

Dank geht auch an meine Leserinnen und Leser und an alle anderen da draußen, die mir von Anfang an auf so großartige Weise die Treue gehalten haben. Ohne eure Unterstützung würde ich nicht schreiben.